送給

親愛的＿＿＿＿＿＿＿＿

祝願您

〝如鷹展翅上騰〞

〝如鷹返老還童〞

＿＿＿＿＿＿＿ 敬上

從國內到國外、從熱帶到寒帶

從政府到民間、從城市到鄉村

從企業到家庭、從街頭到巷尾

從老師到學生、從大人到小孩

不分種族、不分宗教

不分黨派、不分行業

不分年齡、不分性別

所到之處皆掀起一片健康排毒熱潮

無毒一身輕2

吃喝吸

林光常 著

審訂序

天然醫學之效

美國葉氏天然醫學研究中心負責人　葉少麟博士

本人是一個早年得病後，方知覺醒回歸天然醫學的生還受益者。

我從小生長於一個富裕兼沉浸於西洋飲食文化的家庭中，每日以肉、蛋、奶、海鮮、甜點爲驕幸。自幼腸胃羸弱，頻發胃病，年未滿二十已患有嚴重十二指腸球部潰瘍；曾求助於來自美國哈佛大學、英國劍橋大學、德國柏林大學、日本東京帝國大學……的各大名醫，破財費時，卻未獲寸效。最後被摒棄於一位英國皇家醫學會的腹腔外科教授手下，入院準備接受全胃切除的「胃死刑」手術，是年我正在浙江醫科大學攻讀醫學。在「服刑」前夕，我決志「縱獄逃生」，未通知教授、護士即擅自離開外科重症病房搭車回家。回家後大肆號哭，自問我何以落此境界？到底錯在哪裡？前途該作何打算？我這個刀下囚如何生還？現代醫學已盡了全力，但卻把我推至「屠宰場」，我惟有自求生機。所幸在我進醫大前，奉母慈命就讀於清朝中國天然醫學御醫丁甘仁之孫丁濟華醫師及祝懷萱主任醫師門下數年，恥當時年輕，嗤天然醫學以「不科學」而鄙視之。焉知在這生死之際，自鍼足三里、合谷二穴，胃痛頓止，又自方逍遙散加六君子湯服之，並改換飲食，諸症緩解；然仍不信其神效，自釋爲心理作用，遂停鍼停藥，不料胃痛又起。惟續上法，痛又停，辯證施治：寒者熱之、熱者寒之、虛則補之、實則瀉之，反覆多次，確認有效。天然醫藥賜我消除滅頂之災，從而能繼續攻讀現代醫學，又精研中國古典天然醫學，另加讀天然香料化妝品學，半工半讀，孜孜不倦長達十七年，期間胃潰瘍、十二指腸球部潰瘍痊癒，迄今已四十餘年矣。

本人在行醫、教育四十五年的心路歷程中深刻體會到天然醫學之實效。1980年來美準備考西醫執照中，更得神清楚異象指示（請參閱拙著《永不孤單》）從事天然醫藥。遵聖命考取天然醫藥執照，自1982年專職懸壺從事天然醫學迄今22載，求診病人絡繹不絕，洋人接受天然醫學之心切可見一斑。同時又發現一個現代醫學迷津，美國傲稱世界醫學第一強國，備有各類最先進儀器，醫院大又漂亮，手術一流，首翹大指，何以有這麼多病家？按人口百分比來推算，其病種之多、病人之衆，莫非也可躋入世界第一強？引「以其人之矛，刺其人之盾」之成語，不亦確切乎？既知現代醫學上有嚴重矛盾，我人不可不洞察深究之。

現代文明社會生活節奏奇速、快速飲食劇增、睡眠時數大減、無暇休閑、空氣與水質污染、化學藥物、農藥及基因改造食品充斥市場…….，人不患疾，豈不怪哉。人之有疾，必有其因，若爲除症候，卻不究病因施藥手術，如此掩蓋眞相，反而會加害病情，後患無窮，醫者必戒，病者必拒。

天然醫學解讀病情重在眞實發現，古書明確記載病因有內因七情（喜、怒、憂、思、悲、恐、驚），外因六淫（風、寒、暑、濕、燥、火）及飲食、勞倦、房事之三大不內外因，果斷有方，如病家或醫者善加應用，可及時發現某病之起因，予以糾正，病情逆轉，立竿見影，是爲治法大則。惜現代人將古典醫律視若無睹，肆立新規條例，渾水摸魚，造成許多悲劇，在臨床中可泣之例不勝枚舉。人生短促，何苦如斯受害，奉勸病患者速速回歸天然醫學。

「民以食爲天」是中國人的心語，「讓食物爲醫藥，醫藥爲食物」（Let food be your medicine, medicine be your food.）是西醫始祖 Hippocrates 的眞實告誡，東西方人士數千年來均小心飲食，決非隨心縱慾。今文明昌盛的世代，吾人對飲食豈可不慎。孔子名言「病從口入」當三思之。

回歸天然醫學有一條捷徑入門，那就是細讀林光常弟兄著的《無毒一身輕》1、2。本人從不輕信廣告，也不隨從流言，但篤信眞理下的事實。自從聽過林光常弟兄的講座，知道他是一位有生命有見證的虔誠基督徒，又讀到他的著作及衆病人的眞實見證，使我不得不相信排毒餐之威力。

林弟兄擁有一顆赤子之心，自願獻身於健康事業，奮不顧身，赴湯蹈火，日以繼夜，耗盡多少歲月，踏足遍跡多方尋求眞理，渴望得到現代文明病之根治法則。上天不負有心人，賜他敏捷的聰明和智慧，讓他發現了導致以癌爲最可怕的許多文明病的34個病因，實在是醫學上的新發現；又發明了健康七大法，爲根治文明病立下了汗馬之功。冀盼林光常弟兄不停止探索研究，將此研究進入三相同步科學，並爲心靈、精神、身體三層次同步的人類醫學樹立里程碑。

《無毒一身輕》1、2是健康眞理，是救人命的、除病痛的、極有實用價值的兩本書。希望讀者用心攻讀，將其病因和健康法實踐在自己生活中，改善生活品質，達到事半功倍之醫療及保健效果。

願天父祝福每一位讀者。

禱祝每一位讀者健康、愉快、長壽。

葉少麟於美國加州厄普崙市

2004 年 5 月 21 日

葉少麟博士簡介

葉少麟，現年 67 歲，早年攻讀於中國浙江醫科大學醫療系本科，並同時師從中國名醫、內婦科專家丁濟華和祝懷萱教授。行醫期間，繼續就讀於上海師範大學化學系，並師從中國化妝品香料工業之父葉如愚先生和葉心農先生（註：葉少麟之父親及伯父），在香料化妝品學識上造詣也頗深。早在二十世紀七十年代，葉醫師又會同其兄葉幼麟教授，共同編排中國天然醫學診斷及治療的電腦程序，並取得了巨大的成功，兄弟二人被榮稱爲中國天然醫學電腦診斷和治療的創始人。隨即，被中國廣州市第二人民醫院聘請爲電腦診斷科主任。

1980 年，葉醫師赴美深造及進行醫學研究。第二年一舉考得加州行醫執照。隨即在堪薩斯州俄佛倫公園市開設第一家葉氏天然醫藥研究中心，並舉辦各種講座，教育美國醫界對天然醫學的認識。1984 年獲得美國哲學博士學位，同年榮獲斯里蘭卡共和國衛生部在荷蘭隆重頒發的榮譽科學博士學位。1985 年又獲美國東方醫學博士學位，其名被列入「加州名人錄」、「美國名人錄」及英國劍橋「世界名人錄」。

葉醫師不僅嗜好中國古典文學，也熱愛英、德、日文，著有許多醫學書籍、醫學論文及譯文出版。

而葉醫師夫人沈嬌麟女士，現年 60 歲，原爲中國的專業鋼琴演奏家，於 1966 年與葉醫師結婚後，開始攻讀天然醫學及美容學。來美後考取加州美容專業執照，並獲得美國天然醫學博士學位，其名也被列入「加州名人錄」。沈嬌麟於加州成立「明珠青春美研究所」，其宗旨在於相信青春美 70 %來自於內在的健康，革新了西方社會只注重外表的美容觀念，結果不僅達到事半功倍的效果，成績還遠超過一般市場的其他方法。

她精心研製的系列產品 — Dr. Pearl's Series — 目前已銷售全美各地及東南亞，主要是應用特殊先進科技及處方，能迎 21 世紀男女們之切需，其效果更非一般護膚產品可及。

葉少麟是資深的著名醫師，任美國葉氏天然醫學研究中心及葉氏天然醫藥製藥廠總裁。沈嬌麟則是葉氏天然醫藥製藥廠廠長。二位除在醫學上榮神益人外，尚在許多教會中傳道，並以音樂事奉神，更作文字奉獻，希望在有生年日中，多做寶貴有價值的工作，因主再來的日子近了。

推薦序

飲食的智慧

三軍總醫院　張宏博士

第一次接觸健康排毒餐，是在一年多前，透過我們在西雅圖留學時所認識的一個教會姊妹，她熱心地提供我們兩捲光常兄的演講錄音帶，內人聽完後就深深地被其中所講述的飲食觀念吸引，馬上去買了《無毒一身輕》和我一起分享。書中所講的道理簡單明瞭、不僅僅是飲食方面的探討，連心靈層面也有很多的著墨，更特別的是他按照聖經上的言語，強調生活要從心靈跟身體兩方面來改進，這些對我們全家都有很大的幫助。

因為光常兄也是教會的弟兄，所以他給我的感覺是個願意付出與奉獻自己的人，與他幾次交談，更讓我感受到除了活力與熱忱之外，他也是個童心未泯、擁有赤子之心的人，並且願意也樂意跟衆人分享訊息。我不能說是推銷觀念，但「健康排毒餐」確實是他認為比較正確、不同於社會大衆所認知的另類方向。我個人就覺得健康排毒餐的效果非常好，這對我們全家來說，同時也是一個嶄新而滿創意的新嘗試。

前陣子教育部公布的 2003 年大專新生體驗報告中、台灣大一學生普遍存在著「三高」──高膽固醇、高血壓、高尿酸！其背後代表的意思是什麼呢？這代表著國內普遍存在的狀況就是飲食過量、喜愛重口味、肉食及高熱量的食物、許多健康問題就是與這些很大的關聯。否則，照理說大學生應該是身體處於巔峰狀態，怎麼有這些「三高」的情形呢？

現代人很多都是年紀輕輕就出現許多毛病，必須靠著吃藥來控管自己的身體，其實許多的文明病，只要改善我們的飲食習慣和生活型態就能獲得健康，爲健康加分。

在《無毒一身輕》中，光常兄告訴我們飲食及生活方面，其實是可以做不同的選擇，並提出許多科學的數據理論。同時，他也舉出一些佐證，譬如他在大陸上幫助不少病患恢復健康，也曾遠赴日本長壽村實地觀察及研究那些人是怎樣過生活以及他們都如何飲食，讓大家了解到飲食及環境是如何來影響我們的健康。

一般來說，現代人爲了維護身體健康，大部份都強調精緻美食。人對於吃，好像只是一種慣性，你不會去考慮食物的成份是什麼，而只是覺得好吃，人的習慣就是這樣子。簡單地說，吃就是一種行爲的模式。有沒有想過爲什麼我們常去某家餐廳吃飯而不去別的餐廳，這就是因爲我們已經吃慣這種東西，如果突然要接受另一類食物，一定常會有不適應的狀況。就像有人抽煙，很習慣一根接一根，倘若今天突然叫他戒菸，改吃口香糖，試問多少人有辦法馬上就做得到？而《無毒一身輕》這本書中，所提倡的健康排毒餐就是要教讀者一個很有效率、很有安排的飲食新方法，剛開始實行或許並不容易，然而一旦成爲習慣之後，很快就可以成爲一種飲食模式，根植在日常生活型態，而第一個對身體最大的幫助，就是排便變得順暢而規律，超出的體重很明顯地減輕，精神會變好，生活的秩序也能掌握較好。

此外，我聽過光常兄的幾場有關心理情緒演講，他常引用聖經上的觀念，譬如「你要饒恕別人」及常說「祝福的話語」，我覺得「饒恕」這兩個字特別重要，它不僅能改善我們的人際關係，對於心理健康上也很受用，我們常說現代人吃錯很多東西，以致造成毒素的累積，但是更多時候，健康的受損來自心理壓力、情緒管理不當以及消極負面言語造成人與人之間的傷害，如果它們一直埋藏在我們的潛意識裡，就會成為影響健康的毒素。

心理上的毒瘤，往往比任何東西還嚴重，因為當我們情緒不好的時候，常常會反應到飲食上，有些是厭食症，有的就是暴飲暴食，想要藉此來紓解壓力，反而是將我們導向更不健康的路上。所以該如何把情緒毒素排出來，也是書中要告訴我們的重點。而此項主張與健康排毒餐結合起來就能成為一種積極且正面的生活方式，如果衆人在年輕時，就能獲得這種概念，就不必到了健康破洞後，才來補破洞，因為有時連補償也會徒勞無功。

時代改變了，如果我們繼續照著現代的腳步走，對人的健康會是一個很大的危機，最好是重新調整步調，不要走得太快，過得太複雜，光常兄所倡導的「排毒」方法就是一個很好的媒介，我覺得他帶給我們的就是兩個字——「簡單」。一切以簡單自然為主，在飲食上，在心靈及生活方式上都要簡化。尤其當人的想法、心思意念沒那麼複雜的時候，人跟人的相處，利益的衝突也不會那麼大，生活就比較愉快而有意義多了。

很多時候，我們想賺很多錢、過更好的生活、吃更好的東西，但有沒有思考過，這些是不是眞的有用？還是反而傷害我們比較多？就好比電腦遊戲一樣，越複雜越好玩，只會讓我們花更多時間沉迷在電腦前面，反而失去許多其他東西，所以「簡單」跟「節制」，在健康養生方面是很重要的方向。光常兄就做了很好示範，健康排毒餐不難準備，只要幾樣蔬果、地瓜及糙米飯，排列組合在一起，晨起就吃，一天的生活從這簡單自然的一餐開始，一旦身體健康了，在任何事情上就會有很大的回報。

飲食其實是種智慧。聖雄甘地在吃東西前都會先問自己，這食物是不是有生命及吃下去會不會對我有幫助，有智慧的人會去想這個問題，那我們呢？有沒有仔細去體會當正確的食物吃下去後和身體共舞的感覺？我相信飲食智慧是開啓另一種生命泉源的鑰匙，它能打開封閉已久的心靈，使人變得豁達而自信。

現代人的求知欲是很強的，所以很多人都會想要知道爲什麼。《無毒一身輕》講得大部份是概念，還是有一些細節部分未著墨，許多跟我們一樣的讀者，多多少少還會有其他問題，譬如健康排毒餐的做法，更深層的排毒觀念、學理……，所以《無毒一身輕 2》的出版是必然的。因爲有必要再把健康排毒餐及每日七件事的細節交代清楚，讓大家更能將這正面的觀念帶進思想深處，進而在生活中發生力量。

知識就是力量、知識不夠，力量就不夠。値此《無毒一身輕 2》問世之際，希望大家能繼續像修學分一樣，不管你是否已經讀過《無毒一身輕》，都可以將《無毒一身輕 2》當作一個進階的教材，尋找更深入的體驗，當然重點還是要身體力行。而學理上的著重，我想能幫助到更多想要深入了解健康概念的人。希望光常兄能把收集到的學理及理論依據繼續跟大家分享，期待有《無毒一身輕》第三集、第四集的誕生。

張宏博士簡介

◉美國西雅圖華盛頓大學生理博士

◉三軍總醫院胸腔外科主治醫師

◉國防醫學院生理學系助理教授

推薦序

我眼中的林光常

飛碟電台節目主持人　朱衛茵小姐

我從小就很喜歡減肥，各式各樣的減肥方法，像減肥藥、針灸、節食或是不吃……，不管哪一種我都嘗試過。可是不管怎麼減，我還是覺得自己肉肉的、胖胖的、圓圓的，總是無法達到自己喜歡的程度。反而是在那段減肥的過程中，我覺得我失去了健康。也不曉得為什麼會這樣子，在減肥奮鬥的期間，我變得越來越自卑。

直到後來，我才發現不論怎麼樣減肥都不滿意的主要原因，應該是一開始我的觀念就不對。以前我最喜歡吃的食物就是肉、蛋、奶，尤其是喜歡吃麵包。其實我的體質對這些東西應該是非常過敏的，但是以前的我完全不曉得，所以我也就一直為蕁麻疹所苦，也因此服用蕁麻疹的藥物有一段很長的時間。有時候蕁麻疹的狀況比較輕微，好了；但是很奇怪，過一陣子它又犯了。為什麼會這樣子呢？當時的我一無所知，只是懷疑是不是有一些東西我不該吃，又有一些東西我沒吃呢？

直到後來我認識了林光常老師，在讀完了他所寫的《無毒一身輕》之後，對於林老師書中所提到的健康概念，不僅讓我多年來的疑問豁然開通，我也開始吃書中林老師所提倡的「健康排毒餐」。

其實一開始，我覺得吃排毒餐是蠻辛苦的一件事。因爲裡面都沒有我平常喜歡吃的大魚大肉，也沒有我愛吃的麵包。但是因爲我相信林弟兄（我們都是基督徒），也同意他所說的一切東西都只是一種習慣。因此當我眞的把魚、肉、蛋、奶慢慢戒掉，把健康排毒餐（蔬菜、水果、地瓜⋯⋯等等）在我生活之中的比重慢慢增加後，我發現我的氣色一天比一天好，還有不可思議的是我的體脂肪從 30 減到 19，這是我先前針灸或吃減肥藥所萬萬做不到的。

大家都知道排毒餐中的糙米，它所含的纖維質非常地多，而且維生素B群也非常多，所以它會讓我身體的代謝變好，自然體內的脂肪也會變少。此外，地瓜也能讓我的身體越來越厚實，這種厚實是屬於體內五臟六腑的厚實，而不是表現在外的癡肥喔。

我覺得光常是一個非常有博愛情操的好弟兄，他只是想把他的熱情全然地奉獻，因爲他就是一個非常有使命感的人。他很少在意自己快不快樂，所以即使遭受了多方攻詰，他仍希望把這些最好的觀念帶給大家。

他的幽默、他的反應，還有他豐富的知識，都讓我在在地認爲，他是個天生的演說家。加上他的感染力非常非常地強，所以我不單常常邀請他上節目，談談現代人飲食上的問題，在我的車上更是每天不時地播放他的 CD，好加強我的健康觀念。

這就是我所認識的林光常。

林弟兄的第二本書《無毒一身輕 2》即將付梓出版，我相信這本書將會與《無毒一身輕》一樣，帶給大家更多更好的健康觀念。一切的事情都是一個選擇，我因爲相信林弟兄，並從他的《無毒一身輕》中，找回自己。所以你不妨也來試試，看看能不能也在這本書中找到自我？

朱衛茵小姐簡介

◉知名電台主持人、作家和兩性專家

◉歷年來主持過節目有～

香港商業電台：POP SCENCE、日日鮮、燭光下、午間空間音樂餐；

中國廣播公司：午安陽光、城市週末夜；

警察廣播電台：人約黃昏後

◉曾任第九屆金曲獎、第六屆國軍金笙獎評審

◉現爲飛碟聯播網「一點關係」節目主持人

推薦序

我看「林光常健康講座」與排毒餐

新加坡　黃瑛瑛傳道

我唱著詩歌，一面愉快地預備著我的排毒午餐。

此時來了一通電話，那是一位熱心、有愛心的姐妹為著周圍的人著急：她的一位朋友腦部有腫瘤，姐姐有乳癌已做切除手術，另一位朋友是腸癌第三期已擴散，她本身則有便祕及嚴重偏頭痛，偏頭痛每星期有兩三次，止痛藥越吃越多，痛苦卻沒有減少。她在三星期前開始吃排毒餐，只吃一天便解決了便祕問題；接下來多年的偏頭痛竟明顯轉輕，她趕緊丟掉所有止痛藥，如今急著要向周遭朋友介紹這良方，並且希望我幫她向朋友解釋……。

我如今滿懷感恩。回想 2002 年 9 月 24 日發現乳房輕微出血，接下來醫生作檢查，三位癌症專科醫生都說我得了乳癌，並建議我儘快作乳房切除手術，再看是否化療、放療。我的家人都鼓勵我動手術，西醫朋友也全都要我思及不動手術的嚴重後果。我當時所看到的唯一道路就是做切除手術，因此訂下了動手術的日期。然而接下來幾天我忐忑不安，想到醫生並沒有爲我做詳細的全身檢查，只因乳房有個小腫瘤就要切除它，心想若是以後再發現別的腫瘤，我一定沒有力量打第二次仗。我也留意到許多人在動手術之後又發現有腫瘤，幾乎都保不住性命。因此我對這種「頭痛醫頭、腳痛醫腳」的觀念很不能接受。

那年的 9 月 28 日朋友邀我參加「林光常健康講座」，我突然發現原來我對與自己朝夕共處的身體健康與醫治是那麼地無知，也才頓悟原來切除不是唯一的道路（後來我自己閱讀一些癌症相關資料，才知道其實世界各地有許多人用「自然療法」或「食療」來治癌，只因這不是「正統療法」，較缺乏統計數字可循）。9 月 29 日光常弟兄替我諮詢，認爲我的狀況還好， 10 月 1 日我開始吃排毒餐，稍後決定取消手術。

大約兩個月的排毒及調整體質期間，我的排毒現象是：喉痛、口痛、情緒低落、輕微發燒兩周，後來在頸部又發現了三個腫塊。我心想，是不是轉移成淋巴癌了？正好這時光常弟兄又來到新加坡，他了解我的情況，只輕描淡寫地說：「不要擔心，這不是腫瘤！」我心裡帶著疑惑回家，摸摸那明明存在的腫塊，眞的不是嗎？可是我決定不吃退燒藥、消炎片，改喝薑茶、泡熱鹽水澡，數天後一個早晨，我突然進廁所三、四次，做了生平最大的一次「大事」，之後燒退了，頸部的腫瘤也消了！

然後我留意到乳房的出血由暗紅轉爲鮮紅、橘紅、透明的液體，量也越來越少，四個月後不再出血了。啊！多奇妙！我才想起光常弟兄說，果然是四個月血液更新呢！！

「林光常健康講座」的特色，在於他善於將深奧的醫學知識以通俗易懂、幽默生動的方式表達，並且提供一個簡單具體、便宜可行的健康食譜。更重要的是，他還帶出一套健康的人生哲學、生活方式，特別對負面、消極、苦難的人生，提出積極、樂觀的應對，以致受癌症驚嚇（或折磨）的病人，聽完後都能定下心來，並且知道自己不是那麼無能爲力或只能袖手旁觀，而是能積極參與建造和改善。我留意到周圍許多健康的人，也因此大幅地調整飲食與生活方式和待人處世的態度。不久前，就有位朋友告訴我，她吃了幾個月的排毒餐後，家人對她說，她的壞脾氣也變好了。

我個人在光常弟兄的講座中得到數樣重要的提醒：死亡原不是上帝的旨意；健康是每個人的權利；不說消極的話；不要以「應該得」的態度面對人生；每樣得著都會有「撿到」的開心；並且常存感恩，包括爲負面的事，例如他有堂課講的就是「生病的好處」。他還提供了許多健康人生、喜樂生活的小故事，若要全寫出，那這本書可就會變成我的著作了！

幾個月前，新加坡報載一位女醫生控告男病人的性騷擾案。女醫生認爲病人其實沒病，病人的律師反問：如果沒病，爲什麼妳讓他服藥？醫生說：檢查如果顯示病人沒病，通常我們都會給他開兩種藥：鎮定劑和抗生素……。我看了極爲震驚！我非常肯定醫生們一定不會這樣對待他們的孩子或自己吧！

這使我想起光常弟兄和其他醫師最大的不同：他建議我們吃的排毒餐，是他本身執著儘量吃的（既使在外不便時），他吃「健康三寶」（酵素、纖維素、昆布粉），他身邊更常常帶著一些「小寶貝」——像「生化陶瓷片」、「遠紅外線眼罩」……。我們看到了便常要求他幫我們買，因爲知道他自己在用的「肯定不會錯」。從這一點上看，我認爲他是言行一致的人。

我聽過他在教堂的講道，推測他認眞預備：因爲他不僅作經文譯文的比較，找出原文意義，並且還熟悉聖經；他也非常尊重全職事主的人，甚至為他們成立基金。在私下的談話中，我發現他「口不出惡言」，即使在遭遇不平、傷害或攻擊時。

有人曾對我說：有些吃排毒餐的人也死了啊。我的答案是：有誰不會死？動手術、化療、放療，肯定不會死嗎？在新加坡，我就親眼看到不只一位癌症末期病人，推著扶著進來，吃排毒餐一個月後，自己走進來。其中有一位，體內該割的都割了，又活了 8 個月，沒錯，她死了！但是排毒餐是否有效，你可自行判斷！

走筆至此，我又接到了一通電話，是新加坡「第一屆林光常排毒餐的畢業生」——林清標大哥，他說明天要慶祝吃排毒餐一周年。他原本患淋巴血癌，頸部腫瘤使頸部不能轉動，而他既不動手術，也沒有做化放療，只吃排毒餐，血液中的白血球數量就由原來的 32,000 降至 20,000，頸部腫瘤完全消失。最近見醫生時，醫生反而對他說：你不必這麼常來見我！

而我吃了排毒餐 9 個月，精神體力不僅前所未有地好，癌細胞也沒有擴散的跡象。我如今安心地與我花了幾十年造就出來的「小東西」和平共處。如果有一天我死於癌症，也許就是有些控制不到或控制不好的因素影響；例如我不能不用電器、電腦，排毒餐的吃法沒有 100 %，靠近或吃進什麼使我的細胞迅速癌化的東西等等。

當一些優秀的人才忠於職守、熱愛家國、日以繼夜忘我地勞心勞力工作研究，以致付出沉重的健康，甚至生命的代價時，總令人扼腕嘆息，唏噓不已。當更多城市人的眼目，停留在外表的色香味、身體的舒適、慾望的滿足，晨昏顛倒、拼命工作也拼命享受，最後甚至可能淪為食物（或生存）的奴僕時，他們不但身體虛弱，實際上精神心靈層面也蒙受虧損。排毒餐卻顛覆了現代人的飲食習慣，糾正了人們不健康的生活方式，若全面實行作身心靈的大調整，更可以回復一種簡樸像農村般的生活，在心靈上也會比較單純，在我看來，這實在比較接近我極其嚮往，也是聖經創世紀所提原來伊甸園的極致美好生活。

對被物質主義及錯誤價值觀綑綁的當代人，排毒餐實在是急需，並應加以推廣成身心靈健康運動！

因此，感謝上帝，透過癌症更新我的身體、生活與人。感謝上帝透過祂的僕人——這位與你我一樣不完全但善良的林光常弟兄，教我學會人生許多寶貴的功課。因此我們積極在各地籌辦「林光常健康講座」，希望更多人受惠。

值《無毒一身輕 2》出版之際，謹此向林光常弟兄聊表謝意，但願您繼續勇敢做正事，也深信上帝要繼續使用您成爲他人的幫助和激勵！

2003 年 7 月 11 日於新加坡

黃瑛瑛傳道簡介

黃瑛瑛，畢業於新加坡南洋大學，先後獲香港中國神學研究院基督教研究碩士（主修聖經），台灣輔仁大學教義系碩士（主修輔導）現任挑戰者社長（挑戰者爲新加坡福音機構）。

作者序

2003年末，12月7日至9日的台北，有些哀泣，因爲三天內有兩則特別報導，兩位當代科技界與影視圈赫赫有名的重量級人物驟然離世了。這檔事，不僅是人們沒想到，也出乎他們二位的意料之外。雖然過去，一位科技興國穩又準，另一位特技表演絲毫不差。

一位是愛神愛人以科技驅貧困的英業達副董事長溫世仁先生，另一位是「亞洲第一飛人」，飛躍長城與黃河第一人的特技明星柯受良（小黑）。他們二位賢達有五個共通點：

⑴平日生活高度忙碌，行程滿滿。

⑵均驟逝於「慢性病」，溫爲腦中風，柯爲哮喘病。

⑶兩人均愛喝飲料，溫愛可樂，柯愛喝酒。

⑷均在人生盛年之時過世，溫55歲，柯50歲。

⑸他們都走得太突然，心中縱有千千萬萬不捨，卻又如何？

根據世界衛生組織公布的數據，從2003年3月1日至6月16日爲止，全世界共有30餘國受SARS影響，通報病例爲8,464例，死亡總人數爲799人。台灣的累積病例數697人，死亡人數83人。

而行政院衛生署所公布的 2002 年十大死因，在扣除自殺、意外事件及肺炎等非慢性病因後，每日因癌症而死的人數已達 94 人，癌症以外死於慢性病的人（如心臟病、腦血管疾病、糖尿病、高血壓、肝病和腎病）最高達 117 人，兩者合計爲 211 人。總計因慢性病而死的「一天總人數」（211 人），已遠遠超過 SARS「總死亡人數」（83 人）的 2.5 倍以上。

因 SARS 防疫不力，必須有高官下台以示負責，而死亡人數遠遠超過 SARS 的慢性病，像野火般燎原，迅速蔓延，卻從來沒有一位官員表示過歉意，好像是理所當然的樣子。你說奇怪不奇怪？

當我們誇耀現代醫藥越來越進步的同時，慢性病的罹患率和死亡率不但未減低，反而年年攀新高，重大傷病的健保醫療支出更是屢屢創紀錄，你說奇怪不奇怪？

據衛生署的報告，以癌症的罹患率來看，1996 年的台灣每 1 小時才有 1 人得癌症；三年後，也就是 1999 年每 12 分鐘有 1 人得癌症，足足成長了 5 倍。2000 年的報導是每 11 分 17 秒增一名癌症病患，2002 年的報告更是不到 10 分鐘就有 1 人罹癌。2003 年 12 月衛生署的統計，台灣已是每 9 分鐘就有 1 人罹癌。

再以健保局所公布的重大傷病醫療支出爲例，1999 年癌症的花費爲 162.85 億，2000 年爲 180.48 億，比上一年足足高出了 17 餘億，成長了 10.82 %；到了 2001 年癌症花費又創新高爲 201.36 億元，比上一年又多了超過 20 億，增加了 11.57 %；2002 年時更高達 236.15 億，比上一年又多了近 35 億，成長幅度爲 17.27 %。你難道不覺得太不可思議嗎？更不敢想像的是，台灣一年花在感冒的健保費竟是 250 億元！藥物呢？2002 年全年台灣人總共吃掉了 960 餘億元的藥物！

按理說，醫藥技術越進步，醫藥產業應越衰退。（因爲病人多數被醫治，再加上預防得宜，後發的病人也越來越少了。）可是，事實卻不然，問題到底出在哪裡？

每年大一新生入學時，都要舉行新生健康檢查，2003 年 12 月的最新健檢報告出爐。傳統應屬中老年齡疾病的高膽固醇、高尿酸和高血壓，竟成爲大學生健檢異常項目的前三名，更令人驚訝的是，東吳、文化和中山大學，每 4 人中就有 1 人膽固醇或血壓過高；政治大學和世新大學的新生則每 4 人就有 1 人尿酸過高。

教育部近期所完成的國中小學生體能狀況調查發現，近六年來，中小學生的身體柔軟度、肌肉爆發力愈來愈差，但體重卻逐漸上升，男生的情況又比女生嚴重。根據統計，台灣 4 至 7 歲的兒童更有普遍缺鈣的現象。

大家都說，他們是營養最好的一代，爲什麼竟是體質最差的一代？！都說這是資源最豐富一代，爲什麼他們的內在特別貧瘠？！都說現在醫學很發達，醫院設備很先進，爲什麼年青人的健康素質愈來愈差？這奇怪不奇怪？

最奇怪的是，明明知道「預防勝於治療」，天天以「預防勝於治療」的口號教育社會大衆，但是在每年數以千億的健保花費之中，用於「預防」部分的費用，竟是可憐到只有個位數。例如教育部將於 93 學年度起推動的「落實學生體能推廣措施五年計劃」，預計投入總經費只有 1 億元。全民一年感冒看健保就花掉了 250 億，而增進全體師生健康的預算五年只有 1 億。

其實治療，是永遠治療不完病人的，如同將水倒進漏底的杯中，永遠也倒不滿的，除非在補漏底方面下大功夫，否則再多的水注入，也將流失掉。政府應有更多的預算與行動來增強全民健康的意識，教育大衆正確的飲食與生活方式，否則慢性病人只會愈來愈多，年齡層愈來愈年青；國家財政負擔只會愈來愈重，老百姓的生活品質也會愈來愈差；自然而然，一個國家的國力也就愈來愈衰弱。難道我們正處在一個朝代的末世嗎？為什麼奇怪的事愈來愈多，而人們竟以漠然相對？

撰寫《無毒一身輕》時，其實心裡只有一個想法「不要讓人在無知與疏忽之中滅亡」。這本書竟然在台灣各大書店暢銷熱賣排行連續超過 52 週，可見人們是極其關注自身健康的，再寫這一本書，是希望將許多演講會上與電視廣播節目中無法一一詳述的重要健康資訊，能夠更清楚地闡明。當然，我是人，是一個有血有淚也會犯錯，也常有疏忽的人。

所以，本書內容如有疏漏、不足或錯誤之處，祈請社會先進不吝指正，俾利再版時修正，以嘉惠大衆。

在此要特別感謝，三軍總醫院胸腔外科主治醫師張宏博士，飛碟電台「一點關係」節目主持人朱衛茵小姐和新加坡黃瑛瑛傳道，以自身對健康排毒餐的體驗，在百忙之中，撥冗作序。還要再多謝無數篇健康排毒餐的見證人，你們的見證不只激勵了渺小又軟弱的光常，更成了千千萬萬患病者的鼓舞力量。還要謝謝台中煤炭工會常務理事──何榮耀先生。我常喊他「木炭王」，如果你知道他了解木炭的程度遠超過了解他太太，你就不得不讚嘆他的專業。由於越來越多的人在探詢，目前市面上優質的備長炭也越來越不容易購得。再加上各國的保護資源政策，合理也預測，優質的備長炭只會愈來愈少，價格只會越來越高。為避免上當，特請「木炭王」提供其專業，請您參考。

再次謝謝大家，給我機會，為您服務。

林光常

2003.12.22 於上海交大

以下這封信是寫給：

（1）願以愛心傳播健康生活理念者
（2）願以使命感教授健康排毒餐者
（3）願以毅力開拓個人宏偉事業者

穀賤傷農，我心傷痛

自從努力倡導健康飲食與生活方式以來，因爲有您始終持續不斷地加油打氣，肯定鼓勵，並在上帝面前爲一個不配蒙恩的人，日夜祈求，才使光常在風雨飄搖之中，雖跌跌撞撞，靠著主恩和您的支持至今仍然站立。

您的這一份感情，早已超越了血親和姻親關係，謝謝您，常常透過各種不同方式表示：健康排毒餐的推廣要繼續堅持下去，因爲它的確有效，也已經有愈來愈多的人得到幫助了。

自從《無毒一身輕》出版以來，每一天都有無數的求助電話和E-mail湧入辦公室和信箱，多爲詢問病情和健康排毒餐的正確製作方法及適用性，詢問者句句言詞迫切，聲聲無奈無助，只盼能得著一絲指引，爲他們在病情中的家人好友，尋著一線生機，怎不叫一個血肉之軀的我心酸心痛與心碎呢？

上帝啊！這些病痛什麼時候會過去呢？不禁問上帝。其實答案很明確，人類需要回歸上帝所創飲食與生活的自然規律，否則將在文明病中痛苦地逐漸自我毀滅。

健康排毒餐的推出，至今不及二載，已在全球各地造成數大轟動，竊思主因在於它的簡易，有效且安全。因此我們有理由可以相信，在可預期的未來，健康排毒餐不只是帶給個人健康，且勢必發展成爲一個符合時代需求的先進產業，帶領人們認識自然，回歸自然。

健康排毒餐，不只是一種飲食文化，更是一種健康快樂的生活模式。不只對個人產生積極的效果，全面推廣之後，更會對整個社會、民族、國家，乃至於全世界產生歷史性的影響。

因爲健康排毒餐至少產生 9 大社會價值～

1：脫離文明病痛恐懼

2：帶給個人身體健康

3：帶動群我關係和諧

4：培育善良愉快心靈

5：減低社會暴力敵對

6：保護有限土壤資源

7：有效利用食物價值

8：提高農民農產所得

9：提供個人創業良機

2003 年 11 月 23 日，平日行事低調，個性善良溫和沉默的農漁民，竟有 12 萬人走上街頭，傾訴委屈。

2003 年 12 月 24 日，台北街頭又出現了第六起稻米炸彈，炸彈客此舉意在阻止稻米進口，雖都是虛驚一場，但很清楚地表明了，隱藏在弱勢的農民心中怒火。

自從 2002 年元月我國加入世貿組織（WTO）以後，台灣面臨了農產品市場開放的壓力。2 年來我國農民所產稻穀，價格持續慘跌，導致農民血本無歸。5 台斤稻穀買不到一包長壽菸，一碗米飯比一杯礦泉水還賤價，農民每期稻作花四個月在田中忙碌，一公斤稻穀平均換不到 10 根長壽菸。三斤柳橙，兩顆花椰菜，換不到一份報紙，再加上國人飲食習慣改變，不再以五穀雜糧爲主食，不但壞了自己的身體，更傷了辛勤勞作的農民，穀賤傷農，莫甚於此。

健康排毒餐，有幾個重要的基本精神，就是⑴恢復米食爲主食，拋棄口感雖好，卻使人體質酸化，容易罹患文明病的精緻加工食品　如漢堡、炸鷄、薯條、牛排等。全穀類食物必須占總飲食 50 %以上。⑵每餐飯前必吃水果，每天至少三種水果。⑶每餐飲食裡至少 2 樣以上根莖花果類的蔬菜且要生食，每天至少 6 種蔬菜。所以天天至少 9 種蔬果，再加 3 頓五穀雜糧。

所以，採用健康排毒餐的人越多，吃五穀雜糧蔬果的人就越多，農民的收益自然就越穩定。而且，健康排毒餐所取的食材，嚴格要求必須「當地當季盛產」這三大原則。一國之內，只要倡導力行健康排毒餐，何有 WTO 對農業的衝擊（因爲老百姓根本不吃進口貨）？難怪，近年來，越來越多國家邀請我去演講健康排毒餐，原來它是廣大農民的救命符！感謝上帝！！

爲了全面推廣健康排毒餐，普傳正確而有價值的健康生活方式，使更多面臨文明病恐懼的現代人獲得身心靈健康，我們需要一群有理想，有信念，有使命，敢爲天下先的仁人志士，一起來參與，在全球各地成立「健康排毒教學中心（或健康小站）」倡導伊甸園健康屋的生活模式，免得人民因無知而滅亡，因疏忽而釀禍。

此外，我們還需要更多無化肥，無農藥，有機栽種的農產品，盼望採自然農耕的農場能主動和我們連繫，以便配合日益增加的「教學中心（健康小站）」物資採購需求。

當然，在景氣低迷，經濟欲振乏力，失業率居高不下的情況下，對一個有遠見，有抱負的您而言，爭取成立「健康排毒教學中心（或健康小站）」更是您千載難逢服務鄉里，改善經濟的良機。

還有千言萬語，待有機會見面時，當面再跟您說。

（詳細情形可上網查詢 http://www.enoch.com.tw 或電詢（02）2928-0215）

祝願您

平安、健康

弟

光常敬上

前 言

非常高興又有機會，能夠跟大家來談談，有關癌症等慢性病的主題。在 2003 年 1 月的天下雜誌第 218 頁，製作了健康主題「企業家迷上排毒餐」。這是繼 2002 年 10 月份「壹週刊」之後，另一個有影響力雜誌對排毒餐的報導。之後 2003 年 9 月（304 期）的 TVBS 周刊，又有 6 頁的全篇幅報導排毒餐。在此期間，全球各地，都有許多傳媒推薦排毒餐給社會大眾。

每一次，我都非常高興接受他們的訪問。許多記者朋友來採訪健康排毒餐，大都是因本身或身邊人使用排毒餐而獲得了健康的緣故。他們發現到：僅僅只是局部的飲食習慣改變，就可以幫助一個人走上健康之路。不只是對癌症，包括一般慢性病如高血壓、糖尿病、心臟病和肥胖症等都有很大的改善作用。

我們建議採用的方法，跟目前美國主流醫學所採用的治療方法，是不相同的。它是沒有任何傷害、沒有副作用的。我很希望能夠把這樣好的方式介紹給大家。

在前一本書《無毒一身輕》中我們談到一個人如果想要擁有健康需具備兩大條件：一是「正確的認知」；第二是「切實的行動」。認知與行動，你必須同時去進行；你「知道」了、你「做到」了，你就會「得到」。

在中國大陸的一次健康排毒餐臨床研究，參與人數爲 100 人，這 100 個病人都是自願報名的。他們多數是癌症病患，當然還有一些是心臟病，糖尿病和高血壓等的患者；只要他們願意嘗試，我們就推薦他們身心靈的排毒方法。

結果，只有短短的一個月，95％的人，也就是 100 個裡面，有 95 個病患，他們的身心狀況都大有進展。或許你會問：另外 5 個人爲什麼沒有效呢？因爲，他們沒有完全照著我所告訴他們的身心靈排毒法去做。後來我就告訴這 5 個人：「以後不用再來了！愛吃什麼，就吃什麼；愛做什麼，就做什麼；想要見什麼人，就趕快去！」對呀！他自己都不珍惜，我幫他做什麼？想要健康很簡單，先建立正確的觀念，然後照著去做，就對了。因爲很多時候，我們對於癌症等慢性病的恐懼，就是源自於錯誤的觀念。

一旦觀念正確，思想就會變化；思想變化了以後，看待癌症、高血壓、心臟病、糖尿病的態度就會改變；只要態度一改變，行爲也會跟著變。行爲改變，習慣便隨之改變。好的行爲，造成好的習慣；好的習慣，造成好的個性；好個性，就決定了你將有好的「命運」。這也就是，爲什麼我要花很多時間，跑到世界各地舉辦公開演講和製作電視廣播節目，就是要讓更多的人了解正確或錯誤的觀念都會影響你一生的。

本書試圖先從「人人應享有健康長壽」的觀念談起。再談人爲什麼不但沒有享受到健康長壽，反而所經歷的盡是病痛短命。最後，再提出健康長壽的生活之道。

現在就請您與我一同進入健康長壽的人生吧！

目 錄

〈排毒餐體證例〉〈讀者迴響〉

夏天汗不流
秋天鼻涕流
毒留百病留
無毒健康遊

虹昇

◎**一股清流**

林教授您好：

託您之福，在讀過《無毒一身輕》之後，受到很大的震撼，實在非常感謝教授，將此福份廣傳世人，讓大家在廣受飲食的毒害之餘，還有一股飲食解毒的清流，來拯救世人！

讀者

◎**最佳禮物**

dear 林教授：

這本書真的非常不錯，一方面也對素食者提供不少好的觀念。

看過不少這方面的書籍，以這本書最為精緻又詳細。

實在太謝謝你了！

到目前為止，已經買了 8 本書送給朋友，總覺得需要的朋友還是很多。

所以希望你能夠繼續演講，著作下去，讓更多的人受惠。

一個來幫你加油的朋友

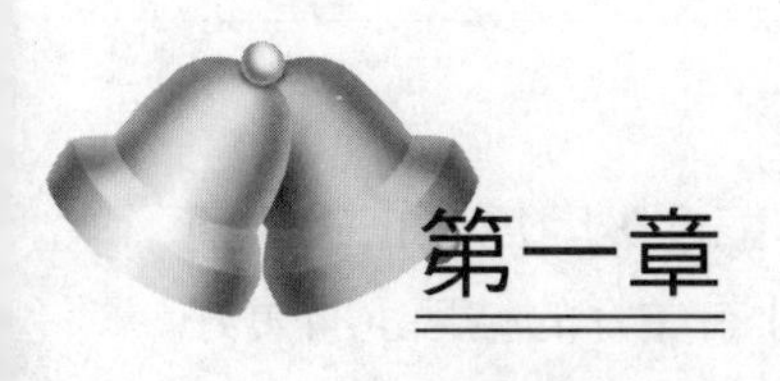

第一章

健康長壽乎？病痛短命乎？

「法於陰陽，和於術數，食飲有節，起居有常，不妄作勞，故能形與神俱，而盡終其天年，度百歲乃去。」

（內經・素問・上古天真論）

「因此，上主說：人既然是屬肉體的，我的靈就不永遠住在他們裡面；所以他們的壽命不得超過一百二十歲。」

（創世紀第 6 章第 3 節）

想和大家先談一個非常重要的基本觀念，因為有正確的觀念，才有正確的行動；有正確的行動，才有美好的結果；有美好的結果，才會強化正確的觀念，最終成為牢不可破的信念，深深影響人的一生。

人的一生究竟應該是「病痛短命」？還是「健康長壽」？先從古代談起，唐朝白居易詩集中記載參加九老會的子杌爽當時已經是 136 歲；唐朝慧昭法師活了 290 歲；名醫孫思邈活了 101 歲；中國西藏的李中云活了 252 歲；後漢葛越活了 280 歲。

其它世界各國也都有長壽的記載，如日本的萬部，在 1985 年，當日本首相在東京召見他時，他已 194 歲，妻子 173 歲，兒子 153 歲，孫子 105 歲；英國的弗姆卡恩活了 207 歲，經歷了 12 個國王；澳洲的克查爾騰活了 185 歲；1978 年前蘇聯媒體報導，阿塞拜疆有個農民活了 142 歲。

舊約聖經記載，在洪水以前，從亞當到挪亞上古列祖 10 代的平均壽命幾乎都在 900 歲左右。從挪亞後代閃以降的後洪水時期，人類的平均壽命一路遞減，閃還有 600 歲，到了亞伯拉罕只有 175 歲，以撒 180 歲，雅各 147 歲，約瑟 110 歲，摩西是 120 歲。

至於動物的壽命差距就更大了，雄家蠅只活 18 天，蜘蛛有 6 個月的壽命，小白鼠則有 1.5～2 年的壽命，貓可活 8～12 年，牛是 20～30 年，大象的壽命是 100～200 年，烏龜則高壽 200～300 年。

在聖經詩篇 90 篇神人摩西的禱告裡講到，人一生的歲月是 70 歲，若是強壯可到 80 歲，但是其中可矜誇的都是勞苦愁煩。

摩西觀察當時的人，大多數人的壽命都是 70～80 歲之間，可是他自己活到 120 歲，而且他到 120 歲的時候，眼目沒有昏花，精神沒有衰敗。所以，我猜想，摩西的肝一定很好，因為肝不好的話，不可能到一百多歲眼睛還這麼好。我就見過有一個老人家快一百歲了，哇！穿針不用戴眼鏡，而且很快就穿過去，耳聰目明呢。

人的壽命有多少？

人的自然壽命到底應該是多少呢？歷來科學家對於預測動物的自然壽命，有多種學說，提供各位參考：

一、細胞分裂說

美國史丹福大學醫學教授海爾弗利克發現，各種動物胚胎細胞的分裂次數是有規律的，分裂到一定次數後就會出現衰老或死亡。海教授認為，細胞壽命的長短顯然是受細胞內某些類似「時鐘」一樣的機制所制約。而這種「壽命鐘」就藏在細胞核內，按著一定的程序運行著：新生→發育→成熟→衰老→死亡。

然而人類的胚胎細胞進行培養約分裂 50 次，若從十幾歲的少年身上取下細胞培養就只能分裂 40 次，成人的細胞分裂次數就更少了，只有 30 次。這顯示了細胞在人體發育成長過程中的老化過程。

海教授也計算出人的細胞分裂一次是2.4年，我們稱之為「海氏系數」。因此，

細胞分裂次數×分裂周期＝自然壽命

以雞為例：25 次×1.2 年＝ 30 年

人：50 次×2.4 年＝ 120 歲

二、生長期說

所謂生長期，是指動物的骨骼停止生長為止所需要的時間。這方面的學說，最具代表性的人物為英國著名生物學家巴風，他

經過長期的研究提出：「動物尤其是哺乳動物的自然壽命相當於它完成生長期後的 5 至 7 倍。」人的生長期為 25 年，因此人的壽命應當為 125 至 175 歲之間。

三、性成熟說

此說乃根據生物學的規律研究所提出的學說。認為性成熟期的 8 至 10 倍就是人的自然壽命，而人的性成熟期為 14 至 16 歲，因此人的自然壽命應是 112 至 160 歲。

四、腦發育說

腦學專家弗里海洛爾認為：腦部發育與壽命息息相關，哺乳動物的頭蓋骨系數愈大，則壽命愈長。如鹿的頭蓋骨系數為 0.35，壽命 15 年；兔是 0.06，壽命則為 8 年，小老鼠系數為 0.045，壽命只有 2 至 3 年。人類的頭蓋骨系數為 0.7，壽命應為 150 歲左右。

五、神經學說

知名科學家巴甫洛夫根據神經學說，認為人的自然壽命應為 100 至 150 歲。

到底人的自然壽命應該是多少歲呢？讓我們從不同角度來探討這個主題：

聖經上很早就有記載，當人犯罪以後，上帝說「人既然是屬肉體的，我的靈就不永遠住在他們裡面，然而他們的日子還可到 120 年」（創世紀 6 章 3 節）。現代中文譯本直接把這節經文翻成「他們的壽命不得超過 120 歲」。120 歲的壽命。這節經文有兩種解釋，第一個解釋就是說還有 120 年，神就要用洪水來審判這個犯罪的世界；另一個解釋是說因為人屬乎血氣，沒有了神，所以人的歲數最多只能活到120歲。中國老祖宗的看法與聖經相同，如黃帝內經《素問・上古天眞論》載：「法于陰陽，和于術數，食飲有節，起居有常，不妄作勞，故能形與神俱，而盡終其天年，度百歲乃去。」唐代醫家之解釋為：「度百歲，謂至一百二十歲也。」長沙馬王堆漢墓竹簡《十問》也說：「行年百歲，賢于往者。」老子則說得更簡明：「人生大期以百二十年為限。」另外，古籍《周禮》、《左傳》、《洪範》、《養身論》和《莊子》等諸書中都論到人的壽命應在百歲以上。讓我們從實際方面去觀察，譬如我們到長壽村去考察，在喜馬拉雅山宏撒（Hunza）這個地方，大概住了3萬多人，他們的平均壽命是120歲，而且幾乎沒有糖尿病、心臟病、高血壓、癌症，唯一有狀況的就是有些老人的牙齒掉了一些。雖然他們都有些年紀了，可是身體狀況卻非常地好。因此引起許多抗老化學者的研究興趣，想要探究他們為什麼可以長壽，結果發現飲食與生活型態是主因之一。而且他們當地人的性情都非常善良溫和，人跟人之間充滿了和諧，沒有什麼紛擾鬥爭。

美國人平均年壽只有70年，名列24

據世界衛生組織2000年6月2日所發表的平均「健康年壽」報告指出，在全球191個國家中，日本人平均「健康年壽」為74.5歲，名列第一，非洲的獅子山共和國則不到26歲，全球最低。另據1999年美國商務部人口普查局所發表的報告顯示，「平均壽命」最長的是日本人，達79.66歲，中國大陸平均壽命為69.98歲，台灣平均壽命為76.33歲，而全球最短命的國家仍為獅子山共和國，只有36.62歲，比日本人整整少了43年。全球最長壽前10名依次是：日本、澳洲、加拿大、法國、西班牙、新加坡、希臘、以色列、義大利及瑞典。

世衛組織的算法與美國商務部不同在於，WHO 不再以死亡率計算平均壽命，而是順應趨勢，改採新算法，將可能使人無法享有健康的疾病和身體殘障因素納入考量，此一研判健康平均年壽的新指標爲「依殘障調整的平均壽命（DALE）」。

依照這個新指標，不健康年數是依殘病的嚴重性加權計算，從全盤平均年壽中扣除，而得出平均健康年壽。根據新計算標準所獲致的結果，美國竟名列 24，平均年壽僅爲 70 年。當大家一味地追求美國人的生活方式、飲食習慣與醫療系統時，上述結果，值得我們深思。

除了幾個長壽村以外，住在富裕地區的人，雖然較落後貧窮地區的人要多些年歲，但是絕大多數在 40 歲過後，他們的身體機能就開始退化了，經常力不從心。很多人在 40 歲以前很努力地奮鬥，爲實踐人生的目標而努力，把他的健康都賠上了。一旦 40 歲以後，發現健康不行了，所以就想用 40 歲以前賺來的錢，再去買回 40 歲以後的健康，但是絕大多數的人都買不回來了。

我經常有機會接觸到很多的企業家，他們很努力地希望在 40 歲以前攻城掠地，能夠掌握世界，可是卻發現 40 歲以後，連自己的身體都掌握不住了，他的健康資產已經快速地流失掉了，這個到底是什麼原因？

爲什麼有一些人可以健康長壽，而有一些人卻經常病痛而短命呢？

《黃帝內經》是中國最重要的醫書之一，很早就談到人的壽命：「上壽百廿，中壽百歲，下壽八十」。亦即最差也活到 80 歲，應當活到 120 歲，才是上天命定之數，這點看法與聖經相同。從聖經裡我們可以看到造物者的心意，是要人健康長壽的。

健康長壽是神的心意

以下我們單單只列舉聖經 66 卷書中的部分箴言內容，就可看出上帝偉大的應許，是要給人健康長壽，而不是病痛短命的。

箴言 3 章 2 節講到：「我的教導會使你四季平安，延年益壽」。

箴言 3 章 16 節講到：「智慧使你長壽，也使你榮華富貴」。

箴言 4 章 10 節說：「我兒啊！你要聽受我的言語，就必延年益壽」。

在 4 章 20 節至 22 節（和合譯本）說：「我兒要留心聽我的言詞，側耳聽我的話語，都不可離你的眼目，要存記在你心中，因為得著它的就得了生命，又得了醫全體的良藥」。在現代中文譯本這一段是直接翻成——「得著健康」，新譯本則翻爲「整個人也得著醫治」。

箴言 9 章 11 節又說：「智慧會使你延年益壽」。

箴言 10 章 27 節講到：「敬畏上主的人延年益壽，邪惡人命短福薄」。這話語像極中國老祖宗的想法。

箴言 15 章 27 節它說：「貪圖不義之財，危害家室；拒絕賄賂，得享長壽」。

箴言 19 章 23 節說：「敬畏上主得享長壽，安居樂業，禍患不臨」。

箴言 22 章 4 節說（和合譯本）：「敬畏耶和華，心存謙卑，就得富有、尊榮、生命為賞賜」。當我還是 10 多歲的青少年時，讀到這節聖經，它就成了我特別喜歡的一節經文，甚至說影響了我整個人生價值觀。

因爲在這一段經文裡不只提到人生的酬報，還淸楚地告訴我們達成的條件，可謂是古往今來所有成功學的精髓思想總結晶。

獲致人生酬報二要件

多麼奇妙的應許，這裡說明了造物主對人明明白白的心意，就是要你命長錢多又有尊榮。但有兩個獲取的要件，那就是：一要敬畏神，二是心存謙卑。

這兩件事情在人的生命裡頭都是特別重要的。當一個人說我啥都不怕，你看這個人很可能就短命。譬如說你走在路上如果聽到後面有喇叭聲音，「叭叭叭叭！」你直覺的反應是什麼？相信應該是往旁邊閃！你的反應絕不會是聽到叭叭叭的聲音，還往中間跳！對不對？這就是爲什麼我們人天生會有一些畏懼，而這種畏懼正是爲了保護我們。

再舉個例子，如小孩子在學走路的時候常常顛顛倒倒、搖搖晃晃、頭重腳輕一不小心就摔倒了，你看如果是爺爺奶奶在照顧他，本能的反應是什麼，「啊！寶貝孫！」美國人則不會這樣，美國人就看看，叫他自己爬起來；而我們華人就會很緊張，然後你就聽到孫子哭了。下次您觀察一下，到底是小孩子先哭還是祖父母先叫？你會發現他哭根本不是因爲摔痛了哭，而是被你嚇哭的。

因爲人有一種天然的自我保護，就是對於從後面來的聲音，他會有恐懼，這是上帝爲了保護我們，所賜給我們的天然機制。人們天生對神有一種敬畏心，更是一種保護。所以有人說，我天不怕地不怕，誰都不怕，這種人很危險的，你最好離他遠點。因爲怕對你是有保護作用的，所以如果你眞的什麼都不怕，還是建議你，至少怕老婆，當然這是玩笑話。但是你一定要怕上帝，對神要有敬畏的心。

第二個條件是心存謙卑，就是我們生命裡面有一個謙卑的心。一個人有謙卑之心的時候，他會有一個開放的心胸，他生命的容度會不斷地擴大，這樣的人自然長壽。你看有一些人他的性情是狹窄又孤傲，這種人一般都短命，而且他活得很痛苦，日子也不快樂。

這節經文各位可以特別把它記起來，很偉大很偉大，因爲它講到神要給我們人的賞賜是什麼，因爲照著上帝給我們的應許，我們去跟上帝求，就可以得到。

在聖經裡面有許多這一類的教導，造物主的心意是要我們健康，是要我們長壽，是要我們興旺。譬如說，在以賽亞書第 66 章第 14 節裡面說：「你們的骨頭必得滋潤像嫩草一樣」，現代中文譯本的翻譯更簡單，它說「你們會健康興盛」。健康興盛才是神對人的心意。我常常鼓勵病人和貧窮人，祈求並感謝上帝。祈求神照著祂在聖經上給我們的應許應驗成就在我們身上。

現在我就和大家談一個年少的往事，小時我總覺得自己很笨，有一天讀到雅各書 1 章 5 節：「你們當中若有缺少智慧的，應當求那厚賜與眾人，也不斥責人的神，主就必賜給你們」（和合譯本）。當我讀到這段文字時，心想上帝實在太好了，祂知道世上有個林光常，就是短缺智慧的。我就每一天照著這一節經文來跟上帝祈禱。很奇怪，從那個時候開始，我就漸漸開竅了，會讀書也愛讀書了。

各位可以試試看，有病痛的人也是一樣！可以帶著生命中的病痛到上帝面前，照著聖經上所說，神給人的健康長壽興盛來向上帝祈求，如果神願意，恩典必如甘霖降臨。

以賽亞書第 65 章第 20 節（和合譯本）說到：「小孩子不會夭折，老年人都享長壽。活到一百歲算是年輕，未滿一百歲死去的是受上帝咒詛的。」沒有活到一百歲的叫做夭壽（折壽），可見人應該是要長壽的。新約聖經裡，約翰參書第 2 節（和合譯本）也講到神對人的心意：「親愛的兄弟啊！我願你凡事興盛，身體健壯，正如你的靈魂興盛一樣。」所以你可以看到，貫穿整個聖經的思想理念，是上帝要我們健康，要我們興盛，要我們長壽，要我們富足，要我們有尊榮。可是爲什麼大部分的人短命，而且一生充滿了病痛？

你是否成了無知與疏忽的人

我相信最主要的關鍵，是出自於無知與疏忽。

我做了一些研究後發現，許多人生的病痛與不幸，都源自於此。什麼叫無知？就是你該知道而不知道的。舉例來說，如果你已經感冒連續超過三個禮拜以上，你就要留意了，那已經不是單純感冒的問題了，很可能是免疫系統已經出了比較嚴重的問題。可惜有許多人並不在意，以爲只要去買一點感冒藥吃了就可以，結果導致不可收拾的後果。

又譬如，你經常感覺容易疲倦，想睡又睡不著。現在人常有許多怪事，容易疲倦又睡不著，照理說累了，應該很好睡才對，就像你年少時累了躺下去就睡著，第二天早上起來，又精力充沛。可是現代人很奇怪，累了睡不著，躺著不能睡，站著卻睡著了；高興的時候掉眼淚，想哭的時候沒有眼淚。累了還睡不著，沒有辦法深眠，表示你的肝可能已經嚴重受損了，只是肝沒有感覺神經，你沒有辦法感知，以至於肝方面疾病常常發現的時候，就已經來不及了。

而腎是肝的最後一道防線，所以保護腎，在養生保健上具有重大意義。其實腎也不是那麼容易受傷害的，腎要出問題之前，至少會有四個警訊：①每次洗頭髮至少掉 40 根髮。②容易腰痠背痛。③臉色越來越暗沉，而且沒有光澤。④小便的時候泡沫很多，可能就是尿蛋白過高，腎功能已經出問題了。

我深深地相信，在我們身體得重病之前，上帝一定會藉著各種不同的機會來警告提醒我們要去注意，可是我們始終不理不睬，最終才會釀成巨禍。

如果你老是發現手腳冰冷，尤其是冬天的時候，棉被蓋了一整夜，可是早上起來手腳還是冰冷，這就表示你的末梢神經血液循環已經很差了。這樣的人，他的心臟機能可能比較弱，所以心臟沒有足夠的力量把血打到全身。像經常頭痛、偏頭痛的人，都有這個現象。

其實一個人要得慢性病，都要經過相當時日的健康摧殘累積，少則 8 年 10 年，多則 20 年，這就表示你還有機會認罪悔改，只要好好改變你生活的型態與飲食的方式，你就會遠離這些疾病和痛苦。

健康四偉人

我們舉聖經上四個偉人的生平來說明，人的一生應是健康長壽和富足尊榮的。這也是神在我們生命中的心意，這四個人的生平，給了我很大很大的啓發，我常常跟神禱告，給我智慧和力量，使我能夠把聖經上祂所光照我的一些話語，讓更多的人去了解。各位你們可以看到他們四個人的生命眞是充滿了力量、充滿了尊榮、充滿了富足，而且最後都是壽終正寢，在睡眠之中離開這個世界的。

第一號人物是信心之父、上帝的朋友——亞伯拉罕，在創世紀 25 章第 7 到 8 節（和合譯本）記載，「亞伯拉罕一生的年日是 175 歲，亞伯拉罕壽高年邁氣絕而死。歸到他列祖那裡去」。現代中文譯本直接翻成，「亞伯拉罕享長壽，在高齡 175 歲的時候死了」。你看，也就是說，他是自然斷氣的。我們現代人呢？大多數是病死的。每一次參加追思禮拜，我看到最難過的一點是，不管年輕的還是老的，除了少數死於意外或自殺，其它千篇一律，都是一個死因，叫做「病逝」。可是你看聖經上神真正給我們的不是病死。

第二位人物是基甸，這位大能的勇士。士師記 8 章 32 節形容基甸年紀老邁而死，現代中文譯本直接翻成「基甸壽終正寢」。壽終正寢是什麼？睡覺中走的。

我的祖父 86 歲的時候，就是在睡覺中止息了他今世的勞苦，走得時候沒有任何病痛。他一生樂善好施幫助無數的人，我的個性受他影響非常非常大，上帝也給我樂善好施的能力。如果你爲了使自己有錢，這個錢會變成你愁苦的來源；但是你若是爲了服務人幫助人，你的錢就會源源不絕。所以要立志爲上帝賺大錢，爲服務幫助更多人的而賺錢。

第三個人是摩西，前面已經談過，申命記 34 章 5 節（和合譯本）記載：「*摩西死的時候年 120 歲，眼目沒有昏花，精神沒有衰敗*」。最後一位值得我們學習的是約伯，約伯記第 42 章 16 到 17 節記載，約伯經過生命的大考驗之後，又活了 140 年，得見他的兒孫直到四代，連他自己一代，共有五代。福祿壽五代同堂是中國人的偉大人生心願，約伯是年紀老邁日子滿足而死。現代中文譯本說約伯「長壽善終」。他到底活了多少歲我們不知道，但只知道他經過生命極大的考驗之後又活了 140 歲，長壽善終。如果你活到 80 歲，但是從 40 歲就開始躺在病床上，你可能也不願意。所以我們講的是健康長壽，長壽且健康。

我很怕在醫院裡面，碰到有些基督徒爲別人禱告的時候說：「上帝啊！如果你的心意是要他死那就讓他死吧！」我回去找聖經，沒有啊！上帝對人的旨意，從來不是要人死的。反倒是約翰福音裡第 10 章記載著，耶穌說「*我來了是要叫人得生命，而且得的更豐盛。*」其實只有一個人來到世上是爲了死，誰啊？耶穌，耶穌是爲了死才來這世上，爲什麼死？爲誰死？爲我們死，爲的是要我們能夠爲祂活。我發現有些人的觀念不正確，他認爲生病是神的旨意，所以錯誤的觀念反而阻擾了他康復的進程。

當然，也有一些比較特殊的例外，譬如說，約翰福音第 9 章裡面記載，這個人生來就瞎眼和第 11 章的拉撒路生病，耶穌說這是爲了神的榮耀。但是大部分的人生病都是自找的，尤其現代文明病多數是「生活型態病」，千萬不可怪神，而要自我檢討。各位都知道撒母耳的師父以利祭司，由於他的兩個孩子生活敗壞，上帝告訴以利，他的家族裡年輕人要命喪中年，沒有一個活到老年的。所以一個家庭裡面有老年人可說是神的賜福，一個教會裡面有老年人也是神的賜福，就像中國人的觀念：「家中有一老，如同有一寶」。

最誠摯的祈禱應該是，我們能像摩西一樣，到了 80 歲還能被重用 40 年，成就非凡的志業。不過現代人大多還不到 50 歲就不行，40 歲就投降了，整天無精打采，欲振乏力的。

聖經何西阿書 4 章 14 節記載：「無知的人民一定衰敗」。何西阿書 13 章 13 節也說：「以色列人原來還有一線生機，可是他們無知竟不把握這機會」。本來你有一線生機，但是你沒有把握這一線生機，結果呢？你就失去了這個機會，可能是康復的機會，也可能是成功的機會，或是……。

哥林多前書 6 章第 19 節，這邊用了一個反向的詞彙，它說「豈不知你們的身子就是聖靈的殿」，豈不知表示他們知不知呢？是應當知道，卻不知道。

展讀中國歷史，你也會發現歷世歷代先聖先哲在不同時代特別強調某一觀點，而此一觀點常是這個時代所特別欠缺的。舉例來說，悠悠中國五千年，紛亂的時候多，和平的時候少。春秋戰國，可說是最特別的時代。在那紛亂的時代裡也誕生了中國歷世歷代中最多的聖賢哲人理論學說，眞可謂是「百家爭鳴，百花齊放」。

他們不斷對那時代的人教忠教孝教仁教義，企圖喚醒世人的良知。爲什麼？就是因爲那個時代的人最不忠不孝不仁不義。

林張黛茵（美國）

◎引入基督聖殿

林教授：

非常榮幸地參加了您這次的分享會，您的演講誠懇而幽默，十分引人入勝，您的演講內容除了健康保健以外，也談了很多宗教。您對聖經的深刻了解和引用在醫學方面的舉例，非常貼切和恰當，怎不叫人佩服。我是一個沒有宗教信仰的人，原因是自小受到　先父的影響（那時的年輕人認為基督教是外來的文化侵略者，佛教是迷信，因此造成了我們這一代對宗教的排斥），我的兒子和媳婦都是忠實的基督信徒，尤其是兒子自從信教以後，整個人生都改變了，戒煙、戒酒以外，還變得對人關心和體貼，就像變了一個人似的，因此我懷疑自己過去的堅持是否是錯誤的？我是一個很沒有耐性的人，每當我想讀聖經時，都是半途而廢，看不下去。我想這是我還不能深入瞭解聖經的原意，應該常常削削桔子皮，來學學您培養耐性的方法了。不能誠心誠意地去做一個信徒，不如不做，因此我想我還要再探討再學習。我不想勉強自己去做什麼，但是可以試一試，這就是我目前的心態。來美國卅多年很少提筆寫字，字跡潦草和詞不達意的地方，請林教授多多原諒。

祝

身體健康、旅途愉快

林張黛茵回應

正確認知最重要

各位都知道，認知形成觀念，觀念主導行動，而行動帶來結果，每一次的行動結果都深深影響你的人生。故認知一錯，人生也跟著偏差。譬如，聖經上明明說：「我們的身體是聖靈的殿」。但是一般在教會的教導中，屬靈和永恆方面的事務是占有較高比重的，而身體健康方面的教導就顯得不足了。其實這是由來有自的。舉例來說，譬如我們將「肉體」與「身體」兩詞搞混了。和合譯本上提「肉體」經常是指「老我」而言，但「身體」卻是大有用處。

希伯來書裡面談到神並不救拔天使，卻救拔亞伯拉罕的後代，原因當然有很多，神雖然有神的主權，但我覺得唐崇榮牧師的另一個原因講得很有道理，就是天使是純靈沒有身體，但是人死了就不能夠再信耶穌，沒有機會得救了，爲什麼？因爲他沒有身體。我讀宗教比較學的時候，發現到各個宗教很少有像基督教那樣，重視身體的重要——身體是聖靈的殿。

古希臘的哲學思想，認爲身體是靈魂的監牢，佛家則認爲身體是臭皮囊。有許多人企圖以苦待自己的身體來換取所信仰神明的垂憐。身體似乎成了人類不能超凡入聖的罪魁禍首，這眞是天大的誤解啊！

在《無毒一身輕》這本書中，曾提到影響我一生極深刻的《屬靈領袖》，作者孫德生牧師說，上帝賜給我們一匹馬，叫我們騎這匹馬去傳福音。可是我們把這匹馬殺了，然後還跟上帝說好累啊！其實這匹馬就是我們的身體。當我們把身體搞垮了，一切事業的基礎也就變得不穩固。在書中，您不難看到許多刻苦銘心的病癒見證，描述他們如何從死亡的邊緣活回來，我發現他們的康復都有一個重要的關鍵就是觀念要先轉變，否則一切空談。

聖使徒保羅寫給優秀年輕人提摩太的一段話，值得我們深思：「只是要棄絕那世俗的言語和老婦淤茫的話，在敬虔上操練自己。操練身體益處還少，唯獨敬虔，凡事都有益處，因有今生和來生的應許。」（提摩太前書4章7－8節和合譯本）

有時候我在跟基督徒們談身體的健康，他們就用這句話來回答我：「操練身體益處還少，唯獨敬虔，凡事都有益處。」保羅是說操練身體益處還少，有沒有益處？有！但是跟操練敬虔比起來，它就讓位了。好像耶穌說「人活著不是單靠食物，乃是靠神口裡所出的一切話」。這句話的意思，不是說人不用靠食物，而是說，不要「單靠」食物。食物對人是重要的，因此，我每次有機會受邀到各地分享時，我就跟他們說：當你讀對神的話而吃錯食物時，屬靈是一級棒，身體卻一團糟。所以神的話要讀對，食物也要吃對。敬虔要操練，身體也要鍛鍊，身心靈全人健康才能讓我們有限的人生發揮無限價值。

操練在希臘文的原意乃指，運動選手為了有一天能在競賽場上奪標，他每一天都嚴格地要求自己，而過的一種節制生活，叫做「操練」。「養兵千日，用在一時」，為了使我們的生命在關鍵時刻，能發揮更大的力量，平日豈不更要注意自己的飲食起居嗎？

身體是一整體，也是生命的破口

再來我們要談一個極其重要的觀念，就是身體其實是一個整體，而身心靈是相互影響的，身體的每個器官也是互相影響的。也就是說當你身體某一個部位出問題的時候，常常是別的部位已經先出問題了。因為身體的每一個器官都不是一個無用而可切割的局部，而是休戚與共的整體。就這一點而言，中醫是很有貢獻的。西醫了不起的貢獻是解剖學、病理學和外科手術等，對身體的結構有很清楚的局部分析。但是中醫卻把整個身體的彼此關連表述得非常透徹，譬如說，肝的機能會影響心腦血管的機能；心腦血管機能又會影響消化機能；消化機能會影響呼吸系統的機能；呼吸系統又會影響內分泌、生殖系統、泌尿系統的機能；而生殖泌尿和內分泌系統又會影響肝的機能。用中醫的術語來講，就是肝影響心、心影響脾、脾影響肺、肺影響腎、腎影響肝，身體是一個整體而且互相連結的，沒有一個可以分割的。

有一段時間美國某個大城市的空氣非常不好，說來奇怪，空氣不好的時候，人們不是得肺病而是鬧腸胃病！這點在中醫就很好解釋，因爲肺和大腸同屬一個經絡，因此產生相互作用。好像肝膽就同屬一個經絡，如我們常說的「肝膽相照」！那我們又爲什麼說「狼心狗肺」，這是因爲心和肺是互相制約而平衡的。可見中國的成語多有意思。

因爲身體是一個整體，而肺主皮毛，所以許多肺部的問題，會從皮膚表現出來。無論是前一陣子的 SARS，或前幾年的結核菌。爲什麼現在的傳染病大都跟肺有關係？在美國若太嚴重的傳染病，醫護人員會戴防毒面具。病患如果逃出去，主管機關也有權把他抓到監牢去關。爲什麼？就是因爲傳染力太厲害了。但是爲什麼近年的傳染病都跟呼吸系統有關？因爲肺裡面有太多毒素沒有辦法排出來，才使我們的身體受了極大的傷害。

在《無毒一身輕》裡，我歸納生病的一個主原因，一言以蔽之就是「毒」！毒在身體不同部位就有不同的病名，例如：在關節叫關節炎；在膽叫膽結石；在腎叫腎炎；在血管叫做血管疾病；在腦部叫精神分裂。那麼在肺部的毒要怎麼排掉呢？最簡單的排法就是流汗！一邊曬太陽，一邊呼吸著具有活氧的新鮮空氣，一邊流汗，這是多麼健康，多麼幸福的事啊！

可是，我們現在幾乎都在冷氣房裡面，怎能不生病呢？至於爲什麼一定要流汗呢？美國哈佛大學教授齊治・克利斯曾針對17,000 餘名每周經常從事「流汗運動」的中年人進行了長達 20 年的追踪調查研究，結果發現，與平時少運動或運動量不大，且不能持續的一組人相對照，前者比後者死亡率低 25 %，肺活量大 10 %，心腦血管疾病發生率低 17 %，壽命多 5～7 年。

因爲流汗多的運動能增加血管的彈性，消耗過多的脂肪，使心血管疾病的發生大大降低。但大多數人的運動卻常常難以達到流汗程度，並且持之以恆。

所以你每一天都要找時間去流汗，尤其在大熱天，更是排毒的大好時節。如果，你既不曬太陽也不去流汗，又每天窩在冷氣房裡面，下次 SARS 再來的時候，萬一你被感染了，就不要怪上帝囉！因爲上帝會說早已經派光常來跟你講過了。

在冷氣房裡時，毛細孔是閉鎖的，汗出不來。最糟糕的是你在冷氣房裡運動，毛細孔就會大開，此時你若還吹冷氣，就會造成中醫所說的「風邪入侵」，如此你的健康恐怕就不保了。所以，你要在通風的地方運動流汗，而且流完汗以後要用乾布擦乾，此時不宜吹風或吹冷氣。所以你早上出去運動流汗的時候，一定要帶著毛巾出去，這是值得注意的地方。

約伯記 10 章第 11 節說：「你用筋骨把我全身連結起來，你用肌肉皮膚包住我的筋骨」。你看多了不起，三千多年前聖經就把人體的整體連結性描寫出來。新約聖經裡面也有這樣的記載，以弗所書第 4 章第 16 節談到，教會服在元首基督之下分工合作是多麼地重要。其實這一段經文背後是一個非常重要的醫學觀念，我深深地相信聖保羅的醫學觀一定受到長期陪伴他的同工路加的影響，路加是個醫生而且根據歷史文獻記載他活到 84 歲。

先看和合本的翻譯，它說「全身都靠它連絡的合式，百節各按各職，照著各體的功用，彼此相助，便叫身體漸漸增長，在愛中建立自己」。再看現代中文譯本的翻譯，它講到主耶穌是頭，「整個身體都依靠他，藉著各關節筋絡互相配合，彼此連結，這樣，當各肢體發揮功用時，身體就會在愛中漸漸長大，建立起來。」由此可見，我們身體的每一個部分都是很重要的。

但是許多時候，我們身體的構造太奇妙了，非人所能完全了解，有時候我們不了解的，就以爲它是不重要的。如我常講的，40 多年前人們對胸腺不甚了解，以爲它沒用處，當它發炎或腫大的時候，就任意地對待它、傷害它。你說，現在不會了！？時至今日，許多人動腹部手術時，常常連同盲腸，也會不明究理地一起被割掉了。殊不知，極其重要的腸胃免疫細胞，正充塞在盲腸中。還有些任意割除子宮的情形，就更嚴重了……。

看看義人約伯的人生遭遇，你不難發現，身體是撒旦攻擊人類身心靈城堡的一個重要入口。若您不夠警覺，身體可能成爲生命的破口，使你美好的心靈被摧毀。撒旦對上帝說：「現在你若傷害他的身體，看他還不當面咒罵你！」（約伯記 2 章第 5 節）

然而，當約伯從頭到腳都長了毒瘡以後，首先對他發難，令他痛苦難鳴的，竟是他太太！「他的妻子對他說：你到現在還持守你的忠誠嗎？為什麼不咒罵上帝，然後去死？」（約伯記 2 章第 9 節）。撒旦清楚地知道，要讓一個有作爲的人倒下去，從身體的破口來攻擊，比其它方面來得容易而且有效。可是許多人並未警覺意識到這層面。

生病了，要感恩

對於生病的人，在康復的過程中，我感覺有一個觀念特別重要，那就是告訴他生病的意義，爲什麼會生病？生病對你人生有什麼價值？因爲我發現有很多人生病的時候，尤其是得到癌症時，他們多認爲是絕症，沒救了。哇！這個觀念就讓他死得更快。再加上醫生跟他講只能活 3 個月……。其實疾病有它正面的意義：「上帝用疾病糾正人的過失，用身體的痛苦管教他」（約伯記 33 章 19 節），多麼美麗的一段話，這可是偉大約伯刻骨銘心的生命經歷。

我曾碰到一些人，他說他命中註定要得癌症，而且會死於癌症。我問他：「你怎麼知道？」他說：「算命仙說的。算命仙講的還眞準，我爸爸我祖母都是死於癌症，我叔叔現在也是得癌症了，那我也將得癌症了」。在許多次公開的講座中，我曾歸納爲什麼一家中會有那麼多人得癌症。舉個例子說明：有一個人他們家 8 個人中有 7 個癌症，是不是遺傳啊？是不是咒詛啊？是不是業障啊？他們家 8 個人，有 7 個得癌症，有一個不是，你知道爲什麼嗎？很可能是……

他們是一家人住在同一個屋子，吃一樣的東西，有一樣的心情，生一樣的病，看一樣的醫生，吃一樣的藥，後來一樣的死掉。爲什麼有一人沒有得癌症，因爲他們家裡人太多，養不起，他是被人領養的，他沒有跟他們一起吃、一起喝、一起住、一樣的心情，就那麼簡單，癌症雖然有可能遺傳，但遺傳的比例是很低很低的。

我覺得聖經上對疾病的觀點具有極爲積極正面的意義。值得我們每一個人深思。

親愛的朋友，聖經上告訴我們「上帝用疾病糾正人的過失」，人有沒有過失？有！疾病是一個機會，要我們把這個過失糾正過來，使我們走向完全。「上帝用疾病糾正我們的過失，用身體的痛苦來管教我們」。我們人需不需要被「管教」？有一段關於「管教」非常偉大的文字，是記載在希伯來書第 12 章。每一個做父母親的和年青人，都可以謹記這一段字。不管你是不是基督徒，這一段文字對你被管教或管教孩子，都充滿了人生的智慧以及偉大的訊息。它談到管教的意義，爲什麼人需要被管教，管教的價值、管教的結果以及如何接受管教，可以產生最大的生命價值和意義。這也告訴我們生病的時候，我們該以什麼樣的態度來面對。生病時能否康復的關鍵點在於自身的態度，人生成敗關鍵也在態度。

「難道你們忘記了上帝怎樣用勸勉兒子的話勸勉你們？它說：

我的兒子啊，要留心主的管教，不要因祂的責備而灰心。」

（希伯來書，12章5節）

生病了要不要灰心？千萬不要灰心！生病時，應該要有積極正面的想法。

尤其癌症病人，經常會出現複雜而矛盾的情緒，如罪惡感、自卑感和怨天尤人。罪惡感是什麼？剛開始他會覺得因爲我的病造成全家人的累贅，但有時會轉爲自哀自怨自憐，稍有不悅，就會說出令人傷痛的話，如「其實你們希望我早點死」。尤其久病不癒，再加上痛苦的治療過程，他就會一直反覆負面的情緒，然後再加上恐懼和焦慮，這時候病情就會一直加重下去。可是在這裡我要告訴癌症病人，不要灰心，爲什麼？下面就說到好偉大的一句話，「因為主管教祂所愛的每一個人；鞭打祂所收納的每一個兒子」（第6節）。換句話說，我們會被管教是因爲「上帝愛我們」。人健康的時候不會想到要把自己弄到生病，可是，生病的時候就會想辦法要健康。所謂的「病時方知健是仙」。往往生病的時候，人才會想到：「我原來是一個健康完整體，不應該生病的人，我爲什麼會生病呢？」所以，生病是給我們一個提醒，告訴我們，我們原是健康的，那才是原來的我，上帝原創的我是一個好極了、棒極了的我，有上帝形象的我。

當我們被管教或人生遭受挫折患難時，應有怎樣的心情呢？「要忍受管教。因為你們受管教是表示上帝待你們像待兒子一樣。豈有兒子不受父親管教的？如果你們不像其他兒子一樣接受管教，你們就不是真兒子而是私生的」（第 7、8 節）所以下次孩子問你爲什麼別人家的爸媽都沒有這樣管小孩時，你就告訴他「因爲你是我孩子啊，你不是我孩子我就不管你了，而且是眞兒子不是假的喔。」

管教的結果是什麼？經歷過病痛的人生又如何？上帝允許我們經歷這一切的苦難、困難，是爲什麼？原來「上帝的管教是為了我們的好處，要使我們有份於他的聖潔。我們受管教的時候，悶悶不樂；可是後來，那些因受管教而經歷過鍛鍊的人能夠結出平安的果子，過著正直的生活。」（第 10、11 節）

被管教的時候，我們應有什麼行動呢？「你們要把無力的手舉起來，把發抖的腿伸直！要時常走在筆直的路上，使跛了的腳不至於完全殘廢，反而重新得到力量。」（第 12、13 節）這一段話是告訴我們要堅持到底，就像我很喜歡的一個英文字叫「Persistence」，代表一種堅毅的精神。所以生病了要怎樣，要感恩，感謝上帝看重我們，感謝親人照顧我們，感謝的心，使你更堅強更健壯。每次病人來找我的時候，我就說：「生病了恭喜你」，爲什麼？因爲你有機會可以更多的感恩，可以調整，有機會可以改變，生病就是改變的時候，生病就是一個美好人生機會的起點。那麼我們要怎麼改變呢？從什麼地方開始改變呢？

依循自然法則，調整生活起居

「你能把昴星繫一起嗎？你能解開參星的帶嗎？你能按季節領導群星嗎？你能引領大小北斗星嗎？你曉得天體移動的定

律嗎？你能決定地上的自然法則嗎？」

（約伯記第38章31－33節）

在約伯經歷了人生的大考驗之後，上帝在旋風中回答約伯，問他：「你能決定地上的自然法則嗎？」不！不能！你只能遵循，人只能遵循神所設立的自然法則。你看到月有陰晴圓缺，人有悲歡離合，年有春夏秋冬。人本是在規律與節奏之中存在與發展的。現代人為什麼會生病？簡單地說，就是違反了上帝原創的自然法則，如天氣很熱但在火鍋店裡開很強的冷氣吃很熱的火鍋；天氣很冷卻吃冰，這樣你怎麼會不生病呢！

我覺得美國有一個很不健康的飲食習慣，而且這習慣已經開始影響全世界，就是用餐時總要配一杯冰水或可樂，這冰水的低溫正是傷胃的最好工具。再如，食物的原味本來就很好吃，可是中國餐館的料理偏偏要加一大堆的味精等人工調味料。你要小心，免得吃到最後變妖精（當然，這是玩笑話），味精吃多以後你會感覺昏鈍，外國人就嘲笑這病是「中國餐館症候群」。

中外知名的雷久南博士，在這方面的看法，很值得我們參考。味精的學名是麩胺酸鈉，是由鈉（鹽的化學成分之一）和麩胺酸所組成，因此有兩種副作用：一是口渴和血壓高等壞處；二是因為麩胺酸是神經系統傳達信息的一個管道，食用過多就會干擾神經系統的自然規律而產生肌肉麻痺，甚至頭痛、休克等。尤其平時不吃味精的西方人，只要喝一碗有味精的湯後，就會有不良反應，包括頭昏、頭痛、面部麻痺、疲倦、反應遲鈍、高血壓、胃痛等現象，同時也減低了學習能力。

在動物實驗中也發現——幼小的老鼠、小雞受味精的傷害最嚴重。味精會破壞腦神經和視神經，因此，在西方只有極少數加工食品摻用，平常人並不食用，尤其在嬰兒食品中更是禁止使用。而味精在我國大量使用，就使得小孩近視愈來愈多，工作效率低和莫名其妙的不適以及長期頭痛。

有一次，我在美國健康分享會時，聚會結束後，一位專門從事餐館福音工作的傳道人，告訴我，他有一個感動，想把加州中國餐館的老闆召集起來，找一個時間讓我講講健康的餐飲怎麼做。我心想，中國餐廳如果要在激烈競爭的美國餐飲社會裡立於不敗之地，一定要回到聖經的飲食觀，回到在伊甸園裡神賜給人類的飲食。人如果不回歸聖經裡所揭示的飲食觀，就會在文明病之中逐漸自我滅絕。

我們發現大多數華人的肝都不太好。很少華人肝是好的，肝病是華人的國病嗎？當然肝不好有很多原因，在「養肝保肝之道」的演講裡，我歸納總結了 18 種你折磨肝的方法，把你的肝活活給整死，其中首當其衝的一個就是熬夜。

什麼叫熬夜？11 點睡還可以，過 11 點就是熬夜，現代人一、兩點睡都算很早了，三、四點回到家叫早，眞的很早，三、四點還不早嗎？熬夜是最傷肝的！有機會各位可到中國內地去看看，尤其電力供應不足的地方，農民們日出而作，日落而息，沒有熬夜沒有肝病，爲什麼？因爲他們沒有電視可看。太陽下山了，回家吃飯，吃完飯呢，就在庭院聊聊天，聊完就去睡了，大概就是 9 點左右。當然多少也有缺點，不過除了小孩生很多外，其他都是優點。

9 點到 11 點是我們免疫系統在修復的時間，所以我是嚴格要求癌症病人 9 點前一定要入睡，就算不入睡也要躺在那裡。所以你的身體如果要好很簡單，9 點以後呈現休息的狀態，11 點要睡著，這是自然的規律。現代人每天都在破壞這個規律，晚上不睡覺，早上不起床，晚上一條龍早上一條蟲，身體健康便遭受到嚴重的破壞。

改變帶來醫治

最後一點，改變會帶來醫治。

2003 年 7 月有幸受鄭國治博士之邀擔任「21 世紀洛杉磯華人福音遍傳」的講員之一，大會主題叫做「改變的大能」，我真是酷愛這個主題。

「變」是人類進步的工具，沒有變，就沒有文明。沒有一種生物，一分鐘前和一分鐘後是保持不變的。透過變，人類才能持續成長，每當一個國家民族或公司個人停止變化時，他就逐步走入死亡。

世界上凡是活人，他的身心靈無時無刻都處在變化之中，只有死人是完全靜止不變的。我常常告訴癌症病人，了解自己康復過程中有三個關鍵期是很重要的，千萬不可操之過急，要給自己時間。

第一個關鍵期是 11 個月，就是給自己 11 個月的時間來逐步康復，因爲我們全身大多數的細胞在一年之內，都會更新一次。

第二個關鍵期是 4 個月，因爲 4 個月左右，我們全身的紅血球會新陳代謝一次，而紅血球又負責輸送營養和氧到全身去。全身機能的活化、器官的運作、組織的連結，都需要靠紅血球所輸送的營養和氧。

最後一個關鍵時期就是 21 天。你只要依照本書和前書《無毒一身輕》所倡導的「健康每日七件事」，連續 21 天照著去做，你的身心靈就會獲得很好的改善。爲什麼？因爲我們身體的水分，每 18 天會更新一次，而我們身體有 70 %是水，故水的更新自然有利於身體的更新。此外，人的思想行爲在連續重複 21 天後，就會成爲習慣。所以連續 21 天你所做的事，會深深地影響你的身心靈。

中國有一部很偉大的書叫做《易經》，可是它經常被謬解錯解，以至於被誤會。

易經裡面有一個重點講到一切萬物都在變動之中，唯一不變的就是變。我們身體一直在改變，像皮膚是每 28 天更新一次。所以，如果你盼望擁有像水蜜桃一樣白裡透紅彈指可破的皮膚，每晚 10 點到凌晨 2 點是皮膚在代謝的時間，且 28 天更新一次，因此，你必須在 10 點時入睡。易經裡面說，窮則變，變則通，通則窮。要因應時勢而改變，才有可持續發展的未來。

底下我們舉兩位聖經人物來說明「改變帶來醫治」的旨趣。這兩位都是保羅的同工，保羅是一位有大恩賜被神重用的僕人；提摩太則是一位年輕又敬虔的優秀人才，但他身體不太好，尤其常鬧腸胃病。提摩太前書 5 章 23 節，記載了保羅給提摩太的康復忠告：「因你味口不清，屢次患病，再不要照常喝水，可以稍為用點酒（和合譯本）。」保羅的禱告是大有能力的，甚至可以叫死人復活，被蛇咬而不中傷。他可以爲提摩太獲得醫治而禱告，但是他知道醫治的權柄在神，而不在他。年輕的提摩太犯胃病、胃痛的時候，保羅沒有說我爲你按手禱告，而是告訴他你要改變飲食方式，因爲保羅知道，改變才會帶來醫治。

保羅告訴提摩太：「特羅非摩病了，我就留他在米利都」（提摩太後書 4 章 20 節和合本）。特羅非摩一定想繼續跟著保羅去巡迴佈道，但是保羅拒絕了，爲什麼？因爲他病了。生病了就要留下來好好休息，等你身體好了再來。保羅並沒有說，你病了我爲你禱告，你就會好。保羅告訴他，我不只是爲你禱告，更重要的是你需要改變——從忙碌轉變成休息。

各位當我們身體出現問題的時候，我們需要改變。每一個癌症病人，如果想康復，我通常會要求他們，先做三項改變。

第一，改變飲食習慣，要吃健康排毒餐。包含美國癌症協會都同意只要改變飲食，60％以上癌症不會找上你。

第二，改變情緒，因爲癌症爆發前的三至六個月，多數人都曾經歷了重大的事件，使你的情緒產生激烈的變動。我們必須要找出這個根源事件，到底是什麼事情讓你這麼痛苦、讓你這麼悲傷、讓你這麼失望，甚至感到絕望，找出這個事件來，面對它，該原諒的要原諒，該道歉的要道歉，並求神賜給我們有力量改變。

第三個改變就是你要學習禱告。每天至少三次，將自己渴望獲得健康的心願，認眞地告訴全能的上帝。祂既然是我們生命的創造者，現在機能零件故障了，當然要回到原廠（祂面前）才能修復。聖經上到處充滿了神給我們「病得痊癒」的應許。限於篇幅，僅列數段文字，是我常用來鼓勵病人的，您可按照這些千錘百鍊的文字，向上帝祈禱。

1)「我的心哪，你為何憂悶？
為何在我裡面煩躁？
應當仰望神，因祂笑臉幫助我；（請笑一下）
我還要稱贊祂。」

(詩篇 42 篇 5 節和合本)

2)「誰曉得祢怒氣的權勢？
誰按著祢該受的敬畏曉得祢的忿怒呢？
求祢指教我們怎樣數算自己的日子，
好叫我們得著智慧的心。」

(詩篇 90 篇 11 － 12 節和合本)

3)「上主啊，祢不變的愛上達諸天；
祢的信實高入雲霄。

祢的公義像大山峙立；
祢的判斷像深淵難測。
上主啊，人和牲畜祢都看顧。
上帝啊，祢不變的愛多麼寶貴！
人都在祢的翅膀下找到庇護。
他們在祢家中享受盛筵；
祢給他們喝祢那喜樂的泉水。
祢就是生命的泉源；
在祢的光照中我們得見光明。」

（詩篇 36 篇 5 — 9 節）

4)「關心窮苦人的人多麼有福啊！
在患難的時候，上主要看顧他們。
上主要保護，保全他們的生命，
使他們在這片土地上享福；
上主不撇棄他們，不讓他們落在仇敵手中。
他們患病的時候，上主要醫治他們；
上主要恢復他們的健康。」

（詩篇 41 篇 1 — 3 節）

5)「主啊，我要為祢而活，只為祢而活；
求祢醫治我，讓我活下去！
我的愁苦將變成安寧。
祢救我的命，脫離一切危難；
祢饒恕我一切的罪過。

（以賽亞書 38 章 16 — 17 節）

上主啊，祢已經醫治了我。

我們要彈琴、唱歌讚美祢；

有生之日，我們要在聖殿中讚美祢。」

（以賽亞書 38 章 20 節）

特別說明：上述經文中，劃線的部分，如「人」、「他們」、「我們」，你可直接用你的名字代替，或用乳名亦可，請你每日至少三次，以此爲祈禱文，眞心地向上帝祈禱，當然醫治的主權在神，但別忘神是聽禱告的神，祂可是會應聲救苦的。

我們都知道，要改變飲食是不容易的，因爲你喜歡吃那些好吃的，偏偏好吃的東西大部分都不太健康，而健康的東西都不太好吃。有一次我受邀出席一個午餐會，主辦單位安排大家聽我演講完畢才用餐，結果進餐時剩下一大半都沒有吃，大家寧願餓肚子不吃，因爲餐桌上許多食物是不利於健康的。

人很想改變，但往往缺乏改變的能力，還好在人不能，在神凡事都能。聖保羅在加拉太書裡提到「聖靈的果子」。希臘原文中這果子是單數的。當代神學家唐崇榮博士，就將之解釋爲聖靈的果子是一種果子但有 9 種滋味。分別是仁愛、喜樂、和平、忍耐、恩慈、良善、信實、溫柔，若這 8 項你全忘了，沒有關係，一定要記住最後一種叫節制，或是我們把它稱做「自律精神」。人生經常有許多無奈，明知是對的，應該做的，卻無力爲之。如戒煙，有些人是越戒煙，越吸煙；又如減肥，越減越肥。人天生罪性中是沒有這個力量的，唯有神的性情才有這特質。所以我們可以跟上帝祈禱，求神賜下「節制的果子」。讓耶穌基督來到你我的生命之中，做我生命的主，來主宰我的生活。

猶記 16 歲那年，我閱讀到一份資料，它提到可樂、汽水、沙士、咖啡和茶等飲料，具有刺激性，會影響我們的中樞神經和自律神經。我就在神面前禱告說：「上帝啊！祢讓我從今天開始就不吃這些有刺激性的東西，只叫我吃喝有利於健康的飲食。」這個偉大改變的力量，從那時起，一直到如今都運行在我的生命之中。願你獲得源源不絕的生命力量。

接下來，我們將談一談，癌細胞到底是人類的奪命仇敵？還是誠心摯友？癌症難道眞的就是不可預防的疾病嗎？

清心（新加坡）

◎令人感動久久的來信

敬愛的林教授：

您好。

您的排毒餐令許多人受益，也讓我的健康得到極大的改善。這方面我想您已有不少的反饋，我無須贅言。我想談的是您的演講中所帶給人的另一方面影響與靈裡的激勵。這些影響也許是您自覺的，但我想更多時候是不自覺的。

第一次聽您的演講是 2002 年十月在神召會恩典堂，之前完全沒有聽說過您這個人。當時我抱著聽一般講座的心情前往。演講結束後，活動負責人說「病人可以到台前來，林教授願意為他們諮詢。」您就坐在鋼琴後面上台用的階梯上，上前的病人越來越多，圍繞著您。這一個畫面觸動了我的心：聖經記載主耶穌在世時，每到一處，許多病痛孤苦的人圍著祂，祂就動了憐憫的心，醫治了他們，這一幅圖畫浮現在我腦海中。人生多悲苦，芸芸眾生，掙扎於人世間，您雖然不是上帝，卻願意伸出援手，坐在台下的我，心深深受感動。

接下來，陸續聽了您的演講（雖不是每一堂），除了獲取身體保健的知識之外（這方面實在獲益良多），也讓我思考了許多問題。一般成功的演講，離不開言之有物、幽默風趣等因素。但您的演講之所以能打動人心，除了以上因素外，還具備了以下一般演講者所沒有的素質：

1.誠意

這是您的講座與我聽過的所有講座最大不同之處。誠意在人與人近距離的交往中較容易感覺到，在大型的聚會中則難以看到。誠意源自個人有單純的心。但人隨著年齡的增長，生活閱歷的增加，名利追逐的熱衷，以致人性日趨複雜，誠意逐漸隱沒，不再流露。

誠即真，天底下只有真善美的事物能產生感人的力量。人心是敏銳的，您的誠意拉近了與聽眾之間的距離，讓人在聽講演的同時產生一種無言的交流。

因有一份誠意，您演講的內容對聽眾產生巨大的作用，使人願意身體力行；因著這份真，也使人期待著下一次的演講。

2.熱忱

有演講或教學經驗的人都深刻體會到同樣的內容，重複了多次之後要能夠保有同樣的熱忱是不容易的，除非心中有極強的使命感。

曾看過一些人「一講走天涯」，久而久之，演講成了職業，熱忱漸失，因此只能給人知識，而不能感動人心。

您在各地有無數的演講，站慣講台卻仍然能有無限的熱忱，我想最大的原因是一個心中有神的人，就能心意不斷更新，從靈裡產生出來的力量便能使人充滿熱忱。而這份熱忱也能感染聽眾，讓人全神貫注專心聽講二、三小時而不覺得疲乏，至演講結束時才驚覺時間之飛逝。

3.全力以赴

您在新加坡的演講常在不同地點舉辦，但不管人數多寡，場地大小，對象是什麼階層，每一次您總是全力以赴。這一點相信眾人是有目共睹的。而您克服舟車的勞頓、時差的不同、氣候的轉變、身體的疲乏、飲食的不便、偶爾的不適、心靈的軟弱等，每每都以最佳狀態把最好的傳授給聽眾，更不是任何人都可以做到的。我想神在這方面給您極大的恩賜。

最難忘的是在活水教會的主日聚會，儘管人數那麼少，您仍然盡全力傳講。那一堂講道，感動人的不止是傳講內容，也是您敬業樂業的精神。

4.童心

您在演講時常不自覺地流露出童心，這在其他人的演講中幾乎是無法看到的。一個人如何在有豐富的商場企業管理知識、且在專業領域見過多少的生死掙扎，走過不少地方之後，還能保有一顆童心，這是我一直在思想的問題。是性格使然？抑或是上帝特別的恩寵？

以上所言，是我些微觀察所得，與您分享。我心深處的禱告是您這些特點不會隨著年齡的增長而消逝。人生短暫，匆匆幾十年，轉眼即過。盼望藉著您的專業知識、您的智慧、才能、與神所賜下的靈裡堅強力量，為上帝完成極大的極難之事，使世界上更多人的身心靈得到幫助與造就。

從您身上，我明白了何謂盡心盡性盡意盡力地工作，同時珍惜生活中的每一個機會。謝謝您在極端忙碌中仍然樂意給新加坡的朋友與基督徒幫助與激勵。我所求於神的是讓我能夠有健康的身體與足夠的精力，除了應付繁忙的工作與家庭的需要外，在剩下的年日裡能更好地事奉我們的上帝。

祝您

忙中得力

恩上加恩

主內清心敬上

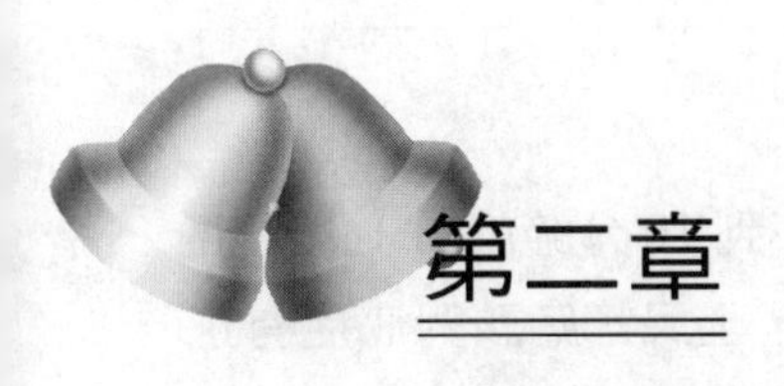

第二章

想得癌症很容易

「我所害怕的事一一出現；
我所恐懼的事偏偏臨到。」

（約伯記第 3 章第 25 節）

「祂（上帝）要使你再次喜笑；
祂（上帝）要使你再次歡呼。」

（約伯記第 8 章第 21 節）

在人口數2,300萬的台灣，現在每不到10分鐘就有1人得癌症，而且每4人就有1人得癌症。因此，全民都應該對癌症有正確的認識。因爲得癌症的財務損失，不只是個人的損失而已，而是整個國家的損失！我們不應該花費那麼多錢，在疾病的治療上面，應該花更多的錢，在自我成長和社會建設。因爲你我的自我成長，將會帶動人類文明的進展。

癌症從來都不是你的「第一個病」，所以你不用怕！它不是突然來的。但是人們爲什麼對癌症會有很大的恐慌呢？因爲我們一直都以爲它是突然來的而且是不可預防，也無人能治療的！但是各位，看完這本書之後，你對癌症等慢性病就會有一些新的看法，從今而後你會發現：癌症，是可以「好好」治的！如果連癌症都可以「好好」治，那你就不用擔心糖尿病、心臟病、高血壓了。現在就讓我們從癌症談起，再說到其它的慢性病……

本書裡所談的觀念，你都可以嘗試看看，因爲這些方法保證不傷身。用一天有一天的效果，用一個禮拜就有一個禮拜的效果，而且眞的有效。我認爲任何醫療行爲，首先應先求無害，再求有效，而不是盲目地追求有效而帶來更大的傷害，那就非常危險了。

聞癌色變三因

你也許會發現在我們周圍，絕大多數的人都有現代文明病，譬如：糖尿病、心臟病、高血壓、癌症或過敏、氣喘等等。假設你今天到醫院作檢查，醫生告訴你得到糖尿病，你大概不會太緊張；說你得了心臟病，你心裡可能想：「沒什麼，我爸也是這樣」；跟你說得了高血壓，你可能會說：「我媽也有這個毛病。」這些你都不會覺得緊張。但是如果醫生跟你說你得到癌症，哇！你可能就感覺壓力非常大，好像晴天霹靂打下來。然後你正準備轉身回家的時候，醫生還會留住你，告訴你話還沒有講完：「還有，你只能再活三個月。」此時，你大概走不到家裡，就已經昏倒在半路上了。

爲什麼癌症會引起這麼大的恐慌？爲什麼絕大多數人對癌症的恐懼會這麼大呢？爲什麼人們會「聞癌色變」？我分析有三個原因。

第一，你發現在你身邊聽過、看過的癌症病人故事，他們都是「突然」得到：好像一個人本來都好好的，去了一趟醫院回來，醫生就告訴他得了癌症，彷彿不去醫院還好好的，去了反而糟了！

其實，你不要怪醫院，這不是醫院的錯！癌症，好像都沒有什麼徵兆，有一天它就「突然」跑出來了。事實上，癌症有著平均4到20年的潛伏期。所以，你絕對不是「突然」得到癌症的！癌症一定要有足夠的時間去「潛伏」，然後慢慢、慢慢地演變。而且癌症絕對不是你的「第一個病」；也就是說得癌症之前，已經出現很多「不尋常」的情況，只是被我們忽略了。

身體的警報系統

那些徵兆，我們把它稱做警報系統。在你生大病之前一定有很多的警報出現！就好像火災前，警報器已經響了，但你認爲它擾人清夢，就把警報器關掉。這時你以爲火就不會再燒，可以高枕無憂了嗎？實際上火是繼續燃燒的，這是我們常犯的極大錯誤！我們關閉了身上太多的警報系統。比如說：流鼻涕。流鼻涕其實是很好的，這表示我們身體裡有毒素要排出來，尤其是呼吸系統的毒素，但我們卻常忽略它。

世界上所謂的發達國家或城市爲什麼得癌症的人越來越多，而且排名死亡原因第一位，我想可能跟冷氣空調有很大的關係，肺部的毒素因爲沒有辦法像大腸裡的毒素，可以利用糞便排出去。這些沒有辦法排出的肺毒，就要透過流汗。在冷氣房中毛細孔會閉鎖，汗就沒有辦法流出來。

所以如果經常待在冷氣空調屋裡面，沒有時間、沒有機會流汗的人要注意了！！得想想辦法，關掉冷氣空調，讓我們多流一點汗，如此就會更健康一點。

每天早上起床後能夠運動、流汗，是多麼美好！

可是現在的人不流汗了。各位有沒有發現，現在小孩子體質越來越差！在學校有冷氣，回到家有時又開冷氣。父母親、祖父母，通常都是很節省，平時不捨得開冷氣，但一聽到寶貝兒孫回來……來！趕快開冷氣！！結果沒有想到竟是害到下一代。現代許多小孩得老人病！你知道嗎？這就是毒排不出來的緣故！

我們一直壓抑著警報系統，不容許它發出警報聲，以爲這樣就沒事了，殊不知越壓制，越嚴重。故這些重症都不是突然出現的，在發現癌症前，往往都已經有許多徵兆顯示，我們卻都不理會它，才會釀成之後的大禍。

四個器官會先受損

據個人的觀察與研究，得癌症（包含其它慢性病）之前人至少有肝、脾、腎和大腸四個器官先受損，可是若你一直不理會，直到最後終會爆發出不易收拾的局面。因此我們平時就應多方了解自己目前的身體狀況，並採取相應措施。限於篇幅，我們先談最主要且根源的問題。健康受到威脅，首當其衝是大腸的排泄功能先出問題，也就是所謂的便秘祕我個人將便祕分三級：四～五天排一次便叫重度便祕，二～三天一次叫中度便祕，一天一次叫輕度便祕。健康的大腸是每天吃幾頓飯，就排幾次。因爲食物進入我們體內 12～18 個小時如果沒有排泄出來，食物常常就變成

毒物，此時就不是營養而是負擔了。

健康排便的特性

健康的排便系統有幾個特性：

①多次：吃幾頓飯，就排幾次。而且早餐吃的，晚餐左右排出去；午餐吃的，睡前排出去；晚餐吃的，第二天早上起床時排出去。

②快速：你一坐上馬桶，「噗通！噗通！」兩三分鐘就搞定了。而且，所排出來的每一條都排列整齊，井然有序，簡直像香蕉一樣「金碧輝煌」。

③乾淨：你如廁之後，清潔肛門時，衛生紙只需擦個幾次，就清潔溜溜了，真是清爽無比。

④無臭：剛排出的糞便，不但沒有臭味，甚至還有香草味，就像未被污染，吃母奶的小 Baby 糞便。

⑤糞便柔軟、潮溼，又大又多；反之，有些人卻是又乾又硬又小。

當你身體愈來愈健康，上完廁所後，看著你自己美麗可愛的「健康產物」，有時你會忍不住發出讚嘆，深深不自覺地欣賞一番。以此開始您的一天真是很美好！只要晨起吃健康排毒餐，就能助你輕易達成此目標。

痛苦的治療過程

對癌症恐懼的第二個原因是，剛剛才聽說一個人得癌症，之後沒多久，又聽說這個人，他的什麼部位切除了，然後頭髮掉了，治療的副作用又造成噁心、失眠、身體不舒服，什麼毛病都有！產生一大堆問題。「好像」沒有接受治療還好，治療之後還更慘！換句話說，似乎治療比疾病本身更可怕。這讓你對癌症產生更多恐懼。誠如，彰化基督教醫院腫瘤內科主治醫師黃冠誠所說的「化學治療最大的問題是在於它的副作用，好比是『傷敵1000，自傷800』。」真的是治療比病本身更可怕嗎？……到底要如何改造癌症或慢性病的體質呢？

凡此種種使你對癌症的恐懼加大加深，好像治療的效果很有限。即使透過醫療人員的努力，盡心竭力，可是沒有多久，聽說這個人就去了。而且，過世之前經歷了人生前所未有的極大痛苦。也就是說，他們多數是帶著痛苦離世的。

根據統計，台灣有7成癌症患者，在痛苦中掙扎。而疼痛又是癌症患者最感痛苦的事，很多患者痛苦於無法飲食、睡眠，再加上沮喪、認知與記憶力衰退和噁心、嘔吐等情形，根本毫無生活品質可言。2003年12月在台北召開的「台灣癌症臨床研究合作組織年會」，該組織前主任，也是現任台灣癌症基金會和百盛癌症防治研究中心執行長的賴基銘醫師，就感嘆：「癌症病人痛不欲生的問題，在國內已經談了太多年，但是始終也未獲得重視。」

如果癌末病患眞是回天乏術了，是否有其它更好的方法，至少讓他們在安詳、寧靜、和諧、自在中有尊嚴地走？我相信是有的。

又復發了

第三個使我們對癌症恐懼的原因是治療後又復發，而且「感覺」即使散盡家產也不能治好。現在全世界所謂發達國家和地區，他們每一年罹癌的人數都在增加，以現今人口只有300萬，經濟卻很發達的城市國家新加坡爲例吧，2002年新加坡國大醫院的癌症報告——在新加坡國大醫院，每年新增加的癌症病人，就超過1,000個！而且小孩占了其中的100人。這100個孩子裡面，又有超過30％～40％得的是血癌。哇！多可怕！三歲的孩子就得到血癌，該怎麼辦？

新加坡孩子得到血癌的比例就是太高、太高了！不過豈止是新加坡而已，中國大陸現今許多沿海城市如上海、天津等更是急起直追。很多家長都憂心忡忡，我的孩子會得血癌嗎？孩子得血癌以後，不只是醫療費用負擔沉重而已，全家人的精神狀態也會一下子陷入了愁雲慘霧之中。

所以擁有健康，不只是權利，更是責任。因爲生病的時候不是只有你辛苦，而是全家人都跟著辛苦。但還好，上帝有憐憫有慈愛，「祂的恩典夠我們用的」。

有沒有其它更好的治療方式，可有效地降低復發率？我相信是有的！

癌症不可怕

我們除了要學會不生病以外，更要從生活上學習怎麼用簡單有效的方式，讓身體恢復健康。你只需要在飲食上稍微作一些改變，整個人生就會產生很大的不同。

我們的身體是由60兆個細胞所構成。身體的細胞在出生時，原本是健康的細胞，可是爲甚麼後來會變成癌細胞呢？

日本的醫學界研究發現，每一個人每天都會產生100～200個癌細胞。但如果你是40歲以上的人，就比較特別，每天會產生3,000～5,000個癌細胞。可是，並不是每一個人都會得癌症。爲什麼呢？因爲上帝知道人類會敗壞，所以賜給我們一個身體保護機制，叫做免疫系統。免疫系統就好像一個國家的國防部隊一樣，保衛著我們的身體。

免疫系統裡面有很多免疫細胞，像T細胞、B細胞、吞噬細胞、巨噬細胞等等……其中一個最可愛的叫N.K.細胞，就是Nature Killer 自然殺手細胞，專門殺癌細胞的。只要癌細胞一出現，N.K.細胞就會過去把癌細胞鑽出一個洞，然後破壞它，殺死這個癌細胞。結論就是，你根本就不要怕你身體裡有癌細胞，你要怕的是身體裡沒有健康的免疫細胞。

縱使如此，我曾聽一位年近八十而健壯的老醫師，很感慨地說：「很不幸的是，有些人忽略了這個觀念，通常只要一發現腫瘤就想盡辦法要去除掉它。因此，當腫瘤一出現的時候，就用手術刀去砍它、用化療的藥物去毒它、用放療去燒它，看能不能把它砍死、毒死、燒死，如果還是不死，再加強兩倍、三倍、五倍的劑量……非給它死不可！後來眞的把它弄死了。哇！正要慶祝的時候，卻突然發現人也死了！」這眞是一個值得大家深思的問題。

根據美國哈佛大學醫學院統計，過去 50 年來，美國在癌症的治療上並沒有多大進展；已經投入幾十億美金了，爲什麼還沒有多大進展？其實是因爲我們忽略了人類身體裡自身的免疫系統所能發揮的作用。

你看，現在得癌症的人越來越多，而速度也越來越快了，在美國，每 35 秒就有一個人得癌症，平均每三個人有一人得癌症。假設你家裡面連你在內有超過三個人以上，其中一個人就有機會得癌症。可能你會說：「我家有三個人，都沒有人得癌症啊！」那可能就是你家鄰居有兩人得癌症。即使如此，你都不必太擔心，因爲我們身體裡面有上帝所賜的免疫系統會保護我們，只要我們不去破壞它就好了。

接下來，我們就從癌症談起，很快地你會了解爲什麼癌症等慢性病，總是在某些特定生活方式、飲食習慣的人身上才有，而不是人人皆有的。

首先，我們來正確地認識一下癌細胞，各位一定要對癌細胞

有三個重要的了解：

生命會自己尋找出路

第一，身體是由細胞所構成，請問：癌細胞是不是細胞？（是！）細胞有沒有生命？（有！）好，細胞是有生命的，而生命總是會自己尋找出路的。癌細胞也是細胞，它是有生命的，它也會自己尋找出路。

就像電影「酷斯拉」裡的最後一幕一樣，所有的恐龍都被制伏了，最後，忽然有一顆恐龍蛋滾下來，然後，電影螢幕上出現一排字：生命總是會自己尋找出路的。它已經爲續集這蛋孵化爲另一隻恐龍留了伏筆。

我們的生活習慣、飲食方式，甚至某些不當的治療方式，是否也正在逼癌細胞發展呢？

癌細胞的心聲：「你們錯怪我了！」

第二，癌細胞也是我們身體的細胞，而細胞必須要有生存的環境才能發展。所以是我們自己創造了環境使正常細胞變成癌細胞，是自己創造出得癌症的體質，促使正常細胞變成癌細胞。

因此，如果癌細胞它會說話，它最想告訴你的一句話相信是：「我也不想做癌細胞，是你逼我的……」。簡單地說，就是你逼良爲娼，你說癌細胞是不是很無辜？

有些癌症醫療者認爲癌細胞是「壞」細胞，非得把它剷除不可，其實癌細胞是不是你身上的細胞？「是！」它本來就是癌細胞嗎？「不是！」它本來是正常的細胞，會變成癌細胞，是你讓它變的，所以你不能怪它。我常告訴癌症患者，不可有恨惡或仇視癌細胞的思想或言行，因它是有生命的。

第三，癌細胞是怎麼產生的？日本自然醫學會創會會長森下敬一博士，在其名著《癌症的治療與預防》談到「癌是友非敵」的觀念值得我們深思。他說：「現代醫學認爲癌是惡劣細胞的堆積，其實並非如此，癌應該是身體防衛反應的產物，它是對身體很有利的裝置。癌的原本面目是『血液的污穢』，如果沒有長出癌腫的話，一定會以敗血症的疾病死亡，敗血症只要三、四天就會死亡，由於有了癌腫，人才得以延長了生命。而現代醫學的癌療法竟然要把這位『救命的女神』擊倒，以此來治療癌症，可說是無稽之談。」

在我們身體裡面有一個很特殊的器官叫脾臟，脾臟負責收集全身的血液，送到肝臟去；肝將這些髒血液，過濾乾淨之後，送到心臟去；心臟再把乾淨、新鮮的血液送到全身。可是當肝機能受損時，送至心臟的血液就是髒的血液。

而這個污穢的血液，如果透過心臟送到全身，就會引起敗血症。快的話三天，慢的話約三個禮拜就會要人命。這時我們的身體爲了不引發敗血症導致死亡，這些受污染血液所污染的細胞就會自我犧牲，本來正常細胞會犧牲自己組合起來，變成癌細胞，讓你還有存活的機會。

因此依照森下敬一博士的理論，癌細胞不但不是敵人，反而還是我們的救命恩人。癌細胞爲了保全你的生命，爲了不讓你得敗血症馬上死亡，它自我犧牲、變成癌細胞企圖去延緩生命，讓你有機會、有足夠時間調整體質，讓你把血液淸乾淨，慢慢恢復健康。

這些壞的血都集中在一起變成了癌細胞，讓我們的身體，還有好的血可以供應全身，讓你有足夠的時間調整體質、接受治療。君不見大部分癌症發現後，都還有3個月、6個月，甚至一年、兩年以上的存活時間。這不是要你等死，而是要你著手改變。

你是不是發現，癌細胞在自我犧牲了？讓你有足夠的，還有幾個月、幾年的時間來調整，讓身體再供應出乾淨的血液來。

然而，血液的乾淨與否與肝的解毒功能也有密切的關係。如果能把肝的解毒機能回復之後，連帶肝的數以百計功能都會陸續恢復，所有送回心臟的血液，便能夠先送到肝來淨化，血就能夠變得乾淨。這時候，你的身體機能就會逐漸健壯了。

所以你要記住，當你或身邊的人得癌症時，千萬不要去罵癌細胞，你反而要說：「癌細胞～我很感謝你，你是我的救命恩人！因爲你提醒我要改變生活習慣、飲食方式，要調整心情……」心情上要學會感恩，永遠都感恩，凡事都謝恩。聖經上說「凡事謝恩」（帖撒羅尼迦前書第5章18節），是很有深刻意義的。要記得對你身邊每一個人事物都表示感恩，對癌細胞也要感謝，感謝它提醒你，以免因疏忽而死亡。

每當有病患希望我給予幫助時，我一定要求他們必須先建立正確的疾病觀，然後才談進一步的醫療。因此，我希望他們一定要聽我的演講，或者是錄音帶、CD，以建立正確的觀念，採取正確的步驟。

結論：癌細胞是朋友，不是敵人！

要有活下去的強烈欲望

我想大部分的現代文明病都是可以醫治的，有些時候，只是還沒有找到可治的人和方法。有病一定能醫，沒有不能醫的，當然哀莫大於心死，心死就沒得醫了。所以除非是上帝命定的時間到了，否則，只要你還有活下去的意志，多數都能活！

通常來找我的癌症病人有許多是末期的症狀，他們就是這邊醫一醫、那邊看一看，醫到最後不行了，然後才來找我。我常問病人一個問題：「你眞的想活下去嗎？」大部份人會說：「是啊！」然後我接著問他：「你活下去的目的是什麼？」結果病人說：「我沒想過。」我就跟他們說：「想一想，還有什麼未了的心願？有什麼事是強烈想完成的？」

這是一個很關鍵的原因，大多數從癌症獲得康復的人，都有要活下去的堅定理由，都發現自己還有許多重要責任未了。這樣的人就不易被癌症擊倒，反而因為癌症的緣故，激發了他更大的生命力，在人生有限的歲月裡面作出更大的貢獻！所以這麼說來，得了癌症未嘗不是好事？對不對？

接下來，我們再來談一談引發癌症等慢性病的原因……。

徐銀霞　（台灣台中）

◎重生的我

自從接受林教授的自然療法，至今已將近一年，很多人打電話到教會，想知道我的近況如何？是否還活著？現在就讓我告訴大家。

吃了酵素之後，約一星期開始產生排毒反應，頭痛、發燒、全身酸痛，咳嗽，咳很多痰，第一個星期高燒至 39 度半，之後慢慢下降。約一個月半後才停止發燒，咳嗽與咳痰。這段期間彷彿在生一場大病，很難受，但我心裡明白，因自己的身體太差，以及累積太多的毒素（胃寒長期無法吃生菜水果，只吃吃魚，肉和熱量高的食物），又無法大量喝水（胃太虛弱），才會反應這麼強烈。體重也少了 2 公斤，只剩 26 公斤，但是身體卻有令人驚奇的改變：吃了很久的流質食物加花粉，啤酒酵母等……有一天，突然覺得好難

吃，好噁心，簡直難以下嚥，心裡很不解，這麼難吃的東西，為何之前都沒有感覺？後來才知道，是我的味覺恢復了（我的臉頰和頸部，在15年前照過鈷60，味蕾因而受傷變遲鈍），之前開刀時，舌頭半邊神經曾被切斷，也恢復了知覺。因為味覺變靈敏了，便不想再吃流質食物，改吃稀飯。好幾年沒吃正常食物，再次吃到糙米稀飯、蔬菜、海帶配鱈魚，覺得味道實在太美，太好吃了，終於又重拾食之樂趣。想起之前進食只是為了填飽肚子，維持生命而已，實在太暴殄天物。我本來還擔心，這樣吃胃腸能接受嗎？結果什麼事也沒發生，很順利地消化，當時真的太高興了。就這樣，慢慢地嘗試增加一些新的食物，就像一個新生的嬰兒，開始接受吃固體食物一樣。

到現在，我已經沒有什麼食物不能吃了，連吃生菜、水果也沒問題。這一年中，從什麼都不能吃，到沒有什麼吃不得，真的令我難以相信。還有，病後原本天氣再怎麼熱也不會流汗，現在不僅恢復正常，也不再腹瀉了。以前是急診室常客的我，這一年來也不曾去過急診。雖然我現在看起來還很瘦（31公斤），體力也不很好，但是以我這麼差的身體，又有這麼長的病史，本來就不是一年半載能恢復，不過一直都有緩慢地在進步。

回想過往，真是感慨萬千，被胃病折磨了二十幾年，看過無數中西醫，也做過很多檢查，不但無法改善，還愈來愈嚴重。最後，已很難進食，我的胃就像睡著了，罷工了，忘了它的任務，身體虛弱到站都站不穩了，吃任何藥物都無效，只好靠打點滴支撐。沒想到，吃了酵素，就輕易地把我的宿疾治好了，也把我從死神的手中拉回來（去年七月，因為腸胃功能喪失，導致嚴重營養不良，差點因而去世）。我真的很納悶，「酵素」這麼好用的東西，為何就沒有醫生拿它來治病？如果早期，我就遇到像林教授這樣的人，便不會因胃疾，導致長期營養不良，百病叢生，而受那麼多苦了，也會省下很多醫療資源。

如今，我終於走出死蔭的幽谷，邁向陽光，能有今天，除了感恩上帝的庇佑，還要感謝林教授、黃牧師、林牧師、蕙芳的扶持，以及教會弟兄姊妹們長期為我禱告。上帝垂聽了他們的聲音，派了天使來幫我——林惠美牧師，先開啟了我重生的大門（去年七月三日，她送林教授的演講錄音帶給我聽）；之後，再按林教授的指導治療，蕙芳提供酵素給我試吃，才有今天的成果。為了紀念與感恩，我決定把生日改為7月3日，並把名字改為「惠常」（取自林惠美牧師和林光常教授名字，各一字），象徵我獲得的重生。

揮別過去的陰霾，成為一個新造的人，邁向新的生活。不過病後，蟹居太久，與社會脫節了，要重新出發，竟有點膽怯與惶恐。這個新名字對我意義重大，它會時時策勵我，去實行我對上帝的承諾，「病癒後，要當一個榮神益人的器皿」。願所有人，也能從我的經歷中，得到上帝的恩典。

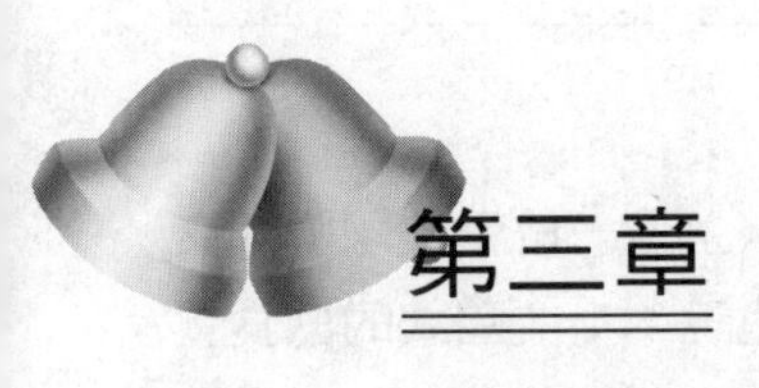

第三章

引發癌症等慢性病的34因

「上帝用疾病糾正人的過失，
用身體的痛苦管教他。」

（約伯記第33章19節）

「否則，他們要無知無識地死去，
渡過死河而入陰間。」

（約伯記第36章12節）

哈佛大學營養專家馬克・漢格斯地醫生是一位受美國聯邦交易委員會肯定，公正無私的專業人員，他說：「美國式的飲食會造成冠狀心臟疾病，這項指控是顯而易見且無庸置疑的。這樣的飲食也會造成多種不同的癌症，如乳癌、直腸癌及其它的癌。」簡單地說，導致心臟病的飲食，也能導致癌症。

而且，許多慢性病變也是發生癌的生物學病因基礎。例如，Ｂ型肝炎及肝硬化，這兩種病變都有肝細胞的損害和增生，增生的肝細胞可能誘發癌變。有關臨床報導也證實，肝癌患者中高達 80 %是來自於Ｂ型肝炎表面抗原陽性患者，其中又有 80 %曾有肝硬化的病史。其他又如結腸息肉、慢性萎縮性胃炎、長期不癒的胃潰瘍等都很容易惡變爲癌症。

心臟病、腦中風和糖尿病可說是中老年人的三大殺手，據相關資料統計，約 20 %的心腦血管疾病者同時患有糖尿病；糖尿病患罹患動脈硬化的發生率是一般人的 5 倍，糖尿病患的心臟病發病率則是一般人的 2 倍。北京協和醫院曾分析 1,000 例的死亡病例，發現糖尿病人的腦血管病變發生率是非糖尿病患的 2 倍。而短暫性腦缺血發作（俗稱小中風）是中風的先兆，中風患者有 25 %曾發生過小中風，小中風後發生急性心肌梗塞更是一般人的 13 倍！

中老年人健康與生命危害最爲嚴重的這三種疾病爲何關係至爲密切？這是由於它們的病理基礎一致或相近所致。因此，有人戲稱心臟病、腦中風和糖尿病是一條蔓上的三個瓜。

身體的細胞在出生時原是健康的細胞，爲什麼後來會變成癌細胞呢？原本是健康的體質，爲何變成適合慢性病發展的體質？根據臨床觀察和衆多資料的分析，我整理出共有 34 項因素。換句話說，有 34 種環境會讓你的細胞開始癌化、產生疾病。糖尿病、心臟病、高血壓、氣喘、過敏、肝病、肺病、腎臟病甚至憂鬱症、兒童過動症以及一些所謂的罕見疾病……都與這些因素有關。

如果你能把以下所談引發疾病的因素，好好地思考並加以預防，你就可以一生遠離文明病。如果是已經生病的朋友，你也可以從這 34 個角度去一一自我檢驗比照，自己是在哪一方面出了問題，以茲獲得一個改善的方向。

我深信聖經約伯記裡面說的：「上帝用疾病糾正人的過失，用身體的痛苦管教他。」（33 章 19 節）所以，當我們身體有疾病、有痛苦的時候，千萬不要怨天尤人，而是要去反省，到底有那些地方應該做調整，是不是生活習慣應該要做一些改變？是不是飲食要做些調整，還是情緒方面已經失控了？是否到了該痛定思痛改變個性的時候了？希望這 34 個致病原因能帶給各位有關現代文明病的預防與治療，提供一個另類的思考。

蘇森源牧師（休士頓靈糧堂）

◎排毒餐對我馬上見效

幾十年來排便不順的情況，一直都找不到方法改善，每次上大號總要使勁又使勁。

自從2003年3月開始，早餐使用「排毒餐」後，驚覺「排便」順暢，而且每日三次。一般，在我食用排毒餐（蔬菜、水果攪拌）之後，一小時左右就排便。我確信，我的體質會變得更好，清淡的飲食，除帶給我輕鬆、快樂的人生，也將帶給我能在教會服事更多的動力。

第 3 章

飲食錯誤

早在 1976 年，美國參議院爲了要了解「爲何時代越進步，人們體質卻越退步」，因此組成一個「營養與人類需要委員會」著手研究調查。擔任主席的參議員喬治・麥高文，在聽取了國內癌症專家們的證詞後，對美國每天所投入數以百萬計的癌症研究花費，極爲不悅，稱它們是「數十億美元的醫學紕漏」。

當麥高文主持一個有關「現代美國飲食及其對健康之影響」的聽證會時，進行到中途，麥高文就以尖銳的語氣質問目前世界上最大的癌症組織——「全國癌症學會」會長亞瑟・阿普頓（Arthur Upton）：「有多少癌症是飲食引起的？」。阿普頓回答：「50 %」。可是整個預算之中用於飲食與癌症方面的經費，竟然只有 1 %再多一點點！美國尚且如此，台灣等亞洲各國與地區豈不更是如此嗎？

在全球醫學雜誌之中素有聲望的《癌症研究進展》（Advances in Cancer Research）雜誌，曾總結出癌症研究員「生活方式與癌症」的機率研究，他們認爲：「到目前爲止，我們有專業性的證據顯示，飲食與營養比任何一個因素更會影響到致癌的可能性。」

因此，我們認爲引發癌症等慢性病的首要原因，就是飲食錯誤。

我在「癌症好好治」及「癌症非絕症」等有關癌症的演講中，從頭到尾，有近 70 %的時間都在講飲食的問題……爲什麼？

造成癌細胞容易發展的體質，最重要的原因就是飲食！爲什麼每個人身上都有癌細胞，可是獨獨你爆發癌症？不是每個人都會爆發癌症的！會，是因爲你的體質適合癌細胞的發展。

萬一你的身體裡面有腫瘤，千萬不要太緊張。有時候你去醫院檢查，醫生會跟你說：「你的身體裡面有發現腫瘤！……」這時你就非常緊張了。然後你通常會問醫生那該怎麼辦？

有些醫生會說：「那要趕快動手術啊！要不然它會……」其實這話也沒有錯，尤其在皮膚表面的腫瘤，手術是最佳選擇。可是，把腫瘤切除以後，如果你的飲食習慣還是不改變，割掉一個，甚至會長三個，因爲你的體質並沒有改變，還是一個適合慢性病或癌細胞發展的環境。

我們從很多老人家身上發現到，他們去世的時候身體裡面仍然有腫瘤，可是它一直沒有爆發出來，爲什麼？當然原因有很多，其中之一就是因爲他的體質不適合腫瘤發展。所以即使每天體內都會產生 100-200 個癌細胞，它也會一直「產生→死亡→再產生→再死亡」，並不一定會造成傷害。但是如果你的飲食錯誤，你就提供了「材料」使它有機會可以去蔓延、去發展。所以，只要你的飲食習慣改變，沒有適合癌細胞發展的環境，這些癌細胞就會自然死亡。飲食、情緒、環境都是關鍵，他們決定你有無提供身體或是癌細胞，一個發展的條件。

總結歸納錯誤的飲食習慣有七點，這亦是引發癌症等慢性病的七大首要主因：「高蛋白」、「高熱量」、「高脂肪」、「高精緻的糖」，「高鈉低鉀」、「低纖維」，讓我們就從高蛋白飲食開始談起吧！

一、高蛋白飲食

你一定覺得很奇怪，我們從小到大，所受的教育都告訴我們要吃「肉蛋奶」等高蛋白的食品。你很奇怪耶！叫我們不要吃，不吃，怎麼有體力？

我常告訴身邊的朋友：肉蛋奶你已吃了幾十年，從今天起你不要吃一個禮拜試試看，好不好？辯論是無益的，你就一個禮拜不要吃肉蛋奶，看看你的健康狀態是比較好，還是比較差？一週過後他們都會對我說：「對耶！為什麼肉蛋奶不吃，身體、精神比較好？為什麼吃了肉蛋奶，身體、精神反而不好？」

請回憶一下，吃完什麼樣的一頓飯以後，會感覺很累？什麼飯？喝喜酒嘛！吃大餐嘛！這裡面許多食物不但沒有供給你能量，反而消耗了你身體的能量，所以你才會越來越累。

美國是全世界肉蛋奶消耗量最大的國家之一，但美國人的體質是怎麼樣的體質？三個人中有一個得癌症；兩個人有一個心臟病；每 25 秒鐘，有一個人心臟病發，每 45 秒就有一個死於心臟病；每 35 秒鐘，有一個人被診斷為癌症，每 55 秒鐘就有一人死於癌症。（剛剛看完這段，就有一個人心臟病死掉了……再看完這句話，又有一個人癌症死掉了。）美國的慢性病為何這麼嚴重？為什麼？這是因為他們提倡高蛋白飲食所導致的後果。如果我們還不儆醒，還要走他們的錯誤路，結果就是死路一條。

在美國，這幾年來開始有一些有良心的學者、專家、醫生、教授已經站出來大聲疾呼：「你們不可以再喝牛奶了！絕對不可以再吃高蛋白了！再吃下去，美國都要亡了！」

蛋白質攝取不足，原本是貧困落後地區營養不良的主因，但是多數人卻不知道，過量攝取蛋白質竟造成富裕文明社會主要的健康問題。

舉例來說，水對一個城市很重要，若缺水會成了大問題。但缺水的城市如果每天下大雨，連下 80 天，那就不妙了。蛋白質就是如此，我們的頭髮、指甲、皮膚、細胞或內臟器官的修復都需要蛋白質，但過量的蛋白質會造成身體機能的障礙。國內學者專家中有這方面見地且發表文章者較少。值得慶賀的是，2001 年 11 月 30 日中國時報健康版刊載了台大醫院婦產科兼任醫師梁恆彰先生的大作──「蛋白質過量，小心健康亮紅燈」，眞是警世良言。

他特別提到：「蛋白質代謝之後所產生的胺素毒性很強，一點點就可以使人昏迷死亡。因此，肝臟需要費力地將蛋白質的代謝廢物打包成低毒尿素，釋放到血液中，最後經由腎臟排除。因此，蛋白質過剩對肝腎的壓力很重。我常常看到腎功能或肝功能不好的患者，誤以爲補充大量蛋白質對身體很好，結果適得其反。」美哉斯言！梁醫師眞是一位說實話有良心的醫師。

蛋白質的攝取，一般人每日每公斤體重所需量約 0.6g，青少年與粗重勞動者約 0.9g～1.2g。你的孩子若是體重 30 公斤的兒童，一日蛋白質只須 30g 左右就夠了。

如果你是 60kg 的成人，一天需要的蛋白質約爲 36g 足矣。現代人的問題，不是蛋白質不夠，而是太多。現今所有文明病的問題，幾乎都和過量的蛋白質有關，以下總結過量蛋白質之害，供各位參考：

1.蛋白質的攝取多過所需，會變成脂肪儲存，所以你吃肉不見得會長肉，反而會多出一堆油脂。

2.高蛋白飲食往往是高油脂食物（如肉類），會使人過胖，引起各種退化性疾病。

3.動物性蛋白質，因含過多飽和脂肪酸和膽固醇，對心臟極爲不利。所以一個地區肉類的消耗量，常和心臟血管疾病的罹患率是成正比的。

4.高蛋白飲食會使肝臟擴大，易患腎臟病。

5.高蛋白飲食促使體內鋅流失。而鋅卻像交通警察一樣，執行指揮和監督體內各種作用的有效運行，以及酵素系統和細胞維護。

6.蛋白質代謝中需要維生素 B_6，過量的蛋白質導致 B_6 的不足。而 B_6 又是製造抗體和紅血球的必要物質。B_6 不足會引起貧血症、舌炎和脂漏性皮膚炎。

7.高蛋白飲食使鈣自骨頭中流失。這就是爲什麼人們愈吃肉蛋奶，骨質愈疏鬆的原因。換句話說，大多數的人，不是鈣不夠，而是肉蛋奶吃太多。

8.過量的蛋白質會轉變爲脂肪和醣，而高蛋白和高脂肪會阻礙醣份的代謝，反而造成高血糖現象。這就是爲什麼糖尿病人愈吃肉蛋奶，腎功能損害愈大的原因。

9.蛋白質攝取超過身體需求 2 倍以上，你就爲癌症等慢性病在你體內的發展創造出極佳的環境。更別說，現代人以鷄、鴨、魚、肉、蛋、奶、漢堡、炸鷄、薯條、牛排爲主食的飲食方式，所攝入的蛋白質豈只是 2 倍而已！

曾在電視上看到一個奶粉廣告，說台灣四到七歲的孩子有缺鈣的現象。此事令人費解！哪一個年代，比現代的孩子營養更好？物資更充沛？經濟更發達？現在四到七歲的孩子，可說是過去幾千年來最繁榮富庶的一代，營養最好，怎麼可能缺鈣？其實人們不是鈣不足，而是蛋白質攝入太多、醣類吃太多，結果導致體內的鈣流失了！高蛋白質食物會產生酸性物質，而酸性物質，會讓體內鹼性的鈣流失，因此造成各種疾病！

只要減少蛋白質的攝取，減少醣的攝取，多數人鈣質是夠的！蔬菜（尤其是海洋植物）、水果、五穀雜糧裡，鈣已經很豐富了，人體並不需要那麼多。太多鈣，反而造成鎂的不足，這又是另一個大災難的開始。

而且要吃蛋白質，就吃優質的蛋白質，如豆類、穀類、蔬果類；因此從今天起拒絕吃肉蛋奶等劣質蛋白質，才能保你一生健康好品質。

二、高熱量飲食

世界三大長壽村之一南美洲厄瓜多共和國的比爾曼村，長壽老人的生活特徵有三——一、每天攝入之飲食僅約 1,200 大卡，而且完全不吃肉或蛋，主食爲小麥、玉米、馬鈴薯等全穀食品。二、很早起床，而且從事勞動。三、心情愉快、生活滿足。

日人古守豐甫先生在其大作《長壽村楓原》中提到，日本知名的長壽村——山梨縣楓原的長壽老人飲食習慣，他們長年來都是少食和粗茶淡飯。其實，少食自古就有明訓，可提高人體治療力，多食反而會造成各種疾病的發生。臨床上觀察，平常喜歡大吃大喝的人，他的肝臟都有肥大的現象。因爲要排泄的量太多，肝臟負擔太重，自然就肥大起來了。

多方的研究證明，熱量攝取越高，壽命越短，熱量攝取多寡與壽命長短成反比。你看，每天大吃大喝，吃飽飽的人，一定短命！（他把一百年要吃的，五十年就吃完了，因此自然早死。）古訓「飯吃七分飽、話多留三分」眞是至理名言。

甚麼東西熱量最高？甜食和經過油炸處理的食物，都是熱量特別高的！（這個部分，請參考《無毒一身輕》，文中已有詳細論述）

我們曾經談過，其實馬鈴薯的熱量並不高，可是當它做成「薯條」之後，熱量就高出 44 倍！如果做成「洋芋片」，熱量更是增加 250 倍！！相信你已經知道爲什麼現在的小孩體質那麼差——不吃飯，他們就愛吃這些洋芋片。你回去試試看，拿一片洋芋片，然後用火去燒，它會有大量油滴下來，大概要 30 秒才燒得盡，而且燒起來烏黑的一團，這種東西誰還敢吃進去？它不把你的血管堵死才怪！

這些高溫油炸的薯條、洋芋片，直接影響身體的健康。早在

2002年4月瑞典科學家首先發現，在馬鈴薯、餅乾等以碳水化合物（澱粉）爲主要原料的高溫烹炸、烘烤食品中，發現了大量的致癌物丙烯醯胺（Acrylamide）。化驗表明，上述食品，特別是油炸薯條，丙烯醯胺含量非常高，一盒薯條中這種致癌物質的含量，是世界衛生組織對飲用水標準的500倍。其實主要問題不在澱粉，而在高溫油炸。

同年6年，報載美國消費者團體「公共利益科學中心」，在華府也發表報告確認，瑞典的上述實驗結果，證實此項研究結果無誤。WHO的官員說，挪威、英國和瑞士所做的後續研究，基本上都支持瑞典國家食品管理局的研究發現，發言人哈托表示，其它國家的研究與瑞典有相似的結果，故其發現是不容置疑的。

美國環保署限制一杯飲用水的丙烯醯胺最高含量是0.12微克，可是美國「公共利益科學中心」委託研究單位針對十多種受歡迎品牌所做的實驗發現，某些品牌的炸薯條和洋芋片含有高量的丙烯醯胺，尤其大包的炸薯條更含有超過規定標準600倍（亦即72微克）的丙烯醯胺。

同年12月，美國FDA的研究人員又發現，洋芋片和薯條等遇高溫所產生的丙烯醯胺致癌物，時間越長含量越高。如從超市購得的冷凍薯條，在烘烤前不含丙烯醯胺，但烤到10到15分鐘即會產生微量丙烯醯胺；烤30分鐘，薯條變爲金黃色時，丙烯醯胺是烤15分鐘的120倍，烤45分鐘，薯條開始酥脆時，此一致癌物含量高達400倍。

這使我想起曾見過的一位乳癌病人，她只有八歲，就是每天早上吃漢堡，中午吃炸雞，晚上吃炸排骨。她母親極憂心地告訴我，所有我說不能吃的東西，都是她女兒最愛吃的。

三、高脂肪飲食

1975 年卡洛（K. Carroll）的知名研究「飲食因素之實驗證據及依憑荷爾蒙癌症」的重要結論之一就是，油脂吃得越多，得直腸癌的機會也越高。

1984 年時，美國聯邦政府宣布一項歷時 10 年，花費 15,000 萬美元的研究結果，可謂是醫學史上涉及層面最廣、花費最多的研究計畫。該研究企劃主任——貝索・呂夫肯德（Basil Rifkind）下了一個結論：「此巨型計劃，強烈地指出飲食中所含的飽和油脂及膽固醇降低得愈多，得心臟病的風險也就減少愈多。」之後，美國醫學協會的雜誌，也提到「素食可以預防 97 %的冠狀動脈血栓症。」（當然，這裡的素食，不同於台灣目前的素食。台灣目前的素食至少存在 10 大錯誤，將之列於附錄中，有興趣者可參考。）

吉歐・哥里醫師（Dr. Gio Gori）是美國全國癌症學會「飲食、營養與癌症」的計劃人，同時他也是全國癌症學會的副會長，他曾受邀在參議院「現代美國飲食對健康的影響」聽證會中發表評論。議會最想知道的是到底什麼樣的飲食，會促成癌症。哥里醫師斬釘截鐵地告訴國會：「促成癌症與循環系統疾病的主要罪魁禍首就是肉類和油脂的攝取。」

現在日益增加的乳癌患者與脂肪的過度攝取有密切關係，因爲過多的脂肪會使腸中細菌從膽汁鹽類製造較多的動情激素，因此易得乳癌。動物實驗也發現，餵食老鼠高脂肪食物，乳癌細胞會快速成長。

另有研究指出，脂肪攝取過多而肥胖的女性，得到乳癌的機率是苗條女性的 3 倍。當然多攝取纖維素便有利於降低血液中動情激素濃度，降低乳癌發生率。

現代的醫學研究也證實，大腸癌、乳癌、卵巢癌、攝護腺癌、子宮內膜癌和膽囊癌等癌症的發病，都與脂肪的攝入過多有關。尤其在肥胖者身上更明顯。

關於脂肪促進癌症的形成，目前有兩種看法：

一、脂肪攝入較多者，體內熱量過剩，造成脂肪代謝障礙，體內脂肪酸和膽固醇增多。血中膽固醇和脂肪酸一旦增高，就會抑制免疫細胞功能，使癌細胞不能及時被清除。

二、我們身處的環境，許多有害物質是脂溶性的，只有溶解在脂肪中，才能被身體吸收。所以食物中脂肪含量愈高，有害物質被身體吸收的可能性就愈高，誘發癌症機會也就愈高。

難怪在摩西五經裡，三申五令講到「任何脂肪和血，你們都不可吃！」上帝的美意原是爲了保護我們。

此外，美國最近有一項研究發現，逾200所中學學生高脂的飲食習慣與他們患上心臟病有很大的關連。研究員利用超音波去量度頸動脈的血管壁厚度，發現血管壁最厚的年輕人體重都超重，有高血壓或膽固醇過高的現象。結果顯示逾八成研究對象，所攝取的高脂肪含量超過30％；有近50％的人膽固醇過高；三分之一的學生更是膽固醇極高。這些症狀都是學生們長大後容易得心臟病的因素。

高脂食物對免疫系統的傷害尤其嚴重，它會導致免疫細胞慵懶，讓它們難以察覺入侵者，或者喪失了殺死癌細胞、細菌或病毒的能力。

四、精緻糖

讓我們先看一個動物試驗。

以色列的研究人員發現，進食大量糖的老鼠，比正常飲食的同類衰老得快，人類可能也有一樣的結果。餵食大量甜食的老鼠，雖然吃得津津有味，但不久便發現牠們的皮膚和骨頭都出現明顯的變化——結締組織、骨骼和軟骨中的膠原纖維逐漸減少，組織中形成過多的交叉——連接結構，皮膚所出現的這種變化，與人類老年時的皮膚鬆弛和皺褶一樣。換句話說——甜食催人老！

其實，糖原是人類賴以生存的重要物質之一，但吃糖過量，就會使血液中葡萄糖濃度過高，以致人體的內環境就會失調，造成傷害。曾有人調查嗜糖者平均壽命要比一般人短 10 至 20 年。因爲糖是酸性食品，會使人的體質酸化，降低人的抵抗力，引起經常性感冒、齲齒和骨質疏鬆症等。臨床數據表明：吃糖過多，會造成脂肪堆積，出現高血脂，導致肥胖症和血管硬化。

尤其是兒童，長期攝入過量的糖（甜食）和糖水飲料，直接影響到他們骨骼的生長發育。甚至因消耗體內過多維生素 B_1，容易引起眼球內膜彈性衰退和眼球變形，更嚴重的是會形成多動和暴躁的性格。爲人父母，不可不知！

早在 80 年代初期，「美國國家汽水協會」就公布一份被視爲機密文件的研究報告，他們發現，一種在汽水中被廣泛使用的代糖「天冬氨酰苯丙氨酸甲酯」（阿斯巴甜，Aspartme）會影響腦部運作，如影響血清素等神經傳遞素的合成等。阿斯巴甜會改變消費者的行爲，誘使消費者進食更多的醣類。簡單地說，它會使你上癮！

美國學界曾對經常喝可樂的 4,455 名兒童進行研究，發現他們都患有嚴重的營養不良。這些愛喝可樂飲料的兒童平均每天攝取的鈣量，只有人體平均所需的 60 %，此外，可樂中的咖啡因會增加尿鈣的排泄，造成體質的酸化和骨骼的不利發育。而且，他們認爲下一代骨骼疾病和骨質疏鬆症的發生率將是現在成年人的 3 倍。

而可樂中的咖啡因對孕婦的潛在危險更大，因為它可通過胎盤進到胎兒體內，使胎兒發生缺陷。體外試驗也證明它會抑制DNA的修復，使細胞突變率增加。

報載美國哈佛大學醫學院的專家們對市面上販售的3種不同配方可樂飲料，進行殺傷精子的試驗後得出結論：男子飲用可樂類飲料，精子會直接遭到殺傷，從而影響男性的生殖能力。倘若不幸已受傷的精子一旦與卵子結合，可能會導致胎兒畸形或先天不足。由於多數可樂類的飲料中都含有較高成分的咖啡因，咖啡因在體內很容易透過胎盤的吸收進入胎兒體內，會危及胎兒的大腦、心臟等器官，同樣會使胎兒產生畸形或先天性疾病。故建議欲受孕或可能受孕或已受孕的女性，應遠離這些含咖啡因的飲品。

你還要喝可樂嗎？平時我們不斷送入口中的甜點、果汁、飲料和各式糕餅，都含有大量的精緻糖成分。根據研究指出，每天只要攝取100公克的糖，就會對免疫系統產生極大的副作用。只須喝下一罐250ml的可樂，體內的免疫系統就有三分之一會停止運作。一般而言，吃下糖之後30分鐘，免疫細胞的活動就會減緩。吃過量的糖時，免疫細胞甚至會暫時停止運作，必須經過五～六個鐘頭以後，才慢慢恢復正常的活動力。這也就是為什麼愛吃甜食的人比較容易感冒、喉嚨痛，這表示他的免疫系統已經在拉警報了，再不理不睬，後果將不堪設想。

甚至連墨西哥的保護消費者研究協會都強調，長期飲用可樂、汽水等糖水飲料會引起肥胖、潰瘍、齲齒、動脈硬化、食慾不振和營養不良。過量飲用還會誘發失眠、頭痛、憂慮和骨骼、牙齒等疾病。

美國布朗大學史丁教授曾指出：多飲汽水會導致女性在月經期和妊娠期出現鐵質短缺症。不少常飲汽水的女性，在月經期會出現疲乏無力和精神不振的現象，這就是缺鐵的表現。因爲汽水等飲料大多含有磷酸鹽，和體內鐵質會產生化學反應，使鐵質轉化爲無用廢物。

而且汽水中的碳酸氫鈉會和胃液中和，降低胃酸的消化能力和殺菌作用，還會影響食慾，其中以兒童尤爲明顯。

更嚴重的是這些甜食可促發乳癌。據研究，女性的乳房是一個能大量吸收胰島素的器官，長期攝入高糖食物，會使血內胰島素含量始終處於高水平的狀態，而早期乳癌細胞的生長，正需要大量的胰島素，被乳房大量吸收的胰島素正助長了乳癌細胞生長繁殖。此外，甜食還會刺激胃液分泌，日久即會損害胃黏膜誘發胃炎和胃潰瘍，甚至還會導致動脈粥樣硬化、心腦血管疾病、糖尿病，肥胖症、膽結石、腎臟病等。其實，可樂、汽水、蛋糕、餅乾、點心……這一堆的甜食上面是寫著隱而未現的字樣：「來吃我，好讓我吃掉你！」

五、高鈉低鉀飲食

曾有許多科學家做了很多這方面的臨床研究發現，癌細胞在「鈉高、鉀低」的環境裡面很容易發展！可是反過來以後，「鉀高、鈉低」，癌細胞就會自然地死亡，沒有辦法發展。在我們的身體裡，鉀鈉是一個很明顯的對比，不過因爲我們喜歡吃「重口味」的東西，所以鈉普遍都太高，以致於我們整個細胞內外失去了平衡。

中醫裡面有一個觀念非常好，它說：「失去平衡，是所有疾病的根源。」你看現在，不是味精而已，醬油、鹽巴，都含很高很高的鈉、很低很低的鉀。最重要的不是鉀有多高、鈉有多高，像西洋芹，它的鈉雖高，可是爲什麼吃了對身體很好？因爲它的鉀更高！所以你要看它的「鉀鈉比」，一定是要「2：1」以上，這樣的食物就是最好的食物！鉀鈉比越高，對我們的身體就越有幫助。

我們來研究看看，以前的人為什麼極少得癌症？因為他們攝取的食物鉀比鈉高達18倍。現代人的飲食最少也要達到「2：1」的鉀鈉比；可是絕大多數得糖尿病、心臟病、癌症的體質都是鈉比鉀要高2倍的食物所造成。身體應是鉀比鈉要高2倍，但現在的人都反過來，變鈉比鉀多了2倍，難怪大多數人身體不好。

當你去喝喜酒、到餐館吃飯，不管十道、二十道菜；有沒有發覺都有同「一種」味道？你根本吃不到食物的原味，完全都被味精掩蓋了。排毒餐就是盼望你能慢慢調整你的體質，從低油、低鹽、低糖，慢慢進入無油、無鹽、無糖，好嚐到上帝創造這些食物的原始美味。唯有品嚐食物的原味，你才能享受食物的美好。

現在人的口味愈來愈重，連鹽巴、醬油、味精都已經不夠了，還要「高湯」；你看你已經中毒多深了？（特別注意喔！高湯裡面鈉可是非常高的）。然而在健康排毒餐中所建議的根莖花果蔬菜，多數都是高鉀低鈉的食物，所以應該多攝取。

六、低纖維飲食

1996年，世界衛生組織終於把「纖維素」，納入人類第六大營養素。成為除了蛋白質、脂肪、醣、維生素、礦物質以後的第六大營養素。

起初，醫學界的專家們覺得很奇怪，五大營養素都有了，為什麼還是有許多人得心臟病和癌症？血中膽固醇總是居高不下？後來發現原來是纖維素不夠！我為什麼苦口婆心地建議大家一定要吃「糙米」？就是因為「糙米」比白米的纖維素多14倍，而白米的纖維已微乎其微了。但是光是吃糙米你可能還是不夠，因爲大多數的食物，在精緻加工的過程，纖維素多被破壞。其實纖維素就像大腸的掃把；一路走一路把東西掃著走。若沒有足夠的纖維，排泄物就會被阻塞，無法順利地排出去，而且最嚴重的是食物通過直腸的時間會大大增加，腸壁就有更多的機會重新吸收身體想要排出的毒素。而且，「纖維會幫助稀釋、捆綁以及解除致癌物質的活動力。」所以你應當要在日常飲食中攝取足夠的纖維；一般人一天，約需要 30 到 35g 的纖維素。不過即使所選飲食較爲粗糙，今日都市人的飲食也只能取得約 20 到 25g 的纖維素，所以額外補充一些優質的種子纖維，是較妥當的做法。

2001 年 6 月「歐洲癌症及營養前景調查」（EPIC）研究報告，在法國里昂舉行的「歐洲營養及癌症」研討會中發表，這是有史以來最大規模的飲食與癌症研究，其耗時 15 年，對象多達 40 萬人，涵蓋 9 個國家。

劍橋大學唐恩人類營養中心的謝拉・濱漢教授表示，在 5 組受試者當中，每天食用 5 份蔬菜水果的人健康狀況最佳，罹癌的機率也最低。攝食最多纖維的那一組受訪者罹患大腸、直腸癌的風險降低多達 40 %。

一般人每天纖維的攝取量應至少達到 30-35g，但不幸的是，目前腸癌罹患率最高的國家地區，如美國、英國、新加坡、台灣和中國大陸沿海發達城市，飲食的主要內容都是以肉、蛋、奶、漢堡、牛排、白米、白麵包、白麵條等低纖維甚至是零纖維的食物爲主，以致於發生纖維嚴重不足現象，如此下來先是引發便祕，再來就是會造就出適合各種文明病發展的體質。

大家都知道吸煙對人對己都不好，不管你喜歡不喜歡，我們大多數人都被迫處在煙害的環境下。吸煙產生的有害物質極多，但危害人類健康最大的毒素爲「二惡英」（戴奥辛）。雖然煙草裡其含量是很微小的，但它的毒害是很大的。據報導，日本福崗保健研究所的研究人員對動物試驗顯示結果為：在老鼠的食物中加入10％的纖維，可使「二惡英」的排出量增加1.57倍，肝臟內的二惡英積存量減少至84％，如果加上20％含有大量葉綠素的小球藻，二惡英（戴奧辛）的排出量則增加3.43倍，肝臟內的積存量減少至41％。

日本攝南大學宮田秀明教授發現食物纖維和葉綠素在人體內可吸納二惡英，並隨糞便一起排出體外。所以各位可以在平日多方攝取未精緻加工的全穀類食物，如糙米、玉米、高粱，特別重要就是地瓜（甘藷），另外也要多吃含葉綠素的蔬菜，如青椒、芹菜、菠菜（含根）、蘿蔔葉……等。如果經常外食，無法吃到全穀類的食物，就請你另外多補充植物種子纖維，每日15g左右，便可保你纖維充足。（有關植物種子纖維之說明，請參閱《無毒一身輕》與本書附錄）

黃亞勉　（台灣台中）

◎健康可以再擁有

也是因緣際會，某次看到麥當勞玩具，非常喜歡，就買了5份兒童餐附贈兒童玩具，各二份送給左右鄰居的小朋友，留一份給一歲多的小女兒吃，結果有二份被鄰居退回來，當時也沒有多想什麼，只是心裡有點納悶。過了幾天，碰到鄰居，她才跟我說不好意思，因為他們家已不吃麥當勞了，還介紹我去買一本書來看看——《無毒一身輕》。回家後我馬上就上網訂購，三天之後拿到書。也許是機緣到了，我深深被書的內容吸引，也對林教授的健康理念很認同，就按照書裡的排毒餐先吃起。我是以四十歲的高齡，再懷孕生下老三的。因生第一胎時醫生處理不當，造成感染，生第二胎時又因害怕無知，選擇剖腹，第三胎當然又被抓去開刀了。但是產後

每天都是頭暈，背部酸麻，酸麻到起不了床，尿失禁也很嚴重，對西醫有點失望，就跑去看中醫，針灸、整脊、按摩……，都還是得忍痛過日子。但是自從吃了一星期的排毒餐之後，頭不暈了，精神體力也好很多。我跟先生說後，他也表示有同感，於是我們就繼續吃。等到腰背的酸痛麻改善了，我也信心大增，便請兩個兒子一起看書，聽錄音帶，讓他們出自內心地了解與認同，等到他們也接受之後就全家一起吃，從此他們的體質也大大地改善，健保卡再沒有蓋章了；先生原本因慢性病吃了五年的西藥也停了。

數數吃排毒餐的日子，已有6個月了，我不僅6個月瘦了6公斤，尿失禁不知不覺中也好了。而且我是很樂意分享的人，所以買了很多的錄音帶和書送給親戚朋友，努力推廣健康排毒餐。總之我們對林教授有說不盡的感謝，祝福林教授。

營養不均衡

何謂「營養不均衡」？就是喜歡吃「好看」、吃「好吃」、吃「方便」、吃「偏好」，我叫它「四吃」。這「四吃」導致「營養不均衡」。該攝取的，沒有攝取到；不該攝取的，攝取了一大堆！才導致身體機能嚴重失調。

七、吃好看、好吃

所謂吃「口感」，就是愛吃好吃的。有的人會說：「糙米不好吃！白米才好吃。」這時你要小心喔！再吃下去，人生就會變「慘白」。很多人就是要吃好吃的，才會病痛一堆。

蛋，好不好吃？很好吃！可是，一吃多對身體就不好。非常不幸的是，我們大部分的人，都承繼了亞當夏娃的性情，喜歡吃

「好看」的、喜歡吃「好吃」的。

創世紀第 3 章第 6 節記載著：蛇很了解亞當跟夏娃（尤其是夏娃，因爲女生嘛！基本上，對顏色有比較強烈的感受。），所以蛇在引誘夏娃的時候，就叫她去「看」——上帝叫她不可以吃的那棵樹的果子；她看了就覺得「好看、好吃，又能得智慧」，就很羨慕。

現在有許多的商人，也和當時的蛇一樣聰明，做出很好看、很好吃的食物。其實好看，常是一大堆的色素；好吃，是一堆重口味的調味料，這卻把我們的身體搞壞掉！現在孩子的身體爲什麼那麼差？就是因爲這些許許多多看來好看的食物。好看、好吃的食物，大部分不健康；對健康有幫助的食物，常常是不好看，不好吃的。

在市場上或便利商店中，經常可見的一些色澤鮮艷食品，如紅黃色的鮮蝦片，奶油蛋糕上的紅花綠葉圖案，以及五彩繽紛的各種飲料和冰棒，都極易勾起人們的購買欲望。然而這些美麗的色澤都是因爲在食品加工過程中摻入了色素。雖然食用色素中也有天然色素，但一般食品中加入的絕大部分都是人工合成色素。

人工合成色素是以煤焦油爲原料製成的，它成本低、又不易褪色，因此極受到食品業者的青睞。但試驗結果顯示，人工合成的色素會引起哮喘、鼻炎、蕁麻疹、皮膚瘙癢等過敏，以及神經性頭痛。另有一些人工合成的色素作用到人的神經，甚至會影響到神經衝動的傳導，從而導致一系列症狀。

至於許多加工過的食品之所以「好吃」，就更是暗藏玄機了！以牛排爲例，牛排料理的過程中，有一道重要的程序，叫做「泡肉」，就是將切好的一片片牛肉丟進攪拌好的原料桶中浸泡，泡上 12 小時後，所煎出來的牛排就是汁多肉嫩的美食。這桶中物到底是何物，爲何有如此的神效？據悉，原料桶的成分有肉桂、米酒、沙茶粉和嫩精等，其中嫩精可是標準的致癌物喔。當然也不是每家牛排店都這麼缺德的！更不可思議的是，外頭賣的燒仙草之所以能夠稠稠濃濃，竟然也是因爲加入「嫩精」的緣故。

有一次我去買大禹嶺的蜜蘋果，這正是台灣中部所盛產的。查驗一下的結果，發現愈「醜」的，能量愈高，我就把它一整籃通通買下來。老闆就說：「年青人！你很奇怪喔！我看你開的車也不錯啊！爲什麼你不買那種最漂亮的？」最便宜的一斤也不到 70 元，最貴的一斤約 170 元。最貴的，眞的是很漂亮！可是我一檢測，漂亮的卻最沒有能量。所以我就買一整籃最「醜」的，想要分送給朋友。他後來就問：「你可不可以告訴我爲什麼？」我本不打算告訴他。但老闆又追問：「不要啦！你告訴我，我算你便宜啦！」我想，算我便宜？嗯……可以喔！

當場我就教他簡易測試法。那個又大、又漂亮的，農藥還眞多！小的、很醜的，可能農藥灑不到。最後老闆說：「這樣好了，我還是便宜賣給你啦，不過，我只能賣你一半，另外一半，我要留下來自己吃！」

在現代飲食中，油炸和燒烤的食物，尤其令人垂涎三尺。油炸食物之害，前已多有論述。現在僅就油煎、油炒食物與燒烤之害略加闡述，以供參考。

20 年來，癌症都是經濟較發達地區人民的主要死因之一，而肺癌排名則更是居高不下。令人聞之色變的是，肺癌的五年存活率非常低（台灣爲 12 %，美國 15 %），這恐怕與現代人經常且持續暴露在多環芳香碳氫化合物（Polycyclic Aromatic Hydrocarbons，簡稱 PAH）環境中有關。

PAH 是何方神聖呢？它是一種人們非常容易接觸到的致癌物，它不但是致癌的啓動者，也是促進者。換句話說，PAH能促使正常細胞突變成癌細胞，也可促進癌細胞加速分裂成惡性腫瘤。還好，上帝憐愛世人，對於健康的人來說，本身就具有分解代謝 PAH 的能力。而且 PAH 相當不穩定，會因著陽光的照射而容易分解。不過，長久累積且經常接觸，就有較大危險。

PAH是如何產生的呢？汽機車燃料燃燒不完全、二手煙、燒香拜拜都會產生PAH。我們尤須注意的是，油煎、油炒、油炸食物時，只要是高溫加熱（如炸雞、炸薯條），不論是用沙拉油、玉米油或是豬油，都會產生許多 PAH。

全世界只要有中國人的地方，都可見到「油條」這種傳統飲食，可是你知道嗎？煎、炒、炸所剩下的油，正含有大量的PAH，尤其是中國大陸各地的早餐小攤，許多炸油條的油，早已黑得不知回鍋了多少回，看得都讓人膽戰心驚，更別說吃了！

另外，近來在各大城市，大量興起的燒烤店，也蘊藏著健康的危機，因爲燒烤肉類、魚類或其它食物時，會使其中所含油脂，高溫加熱分解，而產生爲數衆多的 PAH。

事實上，所有食物在經過 100°C的高溫烹調後，其中的蛋白質、油脂及醣等組成或多或少都會產生致癌物。而且，烹調時間愈長，所產生的致癌物愈多。

天下爲人子女們，還要爲了滿足自己的口腹之欲，而讓偉大的母親用油煎、油炒、油炸食物，陷她與家人在危境之中嗎？趁早醒悟吧！用蒸、煮、燙和生食，一樣可以吃出美味，更能確保健康，何樂而不爲呢？

八、吃偏好

有一次受邀到警政單位演講，題目是「飲食、性格與行爲」，特別分析了「飲食與犯罪行爲的關連性」。其中一個很重要的原因，就是飲食偏差所造成的。飲食越偏差的人，性格越偏差；性格越偏差，行爲就越偏差。甚至連走路都偏一邊，而他看所有人也是偏一邊的。其實不是別人偏，是他本身是偏的。

所以，吃「偏好」不只是對健康不好而已，最嚴重的問題是，吃偏好，會把你整個人的性格變得很偏激，看事情也會變得極端。所以，你要改變你身邊的人亂七八糟個性，可以嘗試從飲食方面著手。其實推動排毒餐，在最消極的方面，是要我們遠離疾病的痛苦；但在積極的方面，是幫助我們的生命有另一個更新的可能性。因爲食物會影響個性嘛！

我有幸受邀出席美國愛修園所主辦 2003 年國際聖徒領袖特會，在三堂的信息分享中，主要內容是談到「飲食、性格與行爲」。你有沒有發現，現代人越來越難溝通？現代人，好像越來越堅執己見？現代人，好像越來越不懂得感恩惜福？而且現代人，很喜歡批評、責備、抱怨，很難鼓勵、感恩、讚美。其實飲食正是其中一個很重要的原因。

年少讀聖經時常常納悶，爲什麼以色列人在曠野的四十年經歷了無數的神蹟奇事，他們就是不信主。上帝說：「你們試我探我四十年。」這是多麼嚴重的惡心，爲什麼他們那麼壞？你有時會生氣地跟你的小孩說：「我講話你有沒有在聽？」其實他不是不聽，是聽不進去，因爲你讓他吃的，就是會讓他很「剛硬」的食物。你不要怪他！像以色列人在埃及爲奴時，埃及王就很聰明，讓以色列人天天圍著肉鍋吃肉，餵了很多會讓以色列人「心硬」的食物。

近代許多的醫學研究證實，食物不只是關係到你的身體，食物已經影響到你的心靈。常聽牧者們感嘆今日福音難傳，其實這也跟飲食有關。在從事癌友關懷時，我們發現一件很有價值的事。就是當他們吃排毒餐一段時間後，他的身體改善了，他的心也變得柔軟了。各位試試看好嗎？如果你現在連試都不願意試，那你的心可眞的是很「剛硬」！

想要擁有健康，第一步就要從吃著手。

把吃偏好，吃好看、好吃的觀點改變。創世紀第 3 章 6 節，是寫人從「神的祝福，走向咒詛」的一個關鍵點。我們可以看到，原來人是從「吃」開始墮落的。所以你看到啓示錄記載，在末了的日子，上帝又請我們吃一頓「羔羊」的婚宴。我們老祖宗也有類似的觀念，我們中國人向來重視吃。從吃墮落，再從吃重新開始；從哪裡跌倒，從哪裡爬起來。

所以你如果是因爲吃不對而生病的，千萬不要想去打一針或吃個藥，就可以把病治好。不可能的！吃出來的問題，就要從吃去著手；是情緒引發出來的，醫治就要從調整情緒開始。所以除了吃排毒餐，還要再配合心靈方面的工作。

我們常聽人說飲食要均衡，什麼叫均衡的飲食？原始自然的食物最均衡。舉個例子：糙米很好！精緻加工成白米，就不好了；柳橙很好，把它做成罐裝的柳橙汁，就不一定好了。爲什麼？因爲精緻的過程，很多營養會被破壞掉。所具備的營養，已經不均衡了。更重要的是它已失去當季節令食物所擁有的能量了。

所以你一定要吃上帝原創的食物。一定要記著這個原則，很重要！

九、吃方便

速食業之所以能在短短幾十年改變人類的飲食習慣，我相信其中有一個很重要的原因，就是它供餐快速而方便，符合現代人忙碌的快節奏。繁忙工作的現代人經常日以繼夜、夙夜匪懈地貢獻自己，有時一天只吃一餐，而且常常是方便的速食，一邊吃還一邊工作著……唉！

據 2003 年 8 月 4 日《今日美國報》報導，愈來愈多的人不再好好地坐下來吃早餐，而用各種即食飲料和早餐餅條（Breakfast Bar）取代。這些產品大多熱量高，營養少，更容易令人發福，比傳統食品更不符合健康要求。例如，桂格麥片（Quaker Oatmeal）推出早餐方塊酥（Breakfast Squres），強調其營養價值與一碗桂格麥片相同。但是，早餐方塊酥含 220 卡熱量和 4 公克飽和脂肪，一碗桂格即溶麥片只有 160 卡熱量，完全不含飽和脂肪。桂格品牌過去 2 年行銷成長 9 %，該公司副總裁狄隆說：「我們知道消費者忙得不得了，這種速簡產品正好適合他們需求。」消費者啊，你還不知儆醒嗎？

此外，更可怕的是，我們經常用來盛裝食物的塑膠袋，是由聚氯乙烯和聚苯乙烯製成，而且大都是再生塑膠製品。據檢測，每公斤聚氯乙烯中可分解出 400 毫克的氯乙烯單體。國際癌症研究機構，早已將氯乙烯認定爲致癌物，苯乙烯則爲可能致癌物。醫學界在 1970 年時就已發現，長期吸入氯乙烯可誘發肝血管肉瘤，還會引起肝癌、胃癌、乳癌和腦瘤、白血病和皮膚、淋巴、骨等多器官癌症。

我們常用的發泡塑膠餐具（在台灣俗稱保麗龍），則多由聚苯乙烯和聚乙烯製成。它們或多或少都含有氯乙烯單體，用它來盛裝有機物，如酒精、食品等，氯乙烯單體便會慢慢地溶解出來。在小吃攤上，用塑膠碗盤吃油條、餡餅和熱食；在食品櫃台上，用超薄塑膠袋裝肉製品和糕點，人們不知到底吃進多少氯乙烯單體這種致癌物。據有關資料顯示：用聚氯乙烯桶裝食用油，平均每人每天約食入氯乙烯 0.1 微克，這是多麼可怕的事啊！

尤有甚者是泡麵，泡麵在製作過程中，爲了增添風味和延長保存時間，通常會經過油炸和加鹽處理。而泡麵所含熱量來源，油脂占 40 %以上，且多是容易令你血管阻塞的飽和脂肪酸。成人每日鹽份攝取量應控制在6公克以下，但是一包泡麵所含的鹽就在5～8公克之間，幾乎已達或超過一日量。難怪有人睡前吃泡麵，早晨起來後發現眼皮浮腫。

泡麵容器則更可怕。因它90％是泡沫苯乙烯製品，當開水沖入5分鐘後，麵湯中含苯乙烯1～33ppb（1ppb是10億分之一）隨著乙烯單體攝入量的增多，會造成慢性中毒。初期只是感覺疲倦、無力、食慾不振、眩暈，但當乙烯單體在人體內含量漸增時，中毒的症狀也會日益嚴重，出現噁心、嘔吐、貧血等症狀，甚至引發癌症。這些爲數衆多的泡沫塑膠餐具，是帶來了方便，但也帶來了肉眼看不到的，爲數可觀的致癌物質。

十、認知不正確

因爲認知影響行動，所以錯誤的認知，會帶來錯誤的行動。想要擁有健康人生，就要先從調整觀念開始。舉例來說，我們最常聽到的一種說法：「不吃肉，沒有體力？」（尤其做媽媽的最喜歡講了！）你要告訴媽媽說：「不吃肉才有體力」。大多數人都有一種經驗，吃肉之後反而感覺很疲倦、很累，因爲它消耗了身體的能量，而不是增加你身體的能量。而且蔬果雜糧中所含有的營養成份比起肉蛋奶有過之而無不及。

以下我們就作一些必要的對比說明：

㈠首先以大家最關心的礦物質——鈣爲例。

100g食物中鈣質的含量（mg）

鷄肉	5mg
牛肉	8mg
豬肉	12mg
吳郭魚	30mg
豌豆	71mg

菠菜	92mg
花椰菜	103mg
香菇	125mg
豆腐	128mg
黃瓜	160mg
木耳	207mg
胡蘿蔔（汁）	337mg
芹菜	339mg
髮菜	699mg
紫菜	850mg

紫菜的鈣含量是雞肉的 170 倍

㈡再來看看與人體造血功能關係密切的礦物質——鐵。

100g 食物中鐵質的含量（mg）

雞肉	0.4mg
吳郭魚	0.8mg
豬肉	1.5mg
牛肉	3.6mg
豌豆	5.5mg
香菇	9mg
木耳	9.3mg
黃瓜	24.7mg
芹菜	39mg
紫菜	98mg
髮菜	105mg

髮菜所含鐵質是雞肉的 262 倍。

肉類所含的鐵質不但遠較植物來得少，且肉類所含的鐵質，只有 11 %能被人體所吸收，而來自植物的鐵質大部分都能被人體所吸收。

㈢ 100g 食物中蛋白質的含量（g）

鷄蛋	6.5g
豬肉	14.6g
牛肉	18.8g
吳郭魚	20g
鷄肉	21g
髮菜	21g
豌豆	23g
紫菜	28g
杏仁	31g
黃豆	36g
豆皮	51g

許多植物的蛋白質含量多過動物，而且植物蛋白質消化的速度遠遠大過動物，且不會增加身體負擔。

回想一下，當你吃完一頓牛排大餐後，是否感覺身體較疲累呢？

最後，再談一下脂肪。脂肪是熱量的極大來源，脂肪氧化時，釋出的卡路里比蛋白質和碳水化合物多兩倍有餘。一公克脂肪，約可提供身體九大卡的熱量。有些人以爲「不吃肉，沒有力氣」，就是導因於誤認「脂肪就是肥肉」。而他們都以爲植物無脂肪，動物才有。

現在我們就以脂肪酸作一比較。脂肪會有不同的味道、結構和溶點，就是因爲脂肪酸的作用。脂肪酸總共有 13 種之多，所有動物性油脂全部加起來，也只有 6 種而已；但植物性油脂裡卻一一具備，故你只要攝取植物性油脂，全部的脂肪酸，都會擁有。

牛奶人飲10則研究

接著我們再來談一談，「牛奶是最完美的食物」，「一杯奶，壯大一個民族」和「喝牛奶可補鈣，預防骨質疏鬆症」等對牛奶牢不可破的宣言，是否應重新看待，限於篇幅，底下僅條例幾份近期的研究報告，讓大家參考。

⑴ 2003 年 6 月份的《糖尿病》雜誌上刊載了芬蘭研究人員的發現：在孩提階段，一天喝半公升（500cc）以上牛奶的兒童，他們親屬中又有人是糖尿病的，比牛奶喝得少的孩子，有高出5倍的可能性發展爲自體免疫失調的I型糖尿病。

⑵根據英國營養學家的研究：英國目前至少有700萬人，在喝牛奶之後，因胃腸無法完全消化牛奶，而產生長期疲勞、關節炎及消化不良等健康問題，這些症狀在醫學上叫做「乳糖不適症」。

英國專門研究與治療「乳糖不適症」的馬太醫師說：根據臨床上對250多名乳糖不適症患者進行的調查顯示，在他們不喝牛奶之後健康狀況有顯著改善，甚至完全恢復健康；原先喝牛奶者，在戒喝牛奶之後，疲勞、頭痛、持續性腸胃不適、哮喘和心悸等症狀都完全消失。

⑶鮮牛奶中所含的蛋白質，每100cc 約3.5克，遠比人奶多3倍，但其中的80％是酪蛋白，且牛奶中所含的多量鈣使酪蛋白沉澱而不易被人體吸收。再者酪蛋白在胃中遇酸後又容易結成較大的凝塊，極難消化，而導致消化系統方面的問題。

⑷重慶醫科大學附屬兒童醫院花費將近一年的時間，對3,140名兩歲以下的兒童進行食物過敏的流行病學調查。他們採用問卷調查、皮膚點刺試驗和排除性飲食試驗等方法，完成了初步診斷。專家研究發現：4～6 個月大的孩子是食物過敏的高發年齡

段，大豆、花生、魚和橘子等均可引起嬰幼兒食物過敏。而牛奶和鷄蛋是引起兒童食物過敏的最常見食物，占食物過敏患者的63.6％，其中鷄蛋引起的過敏占45.4％。現在全球各地經濟較發達的地區，兒童過敏性疾病普遍在上升之中，已成爲危害兒童身心健康的常見慢性疾病，而食物過敏又是許多過敏性疾病的誘因。兒童在吃了不適體質的食物以後，會出現嘔吐、腹瀉或打噴嚏，皮膚出現濕疹等現象。

⑸浙江大學動物科學學院方維煥教授表示：牛奶中抗生素殘留是全世界乳牛業普遍存在的問題。據調查，目前中國一般乳牛場中乳牛乳腺炎的患病率約30％，乳牛子宮癌的患病率約40％。

浙大中獸醫專家高慶田說：長期以來，中外治療乳牛乳腺炎的藥物只有青黴素、鏈黴素等抗生素。由於乳牛對抗生素的抗藥性越來越強，療效也越來越差，因此，使用和殘留的抗生素也越來越濃。世界衛生組織的專家，已經確認這種抗藥性病菌可以透過食品傳給人，產生難以治癒的疾病，像狂牛症等。

如果人們長期攝食含有抗生素殘留的牛奶或乳製品，就如同藥劑一樣，十分容易使人體出現耐藥菌株；擾亂人體內的正常微生態平衡，病菌就有機會「乘虛而入」，某些過敏體質的人，易出現十分嚴重的過敏。（2002・10・25，《食品與生活》雜誌）

另外，目前還出現一個比抗生素更嚴重的問題，就是牛農爲了提高牛奶產量，還使用激素。2003年世界乳癌醫學會中，美國科學家Dr. Samuel Epstein提出了一份驚世的研究報告，他發現，乳牛施打生長激素以後，牛奶中會含有一種叫 IGF-1 的生長激素，而它卻是導致乳癌和攝護腺癌的禍首。

正常的牛奶中並不會有很高的 IGF-1，但是，如果乳牛施打生長激素，可能會使 IGF-1 在牛奶中的含量比一般牛奶高出 40倍。實驗室中如果將 IGF-1，加到正常細胞中，正常細胞很容易癌化。而乳癌患者體內的 IGF-1，通常都比一般人要高，值得常喝牛奶的人深思。

⑹加州舊金山大學骨質研究結果顯示：以肉類和乳製品中吸收高比例蛋白質的婦女，骨質流失是從蔬菜中吸收大量蛋白質婦女的 3 倍。因爲動物製品中有大量酸性物質，以致於不利骨骼健康。蔬菜中雖然也有酸性，但蔬菜內有其它物質可中和酸性。

⑺美國哈佛醫學院的研究人員研究發現，對年輕的女孩而言，如果她們的飲食中富含動物蛋白（如肉、蛋以及各種乳製品）和脂肪，她們就容易過早成熟，而且年長後患慢性病的危險性也會增高。

早先的研究已表明，體格上早熟的女孩，日後罹患乳癌和卵巢癌的機率會增加。因此，研究人員針對生於三四十年代的 67 位白人女性的醫療和飲食記錄進行分析。結果發現，在 3 至 5 歲期間，攝取動物蛋白（如肉、蛋、和乳製品）多的女孩，比攝取植物蛋白多的女孩月經初潮時間提前。而月經初潮愈早來，更年期愈晚結束，得乳癌的機率也會愈高。

⑻法國全國保健和醫學研究所的專家皮埃爾及其助理人員經過十餘年的深入研究後發現，牛奶裡含有一種名爲酪蛋白的蛋白質。（其實牛奶的蛋白質是母奶的三倍，其中大多數是酪蛋白），能生成一種對血管非常危險的分子——高半胱氨酸，這種分子會損害血管的彈性組織，從而使得脂類，特別是膽固醇極易積澱在血管壁上，以致血管逐漸阻塞，至終發展成爲動脈硬化。

此外，牛奶中的乳糖在酶的作用下會水解爲半乳糖，當血液中吸收了過多的半乳糖，就會積蓄在眼睛的水晶體內，進而影響到水晶體的日常代謝，使晶狀蛋白發生變性，從而失去透光性，這就形成了老年性的白內障。總而言之，老年人若喝牛奶容易罹患白內障。

⑼英國著名的醫學學報《刺胳針》，曾刊載一份由羅馬大學與倫敦聖巴塞洛繆醫院的專家共同完成的研究報告明確指出，數月大的嬰兒就喝牛奶，長大之後罹患糖尿病的機會比平均值高出一倍半。從一群有機會罹患糖尿病的老鼠所做的研究也發現，若將膳食中的牛奶減少，引發糖尿病的機會也相對降低。後來的人體研究，所得結論亦相同。

⑽曾有研究人員針對 1972 至 1974 年間出生的嬰兒進行隨機訪問研究，現在他們都已 30 多歲。結果發現，喝牛奶的嬰兒在成年後身高和血壓均高於母乳餵養組。尤其是早期體重增加快的嬰兒，在成年後易發生肥胖和心臟病。然而牛乳本來就是使小牛體重呈倍數成長的食物，當然不適合萬物之靈的人類飲用。

十一、肥胖致病

美國聖塔莫妮卡智庫蘭德公司於 1998 年以電話進行了 9,585 名成年人的訪問調查，詢問內容包括了受訪者的體重、身高、吸菸與飲酒習慣、收入和生活品質。受訪者也被問及是否罹患癌症、糖尿病、心血管疾病和氣喘等 17 種慢性病。這份報告發表於 2001 年 6 月的英國公共衛生期刊。

報告中提到二個重點：⑴胖子的慢性病問題是正常體重者的將近 2 倍；⑵胖子的慢性病問題比菸槍、酒鬼或窮人多。而美國人至少有 59％體重過重。

研究中的「肥胖」是由受訪者的身體質量指數（BMI）決定，計算方式為：體重（公斤）÷身高（公尺）÷身高（公尺），即 kg/m^2。

BMI 為 18.5～24.9 之間為正常體重

25～29.9 之間為體重過重

30～34.9 之間為肥胖者

超過 35 爲非常肥胖者。

但是 2002 年 7 月時，世界衛生組織官員與各國專家經過商討研究後，初步結論爲，亞洲人應該有另一套和西方人不同，且較爲嚴格的標準身體指數衡量準則。新標準是將 BMI 在 23 以上的亞洲人，即歸納爲處於「危及健康」的不良水平，而在 18.5～23 之間才是正常值。故將有更多亞洲人被列入肥胖族。

肥胖與疾病

國際間許多醫療團體都曾根據肥胖與疾病做過許多研究，限於篇幅，略舉數則與大家共享：

⑴由新加坡衛生部所資助而展開的調查發現，約有一半的過度肥胖兒童可能患上睡眠窒息症，而在這些過度肥胖的兒童當中，也有 25 ％至 50 ％可能將是糖尿病患。肥胖兒童患上睡眠窒息症的可能性比一般人高出 13 ％。這些學童通常無法集中精神學習上課，以致於影響學業。小病人患高血壓的可能性也較高。

⑵世界衛生組織國際癌症研究署負責人維尼諾召集一群專家，首度針對肥胖和不運動與癌症的關係進行研究。他指出：即使你的體重正常，只要體重增加，就會增加罹癌的風險。最要緊的是不要增加體重，不管你原來有多重。目前研究顯示，多達三分之一的結腸癌、乳癌、腎臟癌和消化道癌都與太胖或太少運動有關。

⑶一份由美國哈佛公共衛生學院及其附屬醫院所做，發表於 2001 年 8 月 22 日出刊的美國醫學會雜誌報告指出：肥胖及懶得運動可能大幅增加罹患胰臟癌的機率。如 BMI 大於 25 者，就會增加罹患胰臟癌的機率，BMI 達 30 以上者，罹患胰臟癌的機率比一般正常體重者增加 72 ％。研究中也指出：肥胖的人每周至少步行 4 小時，會降低罹患胰臟癌 54 ％的機率。這表示，改變

生活方式有助降低罹癌風險。

⑷ 2002 年 4 月在美國舊金山所舉行的美國癌症研究協會會議上，喬治城大學研究人員莉娜・希拉基維・克拉克醫師發表她的研究成果。她發現，懷孕期間體重增加逾 17 公斤者，更年期過後得乳癌的風險會增加 40 %。許多科學家都認爲脂肪細胞會分泌雌激素，而這些額外的荷爾蒙是令超重婦女罹患乳癌風險加大的原因。在乳房迅速膨脹之際，雌激素或許特別有害，而懷孕便是這樣的時期。不過，婦女同胞們別緊張，我有解藥。根據實際觀察，吃健康排毒餐的孕婦，孕期體重大約只會增加 10 － 12 公斤。而生產後多數在一兩個月就恢復懷孕前體重。

⑸ 2003 年 1 月的「美國醫學學會期刊」中有一篇由約翰霍普金大學醫學院所做的研究報告指出，過度肥胖會讓人減少 20 年以上的壽命，越年輕時即過度肥胖，減少的壽命就越多，若再加上抽煙，危險性更高。研究顯示，體重每超重 10 至 30 磅，壽命將縮短 3 年。

⑹根據中國大陸黑龍江省小兒遺傳、內分泌醫學專家，哈爾濱醫大一院兒科主任白馨芝教授所主持的《單純性肥胖兒童的血壓、血脂及其與脂肪肝的關係》研究結果顯示：中重度肥胖兒童高血壓的發病率爲 30 %；重度肥胖兒脂肪肝的發病率高達 80 %。更麻煩的是，80 %的兒童肥胖將延續至成人階段，故兒童肥胖正是爲成人罹患動脈硬化、心腦血管疾病、肝硬化、糖尿病和高血壓等文明病打下「基礎」。

不過，有了健康排毒餐，就不必擔心，它可以幫你平均每月減少 3～5 公斤的體重，而且減重期間，完全不挨餓、不節食，故有人將之稱爲「大吃大喝減肥法」。

對於正在生長發育階段的兒童而言，肥胖除引起脂肪肝外，還可能引發一些特殊的病理變化：①肥胖可影響甲狀旁腺激素和維生素D的代謝，易導致佝僂病。②肥胖兒生長激素分泌遲鈍，性激素分泌紊亂，在男性可以引起輕度性功能低下、陽痿；在女性可引起月經不調和不孕。③肥胖會抑制機體的免疫功能，易患呼吸道感染和哮喘等等。

據中國營養學會調查，北京的胖子率為 45 %，居全中國之冠。而中國保健科技協會肥胖症研究會統計，目前中國大陸的肥胖症患者可能已超過 7,000 萬人。在大城市，近三分之一的成人體重超重，為肥胖症的高發區。如上海成人中體重超重者達 29 %。而近 10 年來，兒童肥胖檢出率平均每年成長 9 %左右，這是多麼可怕的現象啊！

十二、電磁輻射的傷害

讓我們從目前與人類生活關連最密切的大哥大（手提式行動電話）談起吧！

瑞典科學家調查了約 11,000 名瑞典人和挪威人後得出結論，認為使用大哥大越頻繁，人們不適的症狀也越多。在參與調查的人中，與每天使用大哥大不到 2 分鐘的人相比，每天使用大哥大 15 至 60 分鐘的挪威人，抱怨身體疲憊的可能性高 1.6 倍；抱怨頭痛的可能性高 2.7 倍。而每天使用大哥大超過 60 分鐘的人，抱怨身體疲憊的可能性高 4.1 倍；抱怨頭痛的可能性高 6.3 倍。

此外，英國國家輻射保護委員會早在 1998 年就提出警告，大哥大會引起使用者注意力分散，導致短期記憶力下降。在此之前，研究人員已經找出大哥大與癌症之間關連的證據，但最新研究顯示，其對健康危害比以往設想要大得多。

這項研究結果明確指出，大哥大的微波輻射雖然是暫時，但結果對於人來說可能是災難性的，特別是一邊開車一邊打大哥大，因為實驗證明，輻射會傷害哺乳動物的腦細胞。

知名的神經分泌科學期刊曾報導，行動電話只要連續使用一小時，就會使人體內腎上腺分泌的腎上腺皮質酮濃度上升，同時也會改變人體的睡眠周期。這份報告是針對24位年齡在18至37歲之間成年人所做的研究。在實驗者並不知大哥大是否開機的情況下，研究人員發現大哥大只要開機連續暴露一小時，實驗者就會產生頭昏腦脹、嗜睡、快速入睡等安眠作用，這顯示大哥大確實會影響腦的功能。

相關資料顯示，義大利每年有400多名兒童患白血病，其主因就是距離高壓電線太近，受到嚴重電磁波污染所致；美國一家癌症醫療基金會的研究結果也表明，在高壓電線附近工作的人，其癌細胞生長速度比平常人快24倍。

另據中國內陸某省對某專業系統16名女性電腦操作員追踪調查發現，接觸組月經紊亂明顯高於對照組，其中8人10次懷孕中，就有4人6次出現異常妊娠。有關研究報告指出，孕婦每周使用電腦超過20小時，其流產率增加80％，同時畸形兒出生率也有所上升。美國、日本這方面的研究，都得出類似結果。

電磁輻射無色無味，可以穿透包括人體在內的多種物質。各種家用電器、辦公設備、行動通信等電器裝置，只要處於操作使用狀態，其周圍就會存在電磁輻射。而人體只要長期暴露在超過安全的輻射劑量下，人體細胞就會被大面積殺傷或殺死。兒童、孕婦與老人對於電磁輻射尤其敏感。而人體內對電磁輻射最爲敏感的部位則屬眼睛、心臟和生殖器官。

值得特別留意的是，電磁輻射對人體的損害是長期累積而產生的。我國國防醫學院金忠孝教授，可謂電磁輻射方面研究的權威，金教授總結電磁輻射所可能引起的病理症狀，包括衰弱、暈眩、失眠、手腳冰冷和末梢循環異常等，另外暴露在電磁輻射中也會引起頭、頸、膝關節、手腕關節以及肌肉的疼痛等。尤其會使婦女產生乳癌的機會增加 2 倍。

芬蘭地區曾研究 12,000 位高壓電線附近的住戶，發現來自高壓電線的電磁輻射，可能干擾了腦中松果體分泌褪黑激素的能力，因而容易產生情緒不穩的現象。研究發現，居住在 11 萬到 40 萬伏特高壓電線 100 公尺以內者，得憂鬱症的機會是一般人的 4.7 倍。

現在到處都有電磁輻射！我看很多人，眞的很勇敢！捨不得離開電磁輻射，還把手機掛在身上。

英國消費者組織——能量監察委員會以「計時炸彈」稱呼繫於腰際的大哥大，因爲大哥大位置較低，需要發出強力的電波才能接收清楚，傷害更大。

台灣新光醫院腎臟科主任江守山醫師的看法，值得大家注意。他說，電波會影響血流，大哥大掛在腰間，會影響腎臟微循環的作用，附近其它敏感性較高的器官也會受影響。尤其當大哥大電話響時，會有五瓦特的電波發出，電波強到連湯匙都吸得起來。而且通訊中及遠離基地台時，電波會更強。

所以手機如果經常掛在右邊，肝容易不好；掛後面，腎臟可能傷到；掛左邊，脾會出問題；掛前面；五臟六腑可能一起壞掉；還有更多人放左上邊口袋……你分明是要你心臟停止跳動嘛！電磁輻射的傷害實在非常非常大！而且它會影響你整個免疫系統，不得不注意。

1996 年英國物理學家就公開承認：家裡的電線所釋放出的氡氣質粒，已知會引發 40 多種癌症。所以你睡覺的周圍、你座位的周圍，應該儘量減少開關、插頭和電線。沒有一個人會在運轉中的微波爐前待 30 分鐘，但是卻有很多人會在電視機前面讓它輻射 3 小時！所以你要特別留意：所有電器，只要接上電源，不管有沒有開都有電磁輻射，電磁輻射是一個大問題。

輻射的毒太多了！現在到處都是大哥大基地台，到處都是變電所和電塔高壓電。如果有人要到你們家附近建變電所，你要勇敢拒絕！絕對不能夠容許他建在你家旁邊，不過如果他實在要建，那你沒辦法，留得青山在不怕沒柴燒，好漢不吃眼前虧……你就……搬家吧！（他不搬，你搬嘛！！）

十三、生態環境被破壞

先談談珍貴的藥材人蔘吧！2000 年 12 月 19 日，中國時報曾報導：台灣市售人蔘檢驗出殘留有機氯農藥成份。有機氯農藥是聯合國呼籲禁用的「持久性有機污染物 POPs」之一，長期暴露在 POPs 的環境中，可能增加產生畸形兒的比率、不孕及智能減退等，這是全球面臨最嚴重的環保問題之一。更頭痛的是，POPs 具累積性，往往數十年內難以完全分解。已有許多研究指出，POPs 物質多數是殺蟲劑，能經由大氣傳輸至偏遠地區，累積在食物鏈中，並長期滯留在自然環境裡。這些物質會對野生動物產生畸胎、腫瘤、生殖障礙以及免疫力下降等問題。

人類暴露於有機氯殺蟲劑的主要途徑是食物的攝取，食物如果殘存這些物質，人類吃後，長期會造成嚴重傷害。台灣環境品質基金會曾公布市售魚類和蚵仔，都含有有機氯和重金屬，這些都是工業污染的遺毒。

多年以來，台灣多次爆發鎘米和銅木瓜事件，正顯示出台灣地區的土壤已遭污染蠶食，使得植物都像人和動物一樣生病了！其它發達中國家又何嘗不是呢？為了發展經濟，各地的工廠林立，工業廢水大量製造與排放，而其中所含的重金屬沉澱到土壤中，或使用被污染過的水來灌溉，都使得土壤愈來愈貧瘠。人們食用貧瘠土壤所種出來的食物，自然就缺少礦物質等營養素。另外，重金屬會隨食物污染身體，很不容易排出體外，久而久之，累積到某一定程度，就會有中毒現象，尤其是砷、汞、鉛、鎘這類具有重大毒性的重金屬，更是引發現代文明病的主因之一。劉燦榮教授曾發表專文指出，台灣民衆身體中 80 %以上含有過量重金屬，這是多麼可怕的數據啊！我在世界各地巡迴演講時，也常被問及，應如何有效排除體內重金屬？據研究，目前最有效又安全的重金屬排毒法，當屬甲殼素最佳，另外，有極其優質的麥飯石與備長炭同屬上品之選。

當今世界各地，都有「利經濟，而害環境」的現象，以至於數十年下來，部分人民錢是賺到了，但比錢更重要的生態環境沒了，而且當人們覺悟時，想用錢再換回美好的環境，爲時已晚！目前一味濫用農藥及化肥來增產的情形，愈來愈嚴重，恐怕再過幾十年，已是無地可用了！此外，廢水、廢棄物、家庭污水及垃圾，再加酸雨廢氣和落塵，都是土壤污染的罪魁禍首。這都需要政府與民間齊心努力，才有可能防治這些污染源，爲子孫留下一片淨土。

再說說有「人間天堂」之稱的西湖吧！根據「2002 年中國環境狀況公報」，稱 2001 年大陸城市內湖水質較差，其中杭州西湖、濟南大明湖和武漢東湖的湖水水質，均被列作「劣五類」。所謂「劣五類」，就是西湖水質變成了環保評估中的劣質水，排成第五類。具體而言，西湖水已失去了自我淨化的功能，水中雜質太高，變得毫無利用價値。

擁有兩千年輝煌歷史的西湖，何以竟變成「沒有價値」，實乃因每天數以萬計的人在湖上湖下湖邊游走，污染了西湖。尤其是周邊樓宇居民，每日排放出生活污水和垃圾嚴重地污染了美麗的西湖。甚至是圍繞西湖的數十萬畝「龍井茶」也成了最大的污染源，因爲茶農大量使用化肥農藥，其殘留經地表流進西湖，直接污染了西湖。

另外，再講一件極不道德的事。台灣環保法規定，工業廢棄物生產廠家，須負責自行處理、有效回收廢棄物。但台灣每年製造的有毒工業廢棄物高達百萬餘噸。據環保署統計，近5年來台灣共輸出 61,000 公噸的廢五金、廢電纜和廢印刷電路板（PC板），其中 83 %，即 5 萬公噸是送往中國大陸，但不是送往業者所申報的合格拆解處理場，而是經濟落後的農作地區。大量的廢金屬材料被棄置成垃圾山，對當地環境造成嚴重的污染。據了解，這些有毒廢棄物的處置地，有極高比例都是坐落在少數民族和貧困地區，助長了不發達地區的環境惡化。盼望企業家們創造經濟奇蹟的同時，也能自許爲環保先鋒，否則污染無國界，必將禍及子孫，殊不見溫室效應就是一個典型的例子嗎！

也許各位都已經感受到了各大報刊所載，2003 年是全球有史以來最熱的一年。

英國氣象專家指出，全球暖化就像恐怖主義一樣，沒有國界之分。據統計，近百年來，地球年平均氣溫上升了攝氏 0.7～1度，大城市則是 2～3 度。50 年前，日本東京氣溫超過 25°C的晚上，一年不到 5 天，但近幾年卻增加到 38 天，反常現象由此可見。

中國民政部門統計，由於高溫不雨，浙江、福建、湖南、江西、安徽、廣東、廣西、四川、雲南、貴州和陝西等 12 個省遭受嚴重旱災，受災人口達 9,041 萬 3,000 人，農作物受災面積 775萬 6,000 公頃，其中又以湖南，浙江、福建和江西最嚴重。

北京也是一樣，年均溫度比郊區高出 2°C，年均低溫也比往年高 2-5°C。而這種所謂「熱島」現象，專家分析主因是地表被建築物、柏油和混凝土大量覆蓋，綠地和水域面積減少，大氣無法冷卻，雨水順下水道流走，地面水分蒸散作用喪失所致。

2003 年 8 月 9 日台北的氣溫高達 38.8°C，破了百年來的最高溫記錄。氣象學者憂心，北半球暖化現象的嚴重，且多項數值模式也顯示，未來全球出現劇烈型天氣的機會將日益增加。多數地區因降雨時日和雨量的減少而發生乾旱。另一方面，也有地區會因降雨過度集中，容易形成大豪雨而釀成重災。簡言之，未來天氣，非旱即澇！氣象學界認爲，溫度效應所造成的天氣異常，是大自然的反撲。而這股熱浪，正全面地席捲亞洲、美洲和歐洲各地，無人可以倖免！二氧化碳大量地排放，再加上大面積森林被砍伐，都是主因之一。如果再不減少廢氣排放，增加造林保林工作，未來非旱即澇的現象恐怕只會愈來愈嚴重。

最後，順道一提，魚類遭受嚴重污染的情形，有時我們所購買的魚蝦會聞到一股濃厚煤油味，這種含有煤油味的水產品是酚污染的結果。而酚污染主要來源於一些工業排放的含酚廢水，水中的魚會有酚味，這意味著水中的酚濃度已高達 0.1～0.2mg/l。如果你吃了這種魚，攝入的酚量，一旦超過人體的解毒能力時，就會發生慢性中毒，明顯的症狀有頭暈、頭痛、腹瀉、嘔吐和神經錯亂等。

除了酚污染之外，最嚴重的要屬水產重金屬污染了。由於工業排放帶有砷、汞、鉛、鎘等重金屬元素的廢水、廢物，不僅影響了魚類的正常發育，還能轉嫁於人。有關人員曾進行試驗，他們在含汞量極小的水裡放養了一批鰱魚，40 天後撈起檢驗，結果發現鰱魚體內汞的含量比水中汞的含量高出上千倍。人類吃了非中毒不可！

另外，像螃蟹、鱔魚和甲魚等，它們的胃腸裡常有大量的致病菌和有毒污物，活著宰來吃，把胃腸去掉，勉強過關。但一旦成了死屍，其胃腸內的致病菌就會迅速繁殖和四處擴散，波及其它部位，造成食用者發病。嗜食海鮮者，不可不愼！

十四、空氣污染

公元 2000 年 5 月時，由世界資源研究所、聯合國環境署、聯合國發展署和世界銀行共同編寫的一份題名爲「世界資源：1998-1999」的報告指出，環境因素是導致人類生病和死亡的主要原因。

報告中指出發達國家和發展中國家都一樣面臨到環境被破壞後所產生的問題，所帶來的生存威脅；如美國就大約有 8,000 萬人的健康受空氣污染的威脅。而在世界的貧窮地區，與環境有關的疾病每年奪去 1,100 萬兒童的生命，每 5 個兒童中就有一人活不到 5 歲，其中有 400 萬兒童死於空氣污染引起的呼吸道疾病。

據估計，每年有大約 500 人萬由於接觸殺蟲劑和除草劑而中毒。在整個工業化世界，哮喘病的發病率呈上升趨勢，20 年來上升了 50 %。台灣在這方面似乎特別嚴重，目前台灣少年和兒童中有 10 %患氣喘病，而且年齡越低的兒童患氣喘病的比例越高。以台北、台中和花蓮爲例，台北市兒童氣喘盛行率達 10.8 %，是台中的 1 倍，花蓮的 5 倍，在台北市每 10 個小學生中就有一個患氣喘病，比 20 年前增加了 9 倍，增加的速度在亞洲、在全球都是名列前茅。引發氣喘病的原因很多，空氣污染和大量攝取肉、蛋、奶則是主因。

在一般人的觀念中，總認爲室內空氣比戶外要好，事實不然！英國政府就曾對 1,000 家住戶進行了一次大規模的調查，結果大出人們的預料，室內空氣污染的程度竟是戶外的 10 倍，且比都市塵霧對人體更具長期的潛在威脅。

造成室內空氣污染的原因有很多，如家庭常用的一些建築裝潢材料，和在家裡進行劇烈的體能運動，都會激發放射出許多肉眼看不到但能被肺吸入的有毒物質。而這些室內有毒物質的含量遠遠超過 WHO 規定的標準。

調查人員在室內空氣中還檢測到「三氯甲烷」，這種有毒的有機物，在經漂白處理過的自來水被加熱時就會產生。在洗乾淨的衣服上還檢測到四氯化乙烯，這也是一種致癌物。在室內的地毯中則檢測到了微量的農業殺蟲劑，透過鞋底與地毯的摩擦就可飄散到空氣中。當然，廚房中的油煙是最大的污染源；油煙裡含有大量的一氧化碳和二氧化氮，即便長時間吸入較低濃度的一氧化碳一樣會致病，而二氧化氮則會引發呼吸系統方面的障礙。

有害物質影響居家環境

其實居家環境中常見的有害物質多達數千種，其中僅美國環保署正式公布的就有 189 種，危害較大的主要有：氡、甲醛、苯、氨、酯、三氯乙烯和石棉等。

氡是一種放射性氣體，根據中國國家測氡防癌中心主任盧偉的研究，呼吸時氡及其子體隨氣體進入肺臟，氡子體衰變時會放出α射線，這種射線像小「炸彈」一樣轟炸肺的細胞。它是有毒的致癌物質，在它不斷地輻射誘導下，致使細胞癌變。當人們吸入過量的氡，一段時間後就會引起肺癌（它是僅次於吸煙造成肺癌的第二大根源）、皮膚癌、白血病和胃癌等。當然如果你經常感冒發燒、頭暈、胸悶、氣緊、失眠與疲勞等，有上述現象時，就要注意了，是否室內氡的污染已很嚴重？

另外，甲醛也稱福馬林，是導致鼻咽癌最主要的致癌物質。苯則會抑制人體的造血功能，對皮膚和黏膜有局部刺激作用，吸入或經皮膚吸收可引起中毒。氡、甲醛和苯這三種有毒氣體在家庭裝修建材中最常見，也最危險。

清除體內污染的四種食物

以下四種食物，特別有利於清除體內污染：

一、常吃海藻類：如海帶、紫菜和昆布等，其膠質能促使侵入血液中的放射物質隨同糞便排出體外，減少了放射疾病的發生。

二、常飲豆類湯：豆類湯能幫助體內多種毒物的排泄，促進人體內的新陳代謝。

三、常吃菌種植物：尤其是黑木耳中的特殊成份，具有清潔血液和解毒的功能，可幫助消化棉、麻、毛類纖維物質。

四、生食蔬果：蔬果所含的豐富酵素，是最天然的解毒劑。如紅蘿蔔，可與重金屬汞結合，生成新物質排出體外。又如大蒜中的特殊成分可使體內鉛濃度下降。總之，吃健康排毒餐，能讓你永無生病的後顧之憂。

至於戶外空氣的淨化，除了消極方面須減少工業污染外，更須積極來種樹，綠化程度愈高，戶外空氣品質自然愈好，在當今高度工商業發達，汽車充斥大街小巷的社會，植樹綠化實爲當務之急。

十五、水質的惡化

聯合國環境規劃署分析全球環境發展趨勢時指出，21 世紀困擾人類的七大難題，包括人口、糧食、能源、臭氧層損耗、森林退化、酸雨增多和水資源等。該署特別提到，目前世界上有三分之一的人口面臨中等或重度用水壓力。如果沒有嚴厲的水資源保護措施，這一數目將增加一倍。

世界衛生組織也指出，人類疾病 80 %與水有關。據統計，每年世界上有 2,500 萬名以上的兒童因飲用被污染的水而死亡。

另據中國大陸有關資料顯示，大陸目前有 24 %的人飲用不良水質的水，約 1,000 萬人飲用高氟水，約 3,000 萬人飲用高硬質水，5,000 萬人飲用高氟化物水，而這些數據每年均呈上升趨勢。

隨著污染程度持續上升，水質不斷惡化，目前已有 80 個國家聲稱缺水。聯合國環境計劃執行長托普佛表示，全球人口的兩成，也就是 12 億人，喝不到乾淨的水。第三屆世界水資源論壇於 2003 年 3 月在日本京都召開，聯合國教科文組織「世界水評估計劃」主管楊格說：「全世界約有 20 %的人無法取得安全飲水，我們居然視爲理所當然。」他還大聲疾呼，每年有兩百廿多萬人因誤飲受到污染的水或環境衛生不良而病死，問題之所在鐵證如山，可是世人卻漠視如故！

久久以來，台灣老百姓尤其是南部民衆，經常是花錢買水喝，但最糟糕的是，花錢買的水不見得衛生。以高雄爲例吧！高雄縣政府曾公布稽查加水站水質，結果沒有一家合格。縣政府表示，市售天然水，有的含雜質，有的大腸桿菌含量高，也有的容器不乾淨，沒有一家符合衛生條件。甚至還發現在便利超商買到的礦泉水，竟是用自來水冒充的。而這些不合格的水，不是含有綠膿桿菌，就是混有糞便性鏈球菌，怎不叫人擔心呢？

環保署於 1997 年 8 月公告，新設的地下儲油槽應設置防止地下水污染設備及監測設備，但這項規定並未溯及既設加油站。據抽樣調查，約有 70 %的既設加油站未設置二次阻隔層，監測設備也不完備，一旦油品外漏，其中的苯、甲苯、乙基苯、甲基第三丁基醚（MTBE）等就會污染土壤及地下水，而苯、甲苯都已證實爲人類致癌物，如果長期飲用含有苯及甲苯的地下水，將大大增加罹患癌症的可能性。

2003 年 8 月 14 日環保署發表一項最新調查發現，台灣有 19 處加油站和 8 處儲油槽發生外漏，其中屏東縣某加油站地下水中的致癌物—苯含量超標706倍，而台南某加油站的地下水苯含量也超標414倍，十分驚人。微生物學免疫學博士劉大智先生曾沉痛地呼籲：我們不要再喝含菌糞水，但很多舊公寓大樓住戶，可能早就長期飲用了。難怪大衆的身體愈來愈差。

無獨有偶，2003年2月份，中國新聞周刊引述中國環境科學院一位研究員的話說，北京市政管委會委託一個研究小組，針對北京的阿蘇衛、北神樹等幾座大型垃圾掩埋場周邊的地下水水質進行檢測。結果研究小組發現，由垃圾掩埋場滲漏出來的有毒物質，已經滲透到地表30公尺以下的地下水。

由於北京市垃圾分類工作不足，各掩埋場所處理的垃圾都是生活垃圾和工業垃圾混雜在一起。有機垃圾經掩埋發酵後形成滲透液體，再混合工業垃圾有害物質，污染地下水。據統計，目前已有90％以上的北京地下水，遭垃圾掩埋場滲漏的污水所污染，而且這些污染水將無法淨化。

另據2003年6月5日由中國國務院所發布的「2002年中國環境狀況公報」，中國兩大河川長江與黃河，因三峽大壩的興建及黃河缺水問題，正面臨嚴重的污染危機。中國各大河川上的水質監測站，監測出來的水質，高達41％都未達國家標準；七大河可淨化爲飲用水的河段不足30％。剩餘的亦已遭受重金屬和其它化學物質的污染，其它的主要大江如漢江、松花江的水質，也遠低於國家標準。河川最主要的污染源大多來自民生用水中的肥皂水，以及農民用的化學肥料，造成嚴重的氮污染和磷污染。這種情形對人對河川對水中動植物都是莫大的浩劫。

目前一般都市家庭用水，多以自來水爲主。那麼自來水的水質又如何呢？據日本國立醫藥品食品衛生研究所病理研究小組的研究，自來水中所含有用來殺菌用的氯化物，所產生出來的有機化合物，誘發胃癌的可能性很高，這種被稱爲MX可能導致癌症的有機化合物，具有傷害細胞遺傳基因的變異原性（遺傳病毒），對甲狀腺或肝臟也有致癌危險。

自來水淨化成爲飲用水，最原始的方法就是過濾或是煮沸。但一般家庭所用濾水器，頂多只能除去水中的臭味而無法清理掉所有的有害物質。甚至有些消費者爲省下定期更換濾心的費用，結果喝下了比沒有濾水器更不健康的水。

美國環保局的一項報告指出，煮沸的水等於是一種將有用的氧和礦物質埋葬掉的「死水」，而大部分的不純物質仍然留在水中。根據佛羅里達大學健康與行動學系的調查，煮沸等於濃縮諸如砷、汞、鉛、鎘等有害有機物。更爲危險的是被硝酸污染的水，經過煮沸之後，所含有的硝酸濃度反而會增加，對人們健康極爲不利。

所以我常常告訴身邊的朋友，要改善家人的健康，什麼都可以慢慢來，獨獨水慢不得，如果水有問題而你每天都在喝，就是每天都在中毒。什麼錢都可以省，不過我看你改善水質的預算，還是不要省。況且改變飲食習慣，非一朝一夕可竟其功，但喝水就容易多了。想要擁有健康，就從喝好水開始，這是最容易做到的。

因爲，我們身體 70 %是水份，所以如果你的「水」健康的時候，身體就容易健康！最怕的是錯誤的水觀念，例如誤認爲「純水是乾淨水，所以是好水。」其實純水的確是乾淨的水，但不是健康的水。（有關好水的要求，請參閱《無毒一身輕》）

林彩錦51歲　（新加坡）

◎子宮腫瘤縮小了

感謝主，上帝實在很愛我，因祂派天使來幫助我。

2002年6月開始，每當月經來潮，我的肚子就非常痛；我想也許是要停經了吧，但還是聽家人的勸告，到婦幼醫院檢查。結果，發現原來我的子宮裡有四個腫瘤，其中最大的有9.5cm，醫院便安排我在同年11月15日開刀把整個子宮切除。

我實在很害怕，開刀不開刀的問題一直在我心裡掙扎，經過禱告後，我終於鼓起勇氣寫信給比利（我常聽東方比利的節目）。比利建議我去聽林教授8月24日的講座。林教授說，我們身上的每一個器官都是上帝賜給我們的，它們都有一定的功能，不應隨便切除，並勸我吃排毒餐。

第一個星期，我覺得實在很難吃（因為要加強排毒，除了排毒餐外，我還得吃植物綜合酵素），不僅感覺很痛苦，人也很不舒服，頭痛、皮膚敏感、多尿、發燒、易怒、疲倦……總而言之令我感到很灰心。但感謝主，我的家人一直鼓勵我，安慰我，我也想到聖經上說的話：『萬事都互相效力，叫愛神的人得益處』。若不是神的帶領，林教授不會在我生病期間到新加坡，所以他是上帝派來拯救我的天使，想到這裡，我就咬著牙根繼續吃下去。

吃排毒餐三個半月後，我再到婦幼醫院掃描（我把看病日期延後兩個月），醫生說，我的腫瘤已經縮小到5cm，不用開刀了。

感謝主，當2003年5月25日林教授再為我義診時，他說我已

恢復健康。林教授不但令我身上的腫瘤不見了，而且以前每星期才通一次便的我，現在已經沒有便祕了，皮膚也比過去有光澤。我衷心地感謝林教授、東方比利以及義工小組，願上帝祝福你們，並永遠與你們同在。

在此，我也勸請弟兄姐妹要吃排毒餐，因為它既經濟又有營養；況且，就算食物再怎樣難吃，都比切除器官或是化療或是電療來得好，對嗎？

十六、欠缺負離子

一個人身體裡面一旦負離子不足的時候，那麼白血球會減少，血壓就會上升，心跳就會加速，而且會感到頭重、頭痛，人很容易感覺疲倦，這都是負離子嚴重不足的徵兆！而負離子不足的時候，只要白血球一減少，我們身體的抵抗力免疾力就會下降，抵抗力免疾力一下降，我們身體每一天所產生的 100 到 200 個癌細胞，隨著抵抗力的降低，就會越累積越多。

大家可能都有一種共同的生活經驗；陰雨綿綿的天氣感覺鬱悶，而雨過天晴時卻感覺舒暢無比。這是因爲前者的情況，大地充滿了正離子，而後者卻有豐富的負離子。

所謂的「離子」是指「帶有電荷的原子」，帶負電荷的稱爲「負離子」或陰離子；帶正電荷的則稱爲「正離子」或陽離子。像在森林和瀑布附近，空氣清新，因爲這些場所能產生較多負離子；而工廠所排放出來的黑煙或汽機車的廢氣，香煙的煙霧，以及電磁波附近之所以讓人感覺容易疲倦、心煩氣躁就是正離子在作怪。

空氣中飄浮著、肉眼看不到的或帶正電或帶負電的微粒子或分子，人只要吸入空氣，就將其吸入體內直接對人體產生作用。

人體是60兆個細胞所構成，各個細胞均被細胞膜包住，透過細胞膜吸收營養，排出老舊癈物。細胞膜外側帶有正離子，內側帶有負離子。當體內正離子增多時，它們會進入細胞內，使吸收和排泄發生障礙，內臟的機能減退，神經痛、氣喘或心腦血管疾病發生率也提高。這都是導因於細胞的正負離子失去平衡所致。

人體只有取得平衡，才能保持健康，離子亦同。呼吸時，一立方公分的空氣中，含有1,000至2,000個離子。有益健康的負正離子比值應爲3：1或4：1。

但是，我們現代人的居住環境，均以正離子較多，負正離子比值經常是4：5。而根據日本此方面專家的發現，身心受損害者，其身上細胞離子都是正離子特多，也難怪現代人多病了。

至於爲什麼正離子會愈來愈多呢？紫外線、冷氣房裡、酸雨、醫藥、食品添加劑、受污染的山河和化學的室內裝潢建材等等，都是產生正離子旳元兇。根據研究，體內正離子持續增多，負離子減少時，會使身體產生許多症狀，如血管收縮、血壓升高、血液偏酸、循環不良、容易疲倦，疲倦又不易消除，呼吸、心跳與脈搏跳動次數增加，身體變得亢奮，自律神經失調和身心難以放鬆等等，這豈不是正說明了部分現代文明病的根源嗎？

然而負離子增加時，即能鎭定身體，使血管擴張，血壓正常、血液偏鹹、循環順暢，不易疲勞，疲勞易除，自律神經穩定和身心自在。

大自然中，瀑布或河川等有水流動的地方，負離子就豐盛。曾獲諾貝爾物理學獎的德國物理學家勒納，他發現細微水滴帶正電，周圍的空氣便會帶負電，以致於水滴擴散時就會產生負離子，這被稱爲「勒納現象」。

除了水邊，在樹林繁茂的山間，濕度高，水滴多，負離子也多。這就是爲什麼人天然本性喜歡親近大自然的緣故，如果無法經常接觸大自然，也可以用淋浴或接近噴水池的方式，吸收負離子。

不過，如果利用健身中心或游泳池的SPA，或家中浴室的蓮蓬頭將自來水形成霧狀，我們很可能會吸進已混入大量氯的水。而氯原本是爲消毒殺菌才添加的物質，會損傷到肺的功能。所以建議大家可以利用一個品質良好的除氯、除雜質轉換接頭，這樣一來就可在家享受負離子 SPA 浴了。

負離子可以經口吸入體內。空氣中只要含有負離子，就能藉著呼吸的方式，使其進入肺中。負離子經由肺，透過毛細血管，送入血液中，使血液呈鹼性，並可消除自由基。所以，要改善都市嚴重負離子不足的環境，可選購市面上品質良好的負離子產生器，或在屋中置放大量的備長炭（它會釋放許多負離子），相信是有幫助的，尤其是氣喘、鼻子過敏、肺和呼吸系統有關的毛病，都會看見明顯的改善效果。

十七、體內缺氧

諾貝爾醫學獎得主溫伯格醫師，曾經提出一個正常細胞與癌細胞的最大差異點在於：正常細胞需要充足的氧，才能生存；而癌細胞卻討厭氧，只有氧氣不足，亦即血中氧濃度太低，或自由基濃度太高時，才會分裂與蔓延。簡單地說，在氧充足的環境中，癌細胞會變得死氣沉沉，正常細胞則生氣勃勃。故心臟因血流充足，極少罹癌；但被烏煙瘴氣侵蝕的肺，或被毒素污染的肝，因血氧飽和度低，罹癌機率就大增。

所以癌細胞具有一個特質——厭氧性。

健康細胞跟癌細胞最大的不同在於癌細胞喜歡氧不足的環境；正常細胞喜歡氧充足的環境。因此氧一不足的時候，癌細胞就發展地非常好。

「有氧運動」可以供氧很多；但是有些勞動卻經常是耗氧的。有的運動對身體有益，譬如散步，尤其是到公園赤腳散步。四十歲以下的人可選擇慢跑；四十歲以上的，我就不建議了，因爲你不知道自己心臟的狀況。騎腳踏車也是很好的，不過腳踏車的坐墊不要用塑膠製的，可以買好一點的，像木頭墊或牛皮墊就很有能量。

一個人缺氧只要超過三分鐘，就會死亡，你可以三十天不吃飯，只要喝水，但是不可以三分鐘沒有氧。這裡所說的氧，是含負離子的。一旦身體缺氧的時候，癌症細胞就會越來越活潑。

所有汽機車所排放出來廢氣，經過太陽照射後，被人體吸進去就變成致癌物，更會導致你體內嚴重缺氧。

還有你看，婦女抽煙的比例並沒有比男性高，可是婦女得肺癌的比例卻比男性高，全世界都一樣，當然其中二手煙是主因之一，根據一項研究指出，吸二手煙的人，比吸一手煙的人（就是自己吸煙的人）多 19 倍的機率得到癌症。因爲吸煙者只吸進去 10 %，90 %吐出來給別人吸，原來他自己還毒得少啊，他是毒別人更多、更毒啊。

還有一個更嚴重的原因，按時供應三餐，在家相夫教子的家庭主婦，得到肺癌的比例也越來越高，爲什麼？因爲她們每天做飯，尤其是華人，做飯的時候最喜歡用油炒菜、用大火炒，大量油煙吸進去，身體就會受到大量的傷害。

不過油煙還不可怕，最可怕的是 1998 年瑞士國家實驗室研究發現，抽油煙機所釋放出來的輻射，是手機的 300 倍。也就是說你炒菜炒 1 分鐘，等於講手機 300 分鐘，你看這個輻射有多強。所以今天開始，太太們找到一個很好的理由可以回去不用做菜了。不過我不是這個意思，我的意思是說下次不要再用油去炒菜了。當我們用油炒菜時，對健康的傷害很大。另外，瓦斯爐也會因爲燃燒不完全，而產生大量的二氧化碳，讓你嚴重缺氧。記住缺氧的身體僅次於酸性體質，是容易讓癌細胞發展的環境。

十八、遺傳

台大醫院基因醫學部曾以「基因突變分析儀」作檢驗，發現大腸直腸癌家族的 MSH-2 基因和 MLH-1 基因都有缺損變異的情形。如果這兩個基因出現缺損變異的現象，則他們有高達 85 % 的機率，終其一生會罹患大腸直腸癌。

2002 年 11 月 6 日三軍總醫院發表了對台灣兩個遺傳性非息肉群大腸癌（HNPCC）家族長達 7 年的追踪研究。負責主持這項研究的是婦產科主任朱堂元。他發現 A 家族第一代及第二代已有 15 人罹癌，第三代 10 人有 8 人受檢，其中 4 人正常，4 人確定帶突變基因，日後罹癌機率爲 80%。而另一位 B 家族六姐妹中只有一人未發病，其餘 5 人都有一種以上的癌症，日前剛滿周歲的家族第四代新成員也接受基因檢驗，但一切正常。（爲什麼小 Baby 是正常的呢？值得我們深思！）

朱堂元主任又指出，遺傳性非息肉群大腸癌占所有大腸癌的 15%，同時占 50 歲以前大腸癌患者的三分之一，但較少被診斷出來。這種癌症在女性常以婦科癌症方式表現，甚至腸胃道、泌尿道等同時出現，都是原發性癌。

朱主任回憶七年前，一位 37 歲女性因月經不正常到婦產科求診，因這位女性提及父親是死於大腸癌和胃癌，兩個姐妹則罹患子宮內膜癌，因此就給她做了子宮切片檢查，結果發現，她已罹患第二期癌症。此後，他針對這個家族展開了基因檢測，果然發現，她和另兩位並未發病的姐妹，都帶有兩個 MHS-2 突變基因，發病率 80%。但不必太緊張，只要你今天起立即改變飲食的習慣、生活模式，以及情緒管理，你就是那不發病的 20%。

此外，醫學界研究與遺傳關係密切的腫瘤可以分爲三大類。

一是完全由遺傳基因決定的遺傳性腫瘤。某些兒童腫瘤如神經母細胞瘤、兒童腎母細胞瘤、視網膜母細胞瘤等，均屬遺傳性疾病，由異常的基因決定，帶有這種異常基因的人，幾乎都將患該類癌症。

二是由某些遺傳性免疫缺陷綜合症或某些遺傳性疾病（如家族性結腸息肉）所引起的癌症。前者「容易」發展成淋巴網狀系統腫瘤，後者「容易」發展成結腸癌。但是這些遺傳性疾病並不一定都會發展成爲癌症，只是有這樣的危險。當然，若你有這種家族傾向，更需要注意自己的生活飲食習慣，免得讓癌細胞有可乘之機。

三是確實有明顯遺傳傾向的癌症，但並沒有發現直接的遺傳基因作用。這種情形多數表現在明顯的家族聚集性，也就是說在同一家族中一代或多代人中有多人罹患同樣的癌症。如胃癌病人的一等親中，得胃癌的可能性比一般人平均高 3 倍。

當然，癌症與遺傳雖有一定關係，但非必然結果。因爲癌症是飲食、情緒、環境與遺傳共同作用的結果。故即使有癌症的家族病史，只要願意身體力行本書所說的健康每日七件事，你的一生還是會遠離癌症的。

十九、不當輸血

自 20 世紀初奧地利科學家蘭德斯坦內發現ABO血型，確定了安全有效的輸血技術之後，輸血已經挽救了無數生命垂危的急症患者生命，因爲輸血可以有效增加血容量，使重要生命器官所需要的血液獲得供應。

但是，時至今日，輸血技術在救人的同時，也帶來了諸多的副作用，譬如 B 型和 C 型肝炎的傳染，甚至是愛滋病的感染。

先看兩則報載：一名男性是長期捐血者，曾到東南亞嫖妓，返國後仍照常捐血，後來被證實感染愛滋病毒，其空窗期間捐出的可疑血袋已被 6 人使用，其中一人已被證實感染了愛滋病毒。

2003 年 1 月 17 日聯合晚報報導，一名 80 多歲，罹患腸癌的老奶奶在手術過程中輸血，不慎感染到愛滋病。她的 4 個兒子在得知母親感染愛滋病後，竟然爲此感到羞恥，還怕被感染，以至於連病房都不願踏入，更遑論到病床邊與老母親問候了。

老奶奶在極度絕望的情況下，以絕食的方式，抗議兒孫們的不孝，兩周後，就因營養不良，含怨而死。嚥下最後一口氣時，沒有半個家人在身邊……。

輸血一定是救命的醫療行爲嗎？根據台灣捐血中心統計，光台大，馬偕、和信三家知名醫院，近一年，即通報 8,500 多例輸血不良反應，其中有些患者因排斥、血液組成不符等原因，輸血後出現急性肺衰竭、溶血等反應，差點送了命。根據美日等先進國家輸血反應監視系統，臨床輸血不良反應，甚至可高達 20％，你豈可不知、不愼乎？

早在 2000 年 4 月 8 日世界衛生日時，世界衛生組織祕書長布朗特蘭女士就表示，全世界有三分之二以上的國家無法爲人民充分提供安全的血液，導致愛滋病毒大幅蔓延，並造成肝炎及其它疾病的增加。

這些國家大多是貧窮的開發中國家，人口共 48 億，占全球人口 80％，但享有安全的血液只占全球 20％。不安全的輸血和注射行爲估計每年導致 800 萬至 1,600 萬件 B 型肝炎感染病例，230 萬至 470 萬件 C 型肝炎感染。

過去我們一直相信親人的血是最安全的，且親人隨時可以抽血。直到前幾年日本東京紅十字會血液中心的 Juji 教授在台北召開的國際輸血學會會議上發表「輸血後移植物反宿主病」（PT GVHD），提到近親間輸血的危險性，推翻了上述的想法。

到底什麼是 PT GVHD 呢？以下引用台北馬偕醫院醫學研究部林媽利研究員的解釋，可使各位快速了解近親輸血的危險性。

這個病用台灣話來說，是一種「乞丐趕廟公」的病，也就是供血者的淋巴球輸注到病人身體後，將病人的組織破壞，使病人死亡。疾病的症狀是病人輸血後一至二個星期開始持續高燒、皮膚出現紅疹、進而出現貧血、血小板及白血球缺少、肝功能異常、腹瀉，病況急速惡化，在發病後十天內死亡，從輸血到死亡不到一個月，死亡率爲 99 %。

這麼可怕的病原先在日本稱爲「開刀後的紅皮症」，因爲常在開刀輸血後發生，以全身皮膚變紅爲特徵，後來發現是移植物反宿主病，淋巴球跟著血液進去病人體內，如果進去的淋巴球剛好是組織抗原半套體（HLA haplotype）的純合子（homozygous），而病人剛好是該半套體的雜合子（heterozygous），就可能發病。換句話說，純合子如果簡稱爲 a a，則雜合子爲 a b，當 a a 者的血液輸給 a b 病人時，病人雖有健全的免疫系統，因自己是 a b 而有 a，所以認不出輸進來血液中的 a a 淋巴球是和自己不同，因此無法排斥。相反的，進來的 a a 淋巴球反而認出病人組織上 a b 的 b 和自己不同，而加以攻擊，所以是輸進來的淋巴球破壞病人的組織，「乞丐趕廟公」而引起 PT GVHD。

最後，我們再來談一談給癌症患者輸血之事。由於癌症患者常合併貧血症狀，尤其是癌症的晚期，全身營養相當差，貧血程度不輕。家屬以爲給病患輸血可以改善病情。事實不然，英國和美國的腫瘤專家曾作過調查，接受過輸血的癌症患者並不能明顯延長他們的存活期。相反地，有的病患因骨髓的造血功能受到外源性血液的干擾和抑制，會出現過早衰退的現象。而且輸血會影響人體的免疫系統，導致腫瘤的生長和復發。

此外，接受輸血還有發生血源性感染的潛在危險。一般來說健康的人感染病毒後，並不能馬上就出現抗體，而是有一個「空窗期」。像愛滋病的「空窗期」約一個月，而C型肝炎則可能長達兩個月。在空窗期的捐血者，是無法被篩檢出來的。何況現在病毒變種越來越厲害，許多情況已非目前的檢驗設備可竟其功。

近來醫學界提倡「自體捐血」。也就是說，除非遇到緊急狀況，否則人們不妨「自體捐血」，絕對不會感染疾病或發生排斥的問題。所謂「自體捐血」，即符合捐血條件的患者，在預定手術前先行捐血貯存，當有需要輸血時，即可自給自足，是一種最安全的輸血模式。

Daniel Lee　（新加坡）

◎高血壓 3 週恢復正常

我的妻子貞芳患有高血壓達 5 年之久，必須依靠藥物控制病情。一次很巧妙的因緣，在神的帶領下我們出席了一所教會的主日崇拜，並首次聽到黃瑛瑛傳道提起排毒餐治療法，當下十分有興趣。而且覺得藉由自然飲食提高自身的免疫系統是非常理想的維持身心健康法。因此就非常努力地去聯絡和尋找排毒餐的食譜，同時也絕不錯過林教授在新加坡的任何一個講座。

自從開始認真吃排毒餐（也即是早餐一份水果，二樣蔬菜，一份地瓜及一份五穀雜糧，午晚餐各 50 %的五穀，30 %的蔬菜及 10 %湯類）外加大量植物綜合酵素和纖維後，就開始過著無油、無肉、無糖、無鹽的生活，甚至連最愛的茶點也免了。在第一個星期，雖然會有腹痛、感冒和疲倦的反應，但都還能忍受。

在這期間妻子每天自行測量血壓，發現在無藥物控制下，血壓竟從原本的收縮壓 150、舒張壓 95，降至 130 和 90，而後再降到 125、85。

三個星期後到醫務所診斷，妻子告訴醫生自從改善飲食習慣後，血壓似乎恢復了正常。醫生檢查後，也證實了血壓在 120 和 80 之間，醫生也很訝異地表示，如果血壓不再升高，即不需繼續服藥。

到今天，6 個月過去，血壓也都能維持在正常水平。感謝主，讓我的妻子及家人認識了林教授所教導的排毒餐。藥物在 5 年內只能控制病情，但排毒餐卻不只醫好了妻子的高血壓，也使她能一舉兩得，輕輕鬆鬆而又不必花費太多金錢就減輕了 10 公斤。

僅以此見證，希望大家能正視林教授所傳遞的正確飲食方式與健康生活習慣的重要性，以期能恢復上帝原創人們生命中身心靈和諧自在的狀態。

廿、濫用抗生素（藥物）

抗生素的發明，曾在常見細菌性疾病的治療中，達到「起死回生」、「藥到病除」的神奇功效。但是抗生素的濫用，卻給人類帶來了可怕的災難。

2003 年 9 月 21 日民生報 A6 生活版報導：由衛生署疾病管制局顧問許清曉所撰寫，原發表於《感染控制雜誌》的一份研究報告指出，每年台灣直接或間接死於錯誤使用抗生素的病患，保守估計可能超過 2,000 人。

這項研究挑選全台灣23家中小型醫院，調查抽審2000年至2001年的病例，每年各抽230本，共460本病歷，發現因抗生素選用錯誤，導致有效治療延誤三天以上的案例高達12.3％，其中約半數死亡。發生如此嚴重醫療疏失的原因爲何呢？許清曉顧問表示，調查過程和主治醫師會談後發現，不管是選藥太輕或不全、治療期間過於保守，原因竟然都是出在主治醫師擔心用藥費用會被健保審查剔除並罰款，進而影響自己和醫院的收入所致。初見許顧問的說明，眞不相信自己的眼睛所見。

中央研究院院士何曼德身兼國家衛生院臨床研究組組長曾發表名爲「濫用抗生素」的調查。他表示，不論從門診、手術或是用藥等層面來看，台灣民衆面臨的抗藥性問題，實在太嚴重，例如葡萄球菌、肺炎雙球菌抗藥性已達世界第一，再不予以管制，日後部分重症病人可能面臨無藥可用的情形。

台灣每年醫院內抗生素使用量爲每千人27劑，比世界衛生組織用藥量排名第一的會員國——西班牙（每千人21劑）還要高出許多。從外科手術用藥來看，正確使用抗生素的時機，是在手術前半小時以靜脈注射給予，傷口癒合後即不給藥。但國家衛生院的調查中發現，七成台灣外科醫師是在手術後才給藥，且一次開立3至14天，以此換算，七成外科醫師所開的抗生素，是正常劑量的3至14倍。

何曼德院士又依健保申報資料，在10家醫學中心，挑選50種常見感染症進行分析發現，國人常見的呼吸道感染疾病中以肺炎抗藥性問題最嚴重。肺炎雙球菌對盤尼西林的抗藥性已達50％，葡萄球菌在部分醫院的抗藥性更高達100％，都已是世界第一。

何曼德更直指，導致細菌產生抗藥性現象的主因之一，是醫生濫用抗生素。像多數的呼吸道疾病是病毒導致的，不需要使用抗生素，但因看診時間太短，無法釐清原因，醫生就讓病人吃了許多不必要的抗生素。根據2001年健保資料分析，三分之一使用抗生素的病患，並非細菌導致，而是病毒感染，故抗生素根本無效。然而不當的用藥，反使抗藥性問題愈加嚴重。

中央健保局根據2001年西醫門診資料分析結果顯示，國人平均一年就醫14.1次，其中有3.46次是看一般感冒，另外還有0.15次是看流行性感冒，一年花費在感冒方面的費用竟高達250億元，眞是小病花大錢。

同樣感冒，國人上醫院看病的人次是美國的5倍，頻率則爲4倍，加成起來，台灣人因爲感冒接觸不必要的抗生素機率是美國的20倍。上呼吸道感染是感冒的症狀之一，通常不一定是細菌感染造成，也不需要用抗生素治療。據高雄市立大同醫院兒科主任李偉揚與高雄榮總兒科醫生邱貞嘉臨床合作，針對門診病童進行喉嚨細菌培養分析研究發現，感冒濫用抗生素比例超過四成，並導致病童疾病治療的困難度，易惡化併發肺炎、支氣管炎、鼻竇炎等難纏的疾病。李主任表示，抗生素濫用會破壞正常的菌種菌相平衡，增加病菌的抗藥性及誤導醫師無法對症下藥，進而增加治療困難度，最後延誤治療療效。台大醫院曾收治一名6歲的小女孩，罹患單純的肺炎，經血液培養，確認小女孩是遭肺炎雙球菌感染。在前線抗生素全都失效情況下，醫師立即開立最後一線抗生素——萬古黴素，但還是救不了小女孩，第一時間就被送醫的她，最後卻因全身敗血症命在旦夕。

廿一、不當與無謂的醫療

2001年5月21日《衛生與生活》第3版中一篇由海燕署名撰寫的美科學家對癌症早期診治質疑，引起了醫界與人們廣泛討論。內文提到：

「早期發現、早期治療」，一直是醫學界對付癌症信守不渝的信條。然而，已有愈來愈多的研究人員，提出不同的看法。美國佛蒙特州的內科專家威爾什說：「對無害的腫瘤進行手術或化療，不僅無益反而有害，有些治療還會帶來嚴重的後遺症，即使是可能有害的腫瘤過早診治也並非全部有益。」

美國達特茅期大學臨床醫學評估中心研究員布萊克則表達得更強烈。他說：「人們完全有理由相信，許多早期癌症並不具備進行臨床治療的意義。屍體解剖的結果表明，在 40 － 50 歲的婦女中有 39 %的乳房內有腫瘤存在；有 46 %的 60 － 70 歲男性被發現患有攝護腺癌。這些腫瘤的體積都很小，也沒有擴散，更沒有出現任何症狀。但是，如果他們是生前被檢查出來的話，他們就會被視爲乳癌或攝護腺癌，並接受相關的治療。然而，在實際生活中，相應年齡層中，乳癌和攝護腺癌的發病率只有 1 %。屍體解剖還發現，幾乎所有 50 － 70 歲的人甲狀腺內都有微型腫瘤，而甲狀腺的發病率只有 1 %。也就是說大部分癌症，如果醫生不去發現，它們也不會增長和惡化。

布萊克總結他的研究，所提出的觀點，更值得現代人深思。他說：「我對『癌症和腫瘤』一詞的濫用感到十分憂慮，人們給『癌症』一詞所賦予的份量太重，以至於它可抑制人們理性的思考。即使你告訴某人他患的只是早期癌症，不會惡化，這對患者來說，也無濟於事，因爲大部分人都認爲不治療，癌症將會奪去他的生命。」

無獨有偶地，同年 10 月 20 日發行的英國醫學雜誌《刺胳針》（Lancet）刊載一篇由丹麥醫生戈玆許和奧森所撰寫的研究報告，他們收集數十年來的乳房X光攝影資料，加以統計分析，結果發現在對腫瘤還無法感覺到前就以儀器測出，不見得能增加治癒機會。他們比較瑞典 21,088 位接受乳房 X 光攝影的婦女和未接受乳房攝影的21,195位。大約9年後，前者有63人死於乳癌（占0.3％），後者爲66人（占0.31％），差別十分有限。因此，他們質疑25年前一篇紐約報告，聲稱接受乳房X光攝影的婦女死亡率比未接受者低30％，這報告的研究未適用一致同意的標準，不夠認眞可靠。20多年來，「美國癌症協會」和「國家癌症協會」都呼籲婦女定期接受乳房攝影，聲稱「早發現、早治療，可避免腫瘤變大，導致必須做更大面積的切除，以及更痛苦的療程」。新研究報告認爲他們的說法毫無根據。

新的研究報告中指出，乳房X光攝影，也不致於有利於不切除乳房。如前述瑞典研究中，接受乳房X光攝影者有424位（占2.01％）必須切除乳房，而未接受乳房 X 光攝影者，有339位（占1.6％）需切除。其中一個原因可能是，醫生一看到乳房攝影的些微小腫塊，就立刻進行積極治療，但這小腫瘤可能永遠不會發展成癌，或婦女終其一生都不會發現。

戈茲許認爲，最重要的問題不在婦女是否因乳房X光攝影而免於死亡，而是是否因此可延長生命。雖然乳房攝影確實可以早期發現，早期治療，但治療過程可能相當痛苦，導致激發另一種疾病，以致無法活得更久。

瑞典在第一時間就接受他們的研究觀點，決定不再推廣乳房攝影。

約翰・威廉・葛福曼醫生（John William Gofman）是美國加州大學柏克萊分校生物細胞及分子學的退休教授，也是加大舊金山分校醫學院教授。他是鏷（Pa）232，鈾（u）232，鏷233，和鈾233的共同發現者，他還負責鈽（Pu）239的製造工作。鈽是製造原子彈不可或缺的元素。60年代初期，葛福曼在國家原子能總署工作，並建立生物醫學研究部，以評估各種核子活動對健康的影響。

1995 年他出版了一本驚世之作——《防止乳癌》（Preventing Breast Cancer），他在書中作了驚人的結論：「我們評估，在美國每年的乳癌病例之中，大約 75 %肇因於昔日來自醫學上的離子輻射」。他並未低估農藥、荷爾蒙、高脂食物及其它環境壓力在癌症成因上所扮演的角色。但是他發現醫學輻射關係太大，不得不再三強調：「如果昔日未受醫學輻射，大約 75 %的乳癌是不會發生的。」

美國癌症研究團體包括紐約大學、芝加哥大學、愛因斯坦大學等將近 20 所大學醫學研究所等研究團體，以第四期肺癌患者 743 名爲對象，從 1984 年 1 月至 1985 年 7 月做了一個治療實驗。比較分析內容包括抗癌劑的①抗腫瘤效果②副作用③患者的生存期等方面。

①就抗腫瘤效果而言，只投一劑的第三組腫瘤縮小率爲 9 %，投與二劑的第二組，腫瘤縮小率爲 13 %，第一組投與三劑，腫瘤縮小率最高達 30 %。

②就病患的生存期而言，用藥最重，腫瘤縮小最多的第一組，卻是生存期最短的，平均只有 22.7 周，相對用藥最少，腫瘤縮小也最少的第三組，竟是生存期最長的，平均 31.7 周，比第一組多出近 40 %的時日。

其原因可能是，第一組與第二組用藥重，副作用較強，導致白血球大量減少和造血功能受損。有些患者由於白血球無法再生，在藥物投與數周之後即死亡，令人惋惜。

我們並不是完全否定手術、放化療的效果。譬如，化學療法在控制兒童血癌病患尤其是淋巴血癌就極爲有效。當然經常接受化療的兒童，會因腦部結構改變而導致昏眩及腦部疾病。又如，在皮膚表面的腫瘤，最好的治療方法就是手術，但深及內臟的腫瘤，就需更多的斟酌了。如《癌症》（Cancer）雜誌上曾刊登一項研究報告：經診斷發現有胰臟癌的病人，平均存活期是 3.9 個月，但接受化療的卻只存活了三個月。經過化療之後的病人反而提早死亡。又如，1993 年時，美國國家癌症學會的研究人員比較卵巢癌患者在接受不同治療法後的治療效果。他們發現接受化學療法的婦女病患，比未接受化療者，得血癌的比例高出 100 倍。〔註：V. DeVita et al., eds., Cancer: Principles and Practice of Oncology（Philadelphia: Lippincott, 1993）〕

最後，讓我們再來看看 1986 年由知名的麥奇爾癌症中心（McGill Cancer Center）對 118 位專門治療肺癌的癌症學家所進行的調查。當這些醫生被問及倘若自己得到肺癌，會怎麼做？有四分之三的醫生都說他們不會使用任何化學治療。爲什麼？因爲「化學療法沒有效，而且毒性太大無法接受」。誠如當代中國名醫孫起元所說：「我們並不是全盤否定化療、放射、手術在治療中的一定作用，問題是它的適用範圍是狹小的、短暫的，何況醫者又往往不能正確的掌握和應用。」

今日的美國，每 35 秒就有一個人被診斷爲癌症，每 55 秒就有一個人死於癌症，也就是說，每天有 1,400 個美國人死於癌症。情況如此惡劣下，自 1971 年尼克森總統簽署了一份征服癌症法案（Conquest of Cancer Art）後，美國癌症協會（American Cancer Society）每天花費 100 萬美元，全國癌症學會（National Cancer Institute）每天的花費更高達 300 多萬美元，從事他們所謂的「癌症之戰」。

結果如何呢？這些癌症的罹患率與死亡率在過去 30 年來，不是沒有變化就是增加了，難怪兩屆諾貝爾獎得主寧樂斯、保林醫生（Dr. Linus Pauling）說：「每一個人都應該知道這場對癌症的戰爭，是一件騙人的事情。」

廿二、不當的穿著

女性最親密的貼身寶物與保鏢之一，當屬胸罩。尤其在顯露女性體態美的方面，發揮了彌補與襯托的作用。但是，如果材質選用不當或穿著方式不正確，就可能引發健康危機。

在醫院裡或私下場合，常聽一些女性朋友，訴說自己胸悶、頭暈、噁心、上肢麻木、肩背部酸痛等。我就建議她們：「脫去胸罩或換一個可能就沒事了」，結果幾乎都很滿意。為什麼？

有上述症狀的人，常常發現他們的肩和背部局部肌肉，如肩胛角肌、背闊肌和胸鎖乳突肌等出現不同程度的老化。此類症狀可稱為「胸罩不當症候群」，簡要說明如後：

第一、女性長期穿戴的胸罩尺寸偏小或使用狹帶式的胸罩，這種過緊的胸罩，材質先不說，光是鋼圈加鬆緊帶把胸部團團圍住。就好像在皮膚上戴了一道細鐵絲，當人體自然活動時，上肢肩部肌肉不斷運動，而胸罩則在肌體很小的範圍內頻繁地摩擦，時間一久，就會使肌肉過度疲勞，引起血液循環的障礙。因此下次買胸罩，不但要試穿，更要穿著胸罩全身活動活動，再決定購買與否。因為妳不會像店中展示的雕像一樣，永遠一動也不動地坐在那裡。

第二、尺寸適中的胸罩可以托住並保護乳房，且不會使乳腺的血液受阻。可是過緊的胸罩卻限制了呼吸肌的運動，使胸廓收縮舒張不暢，因而影響了呼吸功能，使兩肺換氣不足，產生了女性常見的氣促和胸悶等症狀。

第三、可能大家都有一個經驗：SHOPPING時很開心，但手提的購物袋，若其手提帶過於細狹小時，致使整個袋子重量過於集中在一點上，容易使手感覺疼痛、疲勞。胸罩肩帶過緊或過於細狹小時，也是如此，只是受累的不是手，而是更大面積的頸部肌肉、血管、神經等，甚至誘發頸椎病，產生頭暈、噁心、頸部酸痛等症狀。

化學添加劑刺激皮膚

服裝在製作過程中經常使用多種化學添加劑，而這些化學物質會對皮膚產生刺激作用。尤其是對兒童和皮膚容易過敏的人，刺激作用就更明顯了。例如，有一些染料化合物會釋放出致癌物，這就像一張高效能的膏藥緊貼在皮膚上，藉著汗液和體溫的作用，引發人體的病變。醫學測試顯示，衣服上的有毒物質甚至比飲食更快在人身上起作用。日本一位泌尿科醫生宣稱，日本得膀胱炎的女性增多，主要原因是穿化纖內衣褲所致，我的看法也是如此。

消基會於 2003 年 4、5 月間，在大台北地區的百貨公司、量販店、婦嬰用品店和童裝批發店等地選購了 26 件 2 歲以下嬰幼兒服爲樣本，進行螢光增白劑、游離甲醛含量、抗菌性等檢測，發現含有螢光增白劑的服裝竟高達 77 %，另有少數嬰兒服甚至含有游離甲醛，危害嬰兒健康。

消基會日用品委員賴裕綺表示，廠商顧及市場，幾乎全面在衣料添加甲醛，來使布料筆挺；螢光增白劑則讓衣服看起來更潔白；但不知不覺中，健康已受到威脅。

另據中國大陸「央視國際網」2003 年 8 月的報導中，提到大陸國家質檢總局抽查了陝西、四川、重慶、湖北、湖南、江蘇、上海、浙江、福建和廣東十個省、直轄市的一百多家生產廠家和銷售企業後指出，有三成以上產品甲醛超標，而且總合格率只有 60 %。質量總局還發現，甲醛超標的產品絕大部分是兩歲以下的嬰幼兒服裝。有關專家認爲，生產企業在衣料生產的過程中加入大量含甲醛的染色助劑和樹脂整理劑，是爲了使衣服不起皺、不縮水和不褪色，但是兒童身穿這類衣服，甲醛會慢慢地釋放出來。兒童吸入甲醛後，所出現最明顯的症狀就是疲倦、頭疼、咳嗽和失眠，還有皮膚也會起皮疹，甚至全身過敏。豈止是嬰兒服，其實市場上許多白挺或是免燙的衣物，尤其是標榜 100 %防縐防縮的衣褲，如牛仔褲，或使用乙二醛樹脂定型的全棉免燙襯衫，都含有甲醛成分。

甲醛已被國際癌症跰究機構確定為可疑致癌物，無論是藉空氣吸入、食物食入或衣物接觸，進入人體的甲醛都能和蛋白質中的胺基結合，使蛋白質變性，擾亂人體細胞的代謝，對細胞具有極大的破壞作用。故購買服裝時，請不要被表面的光鮮亮麗所迷惑！

再談一談材質問題。有時穿脫衣服，常聽到「叭、叭」的放電聲，在暗處還能看到火花，甚至皮膚還有被擊痛的感覺，這些都是你穿著化學纖維的衣服時，衣服上所積聚的靜電引起。

衣服上的靜電是由於衣服與衣服，衣服與皮膚之間相互摩擦而產生的。由於化纖的材質是不導電的，所以產生的靜電就無法流走，而是越聚越多，以致在穿脫時發生放電現象。

衣料的導電性與其吸濕性有關，如絲、棉、麻、毛等天然材質，吸濕性較好，有一定的導電性，故不易積聚靜電。但化纖的衣物吸濕性差，絕大多數都是不導電的絕緣體，因摩擦產生的電荷很難消失。偏偏人又是一個天然的大導體，這類凡是使人與天地自然隔離的化纖衣物或塑膠球鞋，都是不利於健康的。

胸罩穿越久，乳癌罹患率越高

接下來，再談談乳癌與胸罩之關係。1995 年，一名美國醫藥人類學者和他的助理出版一本書《致命的穿著》（Dressed to kill），發表他們針對 4,700 名婦女所展開的調查，直指穿胸罩時間的長短和胸罩的壓迫都是罹患乳癌的重要因素。

這項調查指出，在 4,700 名接受調查的婦女中，每天穿胸罩超過 12 小時，只有在睡覺時才脫下胸罩的女性，每 7 人中有 1 人罹癌；那些全天 24 小時穿胸罩的婦女，每 4 人有 3 人罹癌。

但是，每天穿胸罩少於 12 小時的婦女，每 152 人中只有 1 人罹癌；而不常甚至是不穿胸罩的婦女，則每 168 人只有 1 人罹癌。

也就是說，每天穿胸罩 12 小時者比穿胸罩少於 12 小時者，其乳癌的發生率增加了 21 倍。而全天 24 小時穿胸罩的婦女罹癌的機率，要比不穿胸罩者高出 125 倍。

該書作者認爲，人體內有少數細胞容易發生癌變，但是由於正常人體內有自身免疫力，能隨時將癌變細胞消滅。若胸罩對乳房長時間緊密地壓迫，將會減少或阻止乳房內淋巴液的回流。而淋巴液正是抗抵外界感染和消除機體內毒素的重要衛士，也是全身免疫系統重要的組成份子。淋巴液回流一旦受到影響，體內殺死癌細胞的能力就會降低，人體罹癌的機會相對就會增加。

過去有關乳癌的研究，多以飲食、生活習慣、荷爾蒙與遺傳等因素爲主，尚未有研究機構以胸罩爲主題的調查，故上述資料雖有不盡完善之處，但仍極有參考價值。可是，胸罩是女性的貼身寶貝，對於身材的修飾與加強有極大作用，「不穿胸罩怎麼出門？」是許多婦女的共同心聲。在此，我還是要建議女士們，在家時，尤其睡覺時盡可能脫去胸罩；出門時，所著胸罩，要特別注意材質的選擇。欣聞國內已有廠家生產以純綿外加遠紅外線與負離子功能的胸罩，讓女性同胞有穿像沒穿的感覺。如此一來，穿戴胸罩不但不會阻礙乳房內淋巴液回流，反而能藉著遠紅外線的「微距」按摩作用，促進淋巴液回流，是一個健康的好選擇。

最後，要特別請愛美的女性們注意，許多人出門時爲隱藏其豐滿的體態，常穿緊身束腰服裝。如此一來，不但正常的胃腸蠕動受影響，還妨礙到腹腔臟器的血液循環，影響腹式呼吸，不利於機體的新陳代謝，從而出現頭痛、頭暈等症狀，痛經或月經不調也與此有關。長期穿著緊身束腰的服飾，會造成腹內壓增高，壓迫膀胱，使尿道與膀胱連接處的生理性角度增大，不利於排尿控制。這也許是女性比男性更多罹患泌尿系統疾病的原因之一吧！

日本婦女穿和服時要繫腰帶，對局部產生的壓力最高可達 $160g/cm^2$，以至於影響到腰、腹部內臟各器官的位置、形狀、生理功能及疲勞程度。西歐女性過分追求束腰服飾，結果產生了一種「緊腰衣型肝病」，愛美的女性，不可不慎！

至於理想的衣服呢？最好是給人以沒有穿衣服的感覺，對人的行動沒有約束，不影響發育，不妨礙呼吸，夏天能透氣，冬天能保暖。我自己是喜歡穿著遠紅外線和負離子的衣服，尤其在天寒地凍的北國，優質的遠紅外線衣服是棉的 3 倍暖，一身輕省行裝走遍大江南江，好是自在！（不過，現在連日本政府都提出警告，要消費者小心，劣質的遠紅外線製品和假的負離子產品正充斥市場。）

李蓉珍　（台灣苗栗）

◎從此遠離癌症了

首先我自我介紹，我姓李，名字蓉珍，今年 48 歲，我在民國 90 年 5 月時，發現右邊乳房長了一個 2 公分的大腫瘤。後來接受手術拿掉，醫生判定為惡性腫瘤，因為早期發現，所以繼續做電療 3～5 次。隔半年後，又發現左邊乳房長一個 0.5 公分大的腫瘤，於是又動手術拿掉，但是此次就很不幸地蔓延到左邊下淋巴，所以醫生判定為二期初，醫生沒有割掉我的乳房，他建議我做化療六次，電療35次，以後每3個月回院追蹤檢查一次（而我從90年到現在，都在服用抗荷爾蒙的藥，早晚各一粒）。怎知2003年一月以後，我每天頭痛，血壓增高，早上起床頭暈，無所適從，很痛苦。本來我每週都要上三天瑜伽課，也因此無法上課；每次上瑜伽課時，我做一個動作，整個房子都像在旋轉，無法站立。經過好朋友介紹，借我林教授的錄音帶聽，我聽了以後，覺得我需要身體整頓，於是到書局，購買《無毒一身輕》。當我看完書後，馬上購買植物酵素，臭氧機（果菜機），同步實施排毒餐，我5月17日開始食用，當時的血壓高160低100，到7月9日共53天，血壓已恢復高110-120／低60-70左右，而我7月2日到醫院追蹤檢查，醫生說一切正常，我覺得這排毒餐，對我的幫助太大了，我決定一輩子就照此方法，食用下去。我相信，我會永遠遠離「癌症」，我會愈活愈健康。

我深信只有生過大病的人，才會知道健康的可貴，在此很感謝林光常教授，因這本書真的救了我，我曾經對生命的無望而放棄鬥志，甚至絕望，現在我覺得我整個人很清爽，對人生又有生命力、活力，同時感謝林伯伯的教導，真是謝謝你們了。

廿三、精神重創、情緒劇變

我個人的觀察發現：一個快樂或痛苦的人，或是一個成功或失敗的人，他們一生所遭遇的事，多半差不多。最後，造成人生結局大不同的原因是在於人們遇事處理的態度與模式，而這方面又和個性有關連。

曾有學者觀察，個性中有明顯失望和自卑傾向再加上子宮頸抹片異常的婦女，最後大多數都發展成子宮頸癌；肺癌與心情壓抑且無良好管道宣洩之性格表現有密切關係；乳癌則與無法解決的悲愁有關，尤其是近親好友之間的矛盾衝突難以化解，或不願化解。

英國有一研究機構研究隨訪一組乳癌患者，發現悲觀失望、情緒抑鬱者比樂觀開朗者存活時間短，也易復發。同時研究顯示：青少年時期遇情感創傷深者罹患癌症比例比少受或未受情感創傷者高得多，而易擺脫情感創傷者比難擺脫創傷者的患癌可能性低。

美國癌症機構直接指出，大多數的癌症由性格所致，故稱此類性格爲「癌症性格」。簡言之，就是長期處於抑鬱精神狀態下的性格。這類人多數個性較內向，表面看來一切都好，從不與人發生正面衝突，逆來順受，承受一切。但是，實際上他的心中早有千百個不願意，只是沒表達、沒拒絕而已。人若長期處於這種壓抑狀態，免疫系統就無從正常發揮，甚至反而會損壞人的免疫功能，使得癌細胞獲得壯大的條件。

曾有學者彙整出四種「癌症性格」——①善感多疑，情緒抑鬱。②易怒急躁，承受度差。③沉默內向，對事物冷淡。④脾氣古怪，性格孤僻。親愛的讀者，你和你的親朋好友中有上述癌症性格嗎？有的話現在就改變，還來得及。

人生在世，不如意十常八九。有些人常因一些生活瑣事而煩心，惱怒，甚至暴跳如雷。此時身心靈都可能受到損傷。美國知名精神科專家雷德福・威廉斯教授研究發現，憤世嫉俗且易怒的人，比性格沉著冷靜而信任別人者，死亡的可能性要高出 4 倍。因爲對人多疑，警戒心重的人，一被激怒和心煩意亂時，往往失去自制力、性情急躁、傲世輕人，動輒怒火中燒、好發脾氣，從而引起體內腎上腺素等荷爾蒙大量釋放，使人呼吸急促、血管收縮、心跳加速、肌肉緊繃，而且語音高亢。甚至會產生敵視心理和挑釁行為，導致冠狀動脈急劇收縮，再加上血液黏滯性升高，血小板凝集功能增強，結果就容易引起突發性腦血管病變，甚至猝死。君不見，在台灣的民意代表，許多人都是這樣死的嗎？

壞情緒只要 20 分鐘就會被污染，這是美國密西根大學心理學教授詹姆斯・科因的研究成果。他說，在社交生活中，個人情感對其他人的情緒有著極大的傳染作用。尤其是你喜歡或同情某個人，你就特別容易受到那人的情緒影響，而且只要 20 分鐘，就會被感染。

美國洛杉磯大學的教授加利・斯梅爾經長期研究也發現，原來心情舒暢、開朗的人，若與一位整天愁眉苦臉、抑鬱難解的人相處，不久也會變得沮喪起來，一個人的同情心和敏感度越強，感染上他人的情緒就越容易，而且，這種傳染過程是在不知不覺中完成的。在家庭中，有人情緒低落，他們的配偶也最容易出現情緒問題。這正說明了「一人病，全家累」的另一種原因。

到底心理因素是如何影響健康和引發癌症的呢？近年許多的醫學研究已經發現：心理因素導致癌症是緩慢地，靜悄悄地透過中樞神經系統，內分泌系統和免疫系統三方面發生的。其實每個人的細胞都有可能因受體內外因素的影響而引起基因突變產生癌變細胞，但是在大腦皮層的調節下，透過內分泌由免疫系統來監視和識別，癌變細胞可隨時被N.K.細胞吞噬掉。換句話說，在正常情況下，癌變細胞會隨生隨滅。但是，一旦心理失衡，長時間的焦慮抑鬱，精神緊繃、神經緊張，就會導致中樞神經系統和內分泌系統的功能大亂，機體的免疫功能被削弱，失去了對癌變細胞的監視和識別能力，癌變細胞就會迅速分裂、增殖，形成腫瘤。所以親愛的朋友們，記得，要開心呀！

美國約翰・霍普斯金大學健康促進中心主任黛安娜・貝克爾領導了一個研究小組，選擇 586 名 30 至 59 歲的成年人，他們都有家庭心臟病史，本身沒有心臟病，但他們的兄弟或姐妹曾在幼年時期患過此病。跟踪調查他們 5 至 12 年後，發現有 70 人在此期間受到不同程度心臟病的困擾，但個性樂觀者患心臟病的人數，僅爲悲觀者的一半。這份研究成果在美國心臟病學會發表時，研究人員最後告誡人們：「預防心臟病，多一些歡樂，要比多吃一些藥更有效。」

生命遭受難以承當之傷痛時，不妨想想聖經的這一句話——「創傷驅除邪惡，痛苦的經驗洗滌肺腑」（箴言 20 章 3 節）。

得癌症的前三到六個月，一般都有重大的「精神」事件發生。你要把它找出來！例如，很多婦女爆發癌症的原因在於丈夫外遇。如果是因丈夫外遇，引致婦女內心的苦毒咒詛，進而引發癌症，那麼便需從此處下手進行治療。飲食生活習慣，雖然讓你培養了癌細胞發展的溫床，但還不見得會病發出來。什麼時候發出來？有一個情況是，情緒上的重大打擊、劇變……蹦！一下子就引發出來！所以不管是失業啦！失親啦！失婚啦！失戀啦！失魂落魄啦！你都要去尋找出來，然後去調整，如此康復之日就近了。

廿四、性格急躁、抑鬱，思考負面

美國耶魯大學門診部對所有求診病人做病因分析發現，因心情不好而致病的占 76 %。美國某醫院對 45 名醫科大學生觀察了 30 年後發現，凡是性格上喜怒無常沉湎在個人情感中的人，有 77.3 %患癌症、高血壓、心臟病等。

上海華東醫院曾做過一系列的性格調查，結果發現，性格悠閒不好強、溫和平靜、從容不迫、深思熟慮、不慕虛名的老人，長壽者占 83 %；而性情急躁易怒、缺乏耐心、節奏快，有過分競爭心理的老人，長壽者只占 14 %。凡此種種，都說明了性格對一個人的健康或疾病，長壽或短命具有決定性的影響。而性格卻是你自己可以決定的。

什麼事都快、快、快、快！吃飯要快！走路要快！講話要快！交朋友也要快！做事業也要快！賺錢要快！花錢要快！可能得癌症也快！

年輕人喔！告訴你，許多得血癌的年青人都是性子太急！白血球根本受不了那麼急的個性；那怎麼有辦法！太急躁了。還有一種呢？壓抑！尤其是肝癌；很多都是肝氣「鬱結」。所以我常告訴癌症病人：你要把你的個性，藉著生病做調整。某天我剛演講完，一位女士就跑來說：「您講得一點都不錯，我媽媽就是肺癌……她就是有話不說！她得肺癌的『前三個月到六個月』時，我哥哥出了事情；婚姻出了問題。我媽媽就覺得：這麼好的兒子，竟然遭到這樣的生活困境……」

他媽媽就很難過、很難過；過度地悲傷、抑鬱；可是又不把話說出來。所以你看，壞女人很少得乳癌的！都是「好」女人得乳癌；爲什麼？因爲壞女人都把情緒發給別人，害人家得心臟病！所以想遠離癌症，一定要下決定改變個性。一定要改變！不改變不行！如果你不願意改變，沒有人可以幫你。我常告訴癌症病人：「我沒有辦法幫你。能幫你的是你自己；你要想一想你的個性，到底在哪些方面需要調整？這才是根本之道。」

聖經上說「上帝用疾病糾正人的過失，用身體的痛苦管教他」，藉著生病的機會，改變自己，要學像「主」耶穌！像耶穌那樣，該「溫柔」的時候溫柔，該「剛強」的時候剛強。

知道什麼時間，做什麼事情。我眞的感覺，得癌症的人，大部份都是好人。（我不是說沒有癌症的人，都是壞人！沒有這個意思，你不可以反過來說喔！）眞的是因爲他們就是太「好」了，以致於不懂得拒絕。

所以你需要一些好朋友！什麼叫「好」朋友？就是你有什麼話，都可以講給他聽，他也知道你講的都是「廢話」，而且呢，也不會把你講的話傳出去！有一個出口才安全。藉著生病，改變個性吧！

我們也要學習把信心重建起來，把希望再找回來，使我們有勇氣去面對生命中所遭遇的一切事件，我們除了身體有毒外，心理也有毒，而且更甚於身體的毒，如恐懼的毒、抱怨的毒、憂慮的毒、仇恨的毒……等。有時候我們看見有些人病總是好不了？奇怪！該做的事都做了，身體還是沒好……。後來發現一個很重要的原因，因爲他心裡有一種「潛藏」的「恨意」。

他不能寬恕，他不能讓這些「該過去」的事情過去。如果我們想要獲得身體的健康，我們也要把心裡仇恨的毒，把它排掉！到底有什麼人，是我們不能原諒的？什麼事是我們過不去的？要讓它過去！如果你不讓它過去，還留在你的生命裡頭，你就永遠不會有眞正的平安，不會有眞正的快樂！午夜夢迴的時候，想一想，使你感覺到很強烈的痛苦、失落是什麼？讓我們用「信心」來驅逐「恐懼」；以「寬恕」來代替「仇恨」。

在醫院裡，有次見到兩姐妹來看病，妹妹就說：「像我姐姐這麼好的人，怎麼會得乳癌呢？」我就回答：「壞女人很少會得乳癌的！」就是因爲她太好了，什麼事情她都放在心上，她寧願自己吃虧，寧願自己受到傷害，也不願意表達出來。結果受到很大的傷害，可是她心裡面又不是眞正這樣願意……她不能把她眞實的自我活出來！她不能把她自己眞正的意見表達出來。

萬事互相效力

我覺得我們華人，大都缺乏情緒表達的教導和訓練。在家庭、在學校、在社會，我們都沒有學會如何表達我們的情緒。當應表達而沒有表達的情緒不斷累積，就成了毒。我承認，有一些事情我們就是沒辦法「過去」；有一些人，就是恨死他了，絕對不容許他好過！你沒有辦法休息，沒有辦法放下；你就沒有辦法得到眞正的平安，你的心裡面就不會踏實。其實這很可能是你靈裡面的情形。許多與靈有關的問題，就如我在《無毒一身輕》一書中所提的，當發現你家地板濕的時候，要記住，不要一味去擦地板，要去查看天花板；因爲很可能是天花板漏了。你把天花板修好了，地板自然就不濕了！同樣的；靈的問題是我們和創造主之間的關係。沒有把它理順，其它的關係就容易出問題。

聖經上說：「萬事都互相效力」，意思就是你在生命之中，遇到每一個人、每一件事，都是我們老祖宗說的「貴人」；他一定是對你有幫助、一定是有價值的。可是很多時候、很多事情就是「過不去」。我承認站在「人」的立場，我們做不到；就如我也受過傷害，我也一樣被欺騙、毀謗和中傷！但我後來發現，這些都「好」得無比。因爲這些事情使我們成長。所以如果有一些事情，我們想讓它過去，卻過不去！你應該祈求一個更大的力量，就是從上帝來的力量，來幫助你。

當怒火中燒，難以忍受時，我會立刻轉向神說：「上帝啊～～～我該怎麼辦？我已經快要爆炸了！求主救我！求主接掌我的情緒。」然後再告訴自己：「微笑吧！」對方原來正跟你生氣，卻發現你在笑，他知道你不是在嘲笑他，他就氣不來了！這叫做化干戈爲玉帛！我知道我們一般人做不到，有時候我們眞的恨一個人，我們就是沒有愛的能力；那麼這個愛的能力該從哪裡來？從神來，向神祈求愛那不可愛的能力吧！

此外，性格抑鬱的人，常常在思想上也比較負面，而負面思想是不利於健康的，美國威斯康辛大學的研究人員，以 52 名 57 歲至 60 歲的人進行研究。每個人均被要求回憶讓他們非常快樂的一件事，也回憶讓他們感到悲傷、害怕或憤怒的一件事。在回憶時，研究人員分別測量了腦神經的電力活動，檢查腦中左右前葉前部皮層活躍的情形。然後，每名受試者再打一針標準的流行性感冒疫苗，而這些疫苗會引發持續的免疫反應，幫助身體對抗真正的感染。

連續 6 個月的時間，52 名受試者均接受測試，研究人員測量疫苗所製造的抗體多寡，來評量疫苗的成敗。

科學家原來就知道，樂觀或正向思考者他們的左前葉前部皮層的活動量高，而悲觀或負面思考者，他們腦中的右前前部皮層活動較多。

研究人員發現，負面思考者也就是他們的右前葉前部皮層活動強烈的人，免疫反應也最差，而左前葉前部皮層反應最強的正向思考者，免疫反應則最佳。

加州大學心理學家 H. S. Friedman 教授曾提出一份有價值的研究報告。1975 年時，他在俄亥俄州劍橋市對 660 名 50 歲以上的民眾進行訪談。問卷上有許多問題，如衰老、生死等。23 年後，研究人員再回訪這些人的生死情況。結果發現，對生老病死採取樂觀積極態度者，比悲觀消極者平均多活了 7 年半。

朋友們，憂慮時，換個角度想想，也許轉個彎，就會看到另一片天！

陳子瑜　（美國西雅圖）

◎無盡的感恩

教授：

這一趟真是辛苦了，我與毓玲何德何能將您請到西雅圖來造福我們這一群人。還記得星期日最後一場辦完之後，許多人都跑來謝謝我們邀請到這麼好的講員，讓他們身心靈受惠。而我與毓玲更覺得光向您說「謝謝」兩個字都不足以表達我們心中的感激、感恩、受惠及受教的心。只有跪在神面前向神祈求，將您所造福於我們的百倍，千倍歸回到您自己、孩子、家人身上，阿門。

從來不明白為何對舉辦這次講座感覺是這麼有負擔，現在回頭來看才知道，原來是神呼召我們在您對神所看到，持守的異象上，與您同工，願我們是合用的器皿。

這次目睹到教授的溫和、謙讓，讓我們如沐春風，心中所浮現的感覺不僅是一種佩服，「心疼」更是我與毓玲的相同感受，若神預定賜福給我們一份福氣，那麼就求神賜福給您百倍，我們會這樣在神面前祈求。

願神大大地祝福您

廿五、壓力與過勞

科學界先前已發現，精神壓力會產生壓力蛋白與介白素——六（簡稱IL-6），而造成免疫系統的老化。而IL-6與許多疾病都有關連，如心臟病、Ⅱ型糖尿病、關節炎、骨質疏鬆和某些癌症，以及其它的老化毛病。

美國俄亥俄州立大學醫學院心理學暨精神科教授姬蔻特·葛蕾瑟針對119名照顧有癡呆性配偶的男性和女性（第一組），比較 106 名年齡相仿但沒有長期看護家人者（第二組）的健康發現，有照顧病人壓力的人血液中的IL-6急劇增加。

葛蕾瑟教授做了爲期6年的 IL-6測量，結果第一組的 IL-6增加率要比第二組高出4倍，甚至在患病的老伴去世三年後，第一組人的IL-6還繼續上升。這可說明長期壓力與疾病之間的關連性。美國聖路易華盛頓大學林天送教授解釋這個現象時說，「應付壓力的生理反應是人類生存的機制，即面臨外來緊急壓力時，身體必須分泌壓力蛋白去應付。但若精神壓力過大或持續過久，就抑制了免疫系統的功能，產生過量的IL-6，這便會加速老化的腳步。」

2002年年初，統一證券總經理高樹煌，到南部出席公司的尾牙餐會，酒酣耳熱之際，還上台與人共舞，下台後感覺累了，就趴在桌上，從此沒有再起來。那一年，他才53歲，死於心臟病。

台灣知名的大眾電腦前副總經理王峪玄是業界公認的幹才，年僅 42 歲就因肝癌過世。財政部金融局也有一位年輕的官員，因公文繁重，工作又認眞，經常加班到深夜，終以猛爆性肝炎結束了短暫的一生。報載，在台灣居產業龍頭地位的台塑公司一位協理級高階主管，在出席公司產銷會議結束後，返家之時心肌梗塞死亡。就連貨櫃車司機也有在公司要求出車趕運下，「基隆──高雄」南北來回連續開車達 48 小時，因心臟病發而送醫途中不治。

民意代表就更獨特了，光是最近幾年來所出現的民代任內猝死，就有多例，如立委黃河清、吳耀寬、嘉義市議長蕭登旺，還有前國大副議長謝隆盛突發性腦出血，至今未能清醒。另外據聯合報記者張正莉的採訪報導，有更多的立法委員，表面上還沒生病，但實際上在他們長期生活不規律，睡眠、運動不足，再加上不定期的應酬，不少男立委都有精神抑鬱、緊張、易怒、口苦胸悶等問題；女立委則常煩躁失眠、月經不調。

奧地利的一位內科醫生杰拉爾德・沃爾夫許茲經過長年的觀察後，對從事競選活動的人發出警告：「你們正在燃燒自己的身體。」在競選活動中，他們忙著從一地趕到另一地，吃的是「速食」，再加上持續睡眠不足，又需長期承受精神和身體上的壓力，而導致心理和生理上過分緊張。因此，很容易就出現高血壓、失眠、頭疼、疲勞、脈搏加快、肌肉收縮和消化不良等症狀。

競選結束後，只有勝出者才容易恢復健康，因爲他們體內會產生一種「快樂荷爾蒙」。而競選輸掉的一方要遭受來自黨內的指責，那壓力就更大了！

據中國國務院有關部門2001年的調查報告指出：近5年來，中國科學院及北京大學去世的134位專家教授，平均年齡只有53歲。例如，張廣厚教授是世界級的數學家，於1987年去世時，才50歲。

近二十餘年來中國大陸飛速發展，廣大女性投入市場與任勞任怨的付出，正是經濟奇跡背後的大功臣。然而根據2003年大陸華坤女性調查中心的報告顯示，94％以上的大陸女性都承受著不同程度的各種壓力。其中認爲壓力很大和比較大的占了58％。職業婦女們普遍認爲身上有六座大山不時地壓肩：第一是經濟，第二是工作壓力，第三是子女教育，第四是工作與家庭難以兼顧，第五是婚姻與感情，最後是自己和家人的健康。看來學會如何有效地處理壓力是當今極爲迫切的課題，否則，一切努力又有何益呢？

高雄長庚醫院婦產科主治醫師鄭碧華曾針對長庚醫院內1,600位女性員工進行問卷調查，結果發現職等愈高的女性，壓力愈大，陰部異常的比例愈高。研判是工作壓力導致內分泌失調；有些女性甚至因此無法工作，整天都覺得陰道分泌物不斷流出，非常不舒服，卻怎麼檢查都找不到病因，最後才發現是壓力作祟。而分泌物過多，更是經常讓女性搔癢難耐，睡不好覺，有人長期下來，簡直要崩潰了。

台北醫學大學公共衛生暨營養學院曾調查台灣、香港、中國大陸、馬來西亞、泰國、新加坡等亞洲6地，共有6,144位15至60歲民衆，以健康型態爲題進行一對一面談，完成一份極有參考價值的報告，名叫「2001 亞洲區健康型態大調查」。

調查結果顯示，覺得自己壓力「越來越大」的，中國大陸是最高比例，台灣排第二。台灣地區民眾 2001 年感知三大壓力源分別是①害怕失業（占 78 %），②憂心政治不穩定（占 73 %），③青少年犯罪（占 53 %）。顯然財務問題是最大的擔憂所在，尤其是 31 歲至 40 歲的民眾感覺工作壓力最大。

但是當兩岸華人被問及主要的「休閒活動」時，這群高壓力族的回答竟然高達六成是選擇看電視、睡覺。看來中國人眞是不太懂得排解自我壓力的族群。

過勞死 10 大信號

日本名古屋大學 Kawamura 教授，曾調查日本中部企業的 196,775 名員工，在 1989 － 1995 年 6 年間，沒有受傷但猝死的情形，這篇精彩的論文曾在 1999 年歐洲心臟學雜誌發表。他發現：在日本，四月是每年衝鋒陷陣開始的月份，也是猝死發生最多的月份。這些人死於周日的最多，周六則次之。一天當中以死於凌晨 0 點至 3 點最多。令人費解的是，死亡地點，多數並不是在工作場所。

過勞死不僅在日本企業界赫赫有名，就連公職人員也難逃一劫。例如，1998 年日本就有 15 位市長因不堪日益沉重的生活工作壓力而過勞死。其實，醫學界早有研究指出，工作壓力大而彈性空間較小的人，比工作壓力不大的人，產生致命心臟病的可能性高出 5 倍。

日本過勞死預防協會甚至提出「過勞死 10 大信號」，這都值得終日拚命不要命卻又想長命的現代人注意：

1.啤酒肚早早出現。

2.莫名掉髮、早禿。

3.排尿次數頻繁。

4.中年時性能力就下降。

5.記性越來越差。

6.心算能力減退。

7.情緒經常失控，做事愛後悔，愛發脾氣，煩躁不安，性情悲觀。

8.無法有效集中注意力。

9.睡眠品質下降，睡醒也不解疲倦。

10.經常頭疼、目眩、耳鳴，健檢又沒病。

若你具備上述2項或以下症狀，為「黃燈」警告期，無須擔心。具備3～5項者，為一次「紅燈」預警期，表示已經具備「過勞死」的徵兆。

具備6項以上者，為二次「紅燈」危險期，已是「綜合疲勞期」——「過勞死」預備期，那就不可不留意了。

廿六、行屍走肉，生活散漫

什麼叫行屍走肉？生活沒有「目標」是也。德國有一個醫生做了一個統計，我覺得非常有價值。他發現一個人得癌症之前一年，多數已經先失去了生命的意義；對未來已經不抱持著希望，或是有重大的人生自創。我很喜歡聖保羅說的話：「我只有一件事，就是忘記背後努力，面前向著標竿直跑」標竿譯成「目標」也可以。他說他只有一件事；什麼事？就是「專注」的精神。我覺得現在年輕人很缺乏這項精神！「專注」精神，他是很專注在「他所設立的目標」，而他這個目標，又是根據上帝所呼召他來做的事情。根據聖經所說，上帝在每一個人身上都有一個特定的計劃，是別人不能代替你去完成的，只有你能夠，也只有你才可去完成。

骨癌可能是所有癌症中，最典型與人生絕望或目標失落有關的病例。這些患者可能在癌發前一年就已經失去了人生的盼望和對自己的信心。以至於生活沒有方向，生命沒有意義，連對自己的價值看法，都極其貧乏。這種情形就是《四書》上所說的「哀莫大於心死」。這時候，運用健康排毒餐幫他的功效是極爲有限。通常我會先傳福音給他，告訴他，他和別人不一樣，上帝創造的每一個人都不同，都有特色，都有價值，而且每一個人都是獨一無二的。當病人接受這觀點後，很奇妙地，他開始康復了。因此我們要設立人生的目標，根據神在我們生命中的計劃，定下自己生命的方向。你永遠要記得！神在你身上有一個計劃，在上帝眼中你是無可替代的，你是獨一無二的，基督徒就是應該從上帝的角度來看身邊的每一個人，看出他的特殊價值來，以此鼓勵他，激發他，生命就會重新找到意義！不要罵小孩子是「猴死囡仔」、「你要死了！」、「沒出息」……他是很尊貴的、很寶貝的、獨一無二的。

對自己，對人生有了積極的看法，消極和死亡的意念（意識）就會被替換。人生種種負面的意念，都會促使胸腺加速退化，干擾T細胞的發育成熟，而抗體的反應和吞噬細胞的功能則會大大地被抑制，連干擾素的產生都減少了，以致於免疫力下降，人就易致癌，癌細胞也容易擴散。

諾貝爾獎得主英國物理學家約瑟福遜發現：測量電子環境原子核運動時，電子的軌道會受到觀測者意識（意念）的干擾。另一位諾貝爾獎得主美國物理學家威格涅在他的名著《論身心問題》中大聲呼籲：「過去物理學家不考慮意識作用，是不全面的，應該把心靈和物質結合起來研究。」衆所周知，人的身心是一體二面不可分割的，而且思想和情緒所造成的影響正是藥物所無法做到的。聖經上說：「你要保守你心，勝過保守一切，因為一生的果效是由心發出」（箴言第4章23節）。我把「心」解釋爲「思想和情緒」，正是人內在的情況決定外在的現象。

擁有明確的目標，會產生積極的意念；而積極的意念，又會激發身體的機能，如此自然有利於病體的康復。親愛的朋友們，就是現在，在今晚入睡前，找個不會被干擾的時間和地方，重新想想：

「我到底要的是什麼？」

「我的人生到底要成就什麼？」

「我想成爲什麼樣的人？」

「我最在乎什麼？」

「我當如何做才能完成人生的目標？」

廿七、勉強自己做不愛做的事情

醫學研究調查指明，知足者長壽；而經常勉強自己做不愛做的事的人，無法得到內心眞正的滿足，久而久之，心靈便會受損，從而引發身體的疾病。

根據芬蘭杜庫大學針對22,000多名芬蘭成年人所進行的調查，結果表明，對生活滿足感較高的男性更容易長壽。所謂的「滿足」是指整體而言，對生活和事業的滿足程度，包括個人的愛好和興趣是否能得到滿足，或是人們在某些情況下是否會產生幸福感或失意感。該研究指出，對生活滿意程度不高的男性與滿意度高的男性相比，因各種原因而死亡的機率要高兩倍。而且滿意度不高的男性，由於患病而死的機率是滿意度高男性的3倍。

所以勉強自己做不愛做的事是很多人得病的原因！他的個性，常常勉強自己做「不愛」做的事情；他都是做「別人叫他做」的事情、別人「期待他做」的事。英國有一個癌症專家，他治療癌症的方式很有意思，而且效果非常好！特別是那些癌症末期的病人，就是醫生說：「只能再活三個月、六個月」的人，都來找他！而且治癒率非常高！當病人來找他時，他就問說：「你的醫生說：你只能再活幾個月；請問，你還有什麼人生的夢想沒有實現？在你一生之中，你最想做的事情是什麼？什麼事情是你沒有做，死了會很遺憾的？」

有一次一位年青的女士罹患了末期癌症後來找他。她說：「想要環遊世界。」醫生就說：「很好呀！妳就去環遊世界。」那個女士說：「可是我沒有錢呀！那要很多錢耶！」醫生就說：「啊，命都快沒了，留那些錢要幹什麼？趕快把房子賣一賣！車子賣一賣！還有什麼家當，都拿去賣一賣！拿到手的錢去環遊世界！」那個女士心想：「對呀！反正我只剩三個月的壽命……我三個月後就要死，那乾脆去玩三個月！」所以，她就變賣所有的家產去玩。而且，她去玩還不要坐飛機唷！她喜歡坐船！像愛之船那種觀光郵輪，於是她就到世界上不同的國家去玩！三個月後回來。

再檢查！沒有癌症了，病竟然好了！為什麼？因為她每天都很開心嘛！可是，另外一個問題來了：沒有錢。醫生再問她說：「那妳現在想做什麼？」她就說：「我想……如果有可能的話，我想再去環遊世界！最好我就一直待在船上！」剛好這個醫生有一個好朋友，是一艘觀光郵輪的船長，醫生為這女士打了一通電話，詢問在船上工作的機會如何？對方回答：「有呀！我們要徵一個服務生呀！不過我們以前徵到的，都沒有做多久就走了。」為什麼？「因為工作辛苦，薪水少。」醫生就跟他說：「我這邊有一位很好的女士，工作辛苦，薪水少沒關係，只要能每天在郵輪上旅行，就可以！」

沒多久船進了倫敦港。這位女士就去履新職。此後，她每一次經過倫敦的時候，她都會來看這個醫生，告訴這個醫生說：

「我還活著！」這個醫生講這件事情的時候，她已經過了「十八年」都沒有癌症！

按照聖經的說法，上帝給每一個人都有與人不同的特殊才華（恩賜），你應該在神的面前尋求，然後求神聖靈來光照你，把你生命的能力，能夠發揮出來，能夠貢獻給神，服務人類，變成你的恩賜。這樣活下來，末了你就不會有人生的遺憾。我們的民族性，讓我們從小活在父母師長的期待之中。然後長大結婚生子後，又爲了孩子而活，幾乎都沒有自己的人生。我想這個是需要做一些調整，尤其是你身邊有一些朋友得癌症，一定要跟他提醒，問他看看：「你到底還有什麼最想做的？」配合排毒餐跟性格的改變，然後再加上他最想做的事情，相信病情必定大有改觀。

對於一個已經生病的人而言，情感的壓抑更會加速患者死亡。由美國史丹福大學珍妮內・吉爾塞・戴維斯博士所領導的研究團隊，針對 125 名乳癌患者所做的研究中發現，試圖壓抑自己情緒的乳癌患者可能帶給身體更大的危害。研究人員在研究應激荷爾蒙可體松中的波動情形時發現，與其他女性相比，壓抑自己情感的女性更有可能打亂該荷爾蒙中正常的平衡。

早期的研究已經知道，不平衡的可體松波動預示著癌細胞已擴散的乳癌患者可能出現早死。可體松會抑制免疫系統，研究人員認爲它可能會阻礙人體的抗癌能力。

對於一個健康的人來說，可體松水平在早晨時最高，而且傾向於在夜晚降低，但是會抑制自己情感的乳癌患者，並沒有出現正常人所出現的可體松波動現象。而且高可體松會導致患者夜晚睡眠不佳。

廿八、生活違反自然規律

據聯合國對 150 種職業分析研究後得到的官方統計數字表明：各國各行業人群中，記者工作負荷居第三位，但卻是死亡率最高的。

因為他們整天生活在緊張、快節奏以及無規律的生活中，他們最常犯的疾病有消化系統疾病，呼吸系統和心血管疾病。他們的平均壽命只有 57 年又 7 個月，往往做了一輩子卻還未領退休金就死了！

1988 年中國浙江省計經委、省企業家協會曾對 1,200 名廠長、經理的身體狀況進行抽樣，他們的平均年齡只有 30 歲，可是患病率高達 90 %。為什麼呢？工作量太重，飲食不節制以及生活不規律都是主因。

2003 年 6 月份美國國家癌症研究院的期刊報告說，值大夜班的護士得結腸直腸癌的比例，比控制組高了三分之一。兩年前他們曾發現大夜班與乳癌的關係，現在發現它也增加罹患大腸癌的機率，令人不得不重視生活習慣與癌症的關係。

另外，丹麥哥本哈根癌症流行病研究所的研究人員針對 7,035 名年齡在 30 至 50 歲，並已被診斷為乳癌的女性進行調查。他們查看了這些女性的病歷記錄以及職業。結果發現，經常上夜班的女性，例如護士或空服員，患乳癌的可能性要比上白天班的女性高出 1.5 倍，而且這種可能性隨著上夜班工作時間的延長而增大。

目前研究人員還無法確定真正的原因，但一個可能的原因被認為是，她們長期暴露在明亮的人造燈光底下。因為人造光可抑制人體內褪黑激素的分泌，而人體通常在黑夜時才會產生這種荷爾蒙。有研究指出，人體內褪黑激素含量低，不僅會刺激乳腺癌細胞的生長，還會促使雌激素的分泌，而雌激素的分泌又與乳癌的發生有關。

另一篇美國國家癌症研究所的報告也指出類似的研究結果。這篇研究是由西雅圖哈金森癌症研究中心所做，他們調查了 763 名患有乳癌的女性，和 741 名沒有乳癌的女性，結果發現定期夜間工作時間長達 3 年者，罹患乳癌的機率比非夜間工作者增加 40 %；倘若夜間工作時間超過 3 年，則罹患乳癌的機率提高到 60 %。這是由於夜間工作場所採用明亮的燈光會減少人體褪黑激素的分泌，提高雌激素荷爾蒙所致，而雌激素分泌量增加一向與乳癌有關。男性常在夜間工作，所導致的褪黑激素改變，也可能增加某種男性癌症的機率，例如攝護腺癌。

上海衛生防疫站，在觀看通宵電影的 1,033 名觀眾中，隨機調查其中 103 人的情況。結果 99 %挑燈夜戰的觀眾們都有疲倦、頭昏、心慌、噁心、胸悶和目眩等不適症狀。而且，年齡越小，出現症狀的人數越多，不適的程度越明顯。

聖經上說：「上帝安排晝夜，使日月各安其位。」又說：「上帝立了大地的疆界，制定夏季冬季。」（詩篇 74 篇 16 — 17 節）

人的生活應當依循晝夜四季的運行規律，日出而作，日落而息，飢食寒衣。否則飲食失常，日夜顛倒，必定擾亂身體的防禦機制，致使百病叢生。

廿九、體質酸化

前述錯誤的飲食方式、不良的生活習慣與消極負面的情緒等因素，都會促成體質的酸化。現在我們再舉中國大陸改革開放前後民眾飲食習慣的改變，如何影響到體質來佐證。根據北京健康教育所對北京 330 萬居民飲食習慣的調查，改革開放 20 多年來，北京居民總的膳食結構中，糧食、薯類及豆類所占的比例，已經從過去的三分之二下降到現在的三分之一，以往一個成人每餐能吃半斤糧食，而現在一天也吃不了半斤。但動物性脂肪及油脂的攝入量由過去占食物總量的 2.8 %上升到現在的 23.1 %，上升了 8 倍之多。

大量攝入這些高脂肪、高蛋白、高熱量食物的結果是，體內產生過量的酸性物質，當這些酸性物質的含量超過人體所能負荷的調節能力時，人體的內環境就開始惡化，也就是我們所謂的酸性體質。而免疫細胞只有在體液的 pH 值正常時，才能發揮吞噬和消滅癌細胞的能力。

曾有研究指出：癌細胞周圍的 pH 值是 6.85 至 6.95；但是癌細胞若在正常體液 pH7.35～7.45 之間則不易生存。而且，人的 pH 值，每下降 0.1 個單位、胰島素的活性就下降 30 %，從而增加Ⅱ型糖尿病發病的危險。何止是癌症和糖尿病，就連高血壓、痛風、動脈硬化和脂肪肝等文明病，都與肉、蛋、奶製品和現代精緻飲食——漢堡、炸雞、薯條、牛排、可樂等所導致的酸性體質息息相關。有種比喻說得好：如果把人體比做一個「魚池」，體液就是池塘中的水，細胞則是池塘中的魚，「酸」性體質就意味著「池塘」中的水已經不乾淨了。簡單地說，酸性體質給慢性病的生長提供了溫床。許多朋友吃健康排毒餐數周後，即感覺身體輕鬆了許多，並充滿了活力，這即是體質已有了很好的調整。

卅、慢性中毒

在生活中，不管是想的、說的、吃的、喝的、用的，都有可能讓我們慢慢地中毒。人體組織中，只要長期積蓄毒素，細胞就失去營養，新陳代謝也發生異常。所以糖尿病、心臟病、癌症都不是突然得的。也就是說大部分都不會突然死掉。所以生病以後不用擔心，你還有時間可以去調整。在癌症的健康講座上，我喜

亂吃＋亂喝＋亂吸→導致毒素堆積如山，排不出去→癌症發生

歡請觀衆寫「癌」這個字。

「癌」字由三個部分所組成：疒＋品＋山。部首疒的古字正是一張床，人病了躺在床上休息，舉凡與病有關的字大都以此爲部首。「品」有三個口，分別代表了「吃」、「喝」、「吸」。「山」表示累積。三部分聯合起來解說爲：若經常吃錯、喝錯和吸錯，讓這些毒素累積在身體裡面，無法排除，一旦堆積如山，最後就會得「癌症」。

舉吸煙如何致癌爲例吧！煙草在生長過程中，比其它任何植物都容易從土壤、肥料、水和空氣中攝取放射性物質，這致使煙草中含有較多的放射性核素。而釙 210 這種放射性物質又是其中危害較大的一種。這種物質會在人們吸煙中揮發，並隨著煙霧進入人體而在體內積聚，之後便不斷地放射出肉眼看不見的α射線，損傷機體組織細胞。

據估計，如果每天吸入 30 支煙，α 射線對人體所產生的年照射劑量，相當於拍攝 100 次 X 光片所累積的劑量。如此一來，組織細胞的代謝將受到影響，並可能引起基因突變，誘發並促進癌腫瘤的形成與生長。

當然，此處所謂的「吸」，不只是指鼻子的呼吸，其實我們的皮膚、頭髮都是活的，都會呼吸。時下一般人相當熱衷於染髮，殊不知染髮劑是由石油等產品經由化學方法合成的，這些鮮艷動人的染料，有些具有致癌性，還包含了對人體有害的重金屬，如鉛、鎳、汞等。染料中的化學物質被塗抹在頭皮上，經過加熱、滲透到皮膚中，很容易隨血液進入全身循環，進而影響造血機能，甚至可能引起白血病等造血系統的惡性腫瘤。2002 年 4 月時，歐盟就曾提出強烈的質疑，認爲染髮可能會導致膀胱癌。歐盟專家委員會甚至要求染髮劑業者將未公諸於世的化學成分資料提供給他們，但被廠商拒絕了。

2001 年 2 月，美國南加大研究人員在研究 1,500 個膀胱癌病例後發現，每月至少以長效染髮劑染髮一次的女性，罹患膀胱癌的機率是一般人的 2 至 3 倍。從事美髮業 10 年以上的美髮師罹患膀胱癌的機率是一般人的 5 倍。

染髮劑中的有機溶劑是引發膀胱癌的危險因子，如芳香胺類易於滲透肌膚，分解去氧核糖核酸（DNA），已有實驗證明，它能使動物致癌。而染髮劑中風險最高的一種，就是每 4 到 6 周一次，把白色髮根染黑的黑色染劑。

美容是為了健康

在日本東京有位鼎鼎大名的美容大師，名叫山崎伊之江。每年 4 月份有許多青年男女報考她所經營的美容機構，想成爲山崎大師的入室弟子。爲了取得勝利，應試者紛紛在個人的造型、化妝、髮型上下足了功夫。尤其是頭髮，幾乎每人都將它染成了金色、黃色、紫色、紅色等五顏六色。心想，如此一定能獲得大師的青睞。

結果，出人意外地，在山崎公布錄取名單的同時，並鄭重地聲明：被錄取的員工在正式上班之前，必須把頭髮顏色恢復原狀，否則一律不予任用。衆人大惑不解，爲何美髮大師不接受頂尖流行的染髮？

大師娓娓道出驚人見地，她說，以往美容與健康是被分割的，人們往往爲了美而犧牲健康。但現在不同了，正確的觀念是「美容是爲了健康」。染髮對人體有一定的危害，冷燙液屬於鹼性較強物質，它會損傷頭髮，奪去頭髮光澤。更嚴重的是鹼性冷燙液會奪去頭髮和頭皮上的氧，破壞體內的氧平衡，使人長時間因缺氧而易患慢性病。日本都立大學飯島伸子教授的調查，也得出相同的結論。愛美者，豈可不愼乎！

卅一、腎氣衰

當代中國名醫孫起元醫師認爲：人生自幼到老，是生、長、化、收、藏五個階段的波動周期，這是生理的自然規律。而推動這種規律的動力就是「腎氣」。腎氣很像近代醫學上所稱的內分泌荷爾蒙作用。腎氣盛則生長發育正常、腎氣衰則生機失調，抗病免疫功能減退。從臨床角度來看，「久病及腎」，「久病者多腎虛」，腎實爲免疫活動的根本。

《素問・痿論篇》明確指出：「腎主身之骨髓」。其功能包含了現代免疫系統骨髓的功能，即與產生免疫活性細胞、巨噬細胞、粒細胞等有關。故許多癌症腫瘤多在中年以後發生，這與腎氣衰、內分泌失調有必然關係。前述人之所以能活到 120 歲，也與腎氣充沛有密切關係。

卅二、血瘀

孫起元醫師也同時提到，人體組織中有瘀血或痰濕，就會阻礙氣血的運行，使生命的波動受到干擾。如慢性潰瘍、肝硬化、跌打損傷使瘀血積聚；慢性咳嗽或痰飲等，都能阻礙氣血的流通。這些瘀血或痰濕，日久形成了癌腫瘤的培養基地，爲癌腫瘤的孳生製造條件。

卅三、胸腺萎縮

有 20 世紀黑死病之稱的愛滋病之所以可怕，就是愛滋病毒破壞了人體裡的T淋巴細胞，而弄垮了人體的免疫功能，致使患者因無力抵抗入侵人體的病原體，如細菌、病毒等，而受感染發病死亡。

由骨髓形成的淋巴球，一部分經過胸腺（Thymus）的處理，變成T淋巴細胞，另一部分不經過胸腺的，可能在淋巴組織裡成長，稱爲 B 淋巴細胞。

T 細胞團隊由於執行任務的不同，又分爲類別的細胞：

① T 殺手細胞（T-killer）：直接攻擊並破壞異己物質。

② T 輔助細胞（T-helper, T_4）：協助其它免疫細胞產生調節性物質，如作用於 B 細胞便促進 B 細胞產生抗體。

③ T 抑制細胞（T-Suppressor, T_8）：與 T 輔助細胞相反，它們是限制免疫活動的。

還有T細胞也會產生作用於巨噬細胞的淋巴激素，負責T細胞間的相互調節，我們身體的免疫反應就是這些免疫細胞密切作用的結果。

而愛滋病毒所侵犯的就是T淋巴細胞，其中T輔助細胞的損傷比 T 抑制細胞多。而 T 淋巴細胞的減少，直接影響到 B 細胞的功能，以致於削弱了抗體的製造。人若失掉了T淋巴細胞的支持，整個免疫系統的功能就變得軟弱無力，致使病原體可以肆無忌憚地任意妄爲。人體就容易發病，以致於不治死亡。

人體隨年齡的增長，顯示出淋巴細胞的總數，特別是T淋巴細胞的數值漸降，在老年時下降到最低點，大約爲青年時期數值的一半。這是由胸腺的生長衰減所決定的。

《素問・上古天眞論》、《景岳全書・小兒補腎論》二書都曾將人的一生劃分爲幾個階段。

① 8～10 歲腎氣盛，胸腺增大；

②約 20 歲腎氣平均，胸腺發育到最大限度；

③「年 40 而陰氣自半」，腎氣漸衰，胸腺也漸衰退。

④年登耄耋，腎氣衰弱，胸腺也完全萎縮。

中醫認爲，藉由補腎，能顯著提高T細胞水平，促使抗體提前形成，促進淋巴細胞轉化，而使病得痊癒。但若胸腺萎縮，T細胞增殖能力降低，免疫監視功能下降，則容易發生癌腫瘤。

〔註：參考林建予、寇華勝所著《中醫免疫醫學》，社會科學技術出版社，P21。吳銅坤所著《認識愛滋病》，婦幼家庭出版社，P15 － P16。〕

卅四、良心有虧欠

曾有一位日本醫學心理學家，將 483 名年齡在 50～60 歲之間，被指控有貪污受賄行爲的官員，與同數量、同年齡層的廉潔官員進行了對比研究，前後時間長達 10 年。結果發現，前者（即貪官）患高血壓、腦溢血、心肌梗塞、神經衰弱、精神性疾病和過敏症的比例高達 60 %，而後者僅有 16 %。此研究表明，貪官多病，與其承受過重的精神壓力有關。

無獨有偶地，中國科學院心理所腦行爲研究中心主任林文娟教授於公元 2000 年所完成的一份研究報告，名爲《人格與癌症的心身機制及心理行爲干預》，不僅發現了癌症發病的一種機理，也爲如何能夠更好地保障人們的健康、預防和治療，提供了新的依據和途徑。

林教授在研究中發現，具有貪婪，陰險、狡詐等人格的人，其不良的「負性心境」透過人的大腦中樞神經系統活動，會影響到內分泌系統和免疫系統，直接導致肌體對疾病的抵抗能力降低，易患各種癌症。這也說明了，貪官易患不治之症的原因。

報告中還提到，指揮人體精神活動的中樞神經系統能調節免疫系統，而人體內的神經系統，內分泌系統和免疫系統是相互作用，密不可分的。可說免疫系統在人的精神行爲與健康和疾病之間架起了一座主要的橋梁。

四種心態影響

綜合研究，一般貪官有四種典型的心態，影響他們的身心狀態：

一、貪官雖然錢多，但許多來路不正或不明，天天害怕東窗事發，憂心忡忡。

二、貪官見錢眼開，唯利是圖，許多人敢怒不敢言，當然也不願得罪，對他們是惡而遠之。因此，貪官多數沒有圓融的人際關係，心中有苦卻無人可分擔。

三、貪官有錢也不敢花，有金不能戴，唯怕事跡敗露而處處防範，因此心理壓力極重，極易形成心理疲勞，導致免疫系統降低。

四、每當政府肅貪部門採取措施，或有他人因貪污而被補，尤其是和自己有關連的人被起訴，貪官們會立即處於情緒高度緊張之下，惶惶不可終日，心驚肉跳，魂飛膽寒。因而寢食難安，影響了身心健康。

還有，貪官必定需要經常說謊，掩蓋事實。而說謊更是會損害一個人的身心健康。英國一位心理學家發現，說謊與身心健康之間有著內在的聯繫，由此而引起的心理、情緒的改變，可導致中樞神經系統的紊亂，進而影響內分泌、免疫系統的功能，從而誘發多種疾病。最明顯的是神經衰弱、胃及十二指腸潰瘍，還有高血壓等。

結論

引發癌症等慢性文明病的原因雖然很多，總結歸納起來不外乎爲飲食方式、生活習慣、情緒變化、環境惡化以及人生價值破滅等重要成因。簡單地說，就是身心靈三方面，他們彼此影響，互相關連，牽一動二，善一好二。換句話說，絕大多數的成病原因都是可預防的，文明病是可以避免的。可惜世人多死在、病在無知與疏忽之中，哀哉！

我常建議想要健康的朋友們，定期對照引發疾病的這卅多因，一一檢核，看看自己的到底哪裡出了問題，找出癥結，決心改變，因爲改變會帶來醫治，快則三周，慢則四個月，最慢一年，你的身心靈各方面必能大大提升。

請看瑞典學界的研究，你就會更確信上述所提論點。

瑞典斯德哥爾摩諾沃姆醫學研究中心（NOVOM）的研究人員針對生活在瑞典的100萬移民和移民後裔進行調查後發現，20歲後才移居瑞典的第一代移民患癌症的比率，仍與他們來自的國家癌症發病率一樣高，而在瑞典出生的第二代移民癌症發病率則與瑞典人一樣高。這個結果表明，人類在20歲以前的生活環境，飲食和生活習慣，對其餘生是否患癌症具有非常重要的決定性意義。

在此特別呼籲身爲父母者，爲孩子的百年強健體魄，優質心靈著想，宜儘早以健康排毒餐爲改善身心靈全人健康的起點，只要假以時日，必可見豐碩果實結滿生命樹，共享喜悅人生。

羅禮　（美國佛州）

◎惡性腫瘤消失了

「癌」，相信每個人聞之色變。2002 年 12 月我返台參加大兒子的訂婚典禮，與好友聚餐時，突然聊到長期以來胃常悶悶的，而且胃口食欲也一直不好，由於很快就要回美國，好友便馬上幫忙掛號長庚醫院。第二天安排了驗血、驗尿、照胃鏡等檢查。報告下來後竟發現胃裡長了淋巴瘤，經抹片檢查證實是胃癌，醫生便建議做化療及切片檢查，由於消息來得太突然，加上隔天就必須搭機回美，回美後便去找了開中醫診所的好友看病，並告之該如何決定？中醫是非常反對開刀及化療，所以他熬了些中藥給我服用。在這期間，正逢奧蘭多靈糧堂獻堂禮拜，周神助牧師、師母恰巧在我們當中，我便將這件事告之周牧師和師母，他們愛羊群的心真是令我們夫婦感動，除了安慰、鼓勵外，並實際付諸行動地為我做了許多事。如：打電話回台灣請祕書從長庚調我的病歷，請幾個醫生看我的病歷及連絡林光常教授，並請駱牧師從台灣幫我帶植物綜合酵素和林教授的錄音帶及《無毒一身輕》等，周牧師、師母的積極和愛羊群的心，實在是我們應當學習的楷模。

收到植物綜合酵素及排毒餐的使用說明後，我開始每天耐心服用排毒餐並配合每小時一次的「酵素強力排毒」，效果非常好，每天早晚固定排泄，有時還 3-4 次，糞便由深色、咖啡色到黃色，使用排毒餐一個禮拜後也有許多「反應」產生。例如：胃更不舒服、血壓不穩、頭暈等，總是渾身非常不舒服，妻子很緊張，急得幾次要送急診，還好當時她帶著兒子迫切禱告，相信神是垂聽禱告的，事後我看了周師母傳真來的排毒餐使用說明，才了解這些反應都是正常的、好的，才放心繼續使用。三個禮拜過後，情形逐漸好轉，當林教授到奧蘭多在機場見到我後，第一句話便說：「你一點都不像生病的人。」林教授告訴我，我雖沒有惡性腫瘤反應，但我的肝和胰臟及脾都不太好，我仍需要好好排毒保養自己的身體。此外，食用排毒餐後，我也停止服用高血壓和膽固醇藥，直到現在我的血壓都很正常。

而使用排毒餐後，另一神奇的事也發生在妻子身上，她從年輕時就一直有血小板不足的現象，身上常莫名其妙地出現瘀青；連醫生都不敢幫她拔牙，害怕血流不止；有時做飯被刀割傷更是血流如注，手要舉起十分鐘以上才能讓血慢慢止住。碰巧那次林教授住在我家，妻子做早餐時不慎被刀割傷，但血只流了幾滴，而且是很鮮豔的顏色，不再像以前那麼暗紅色。林教授就說：她的血小板已恢復正常，而且像嬰兒血那麼純淨，因她和我一起吃排毒餐，真是感謝神的恩典。讓我們有機會認識林教授，使我的胃癌得以痊癒，相信神美妙的安排，是要幫助更多的人，藉著吃出健康，使更多的人認識神。盼我的見證能幫助癌症病患不要害怕，要有信心，「喜樂的心便是良藥」，凡事藉著禱告、祈求和感謝，將你們所要的告訴神，神所賜出人意外的平安，必在基督耶穌裡保守你們的心懷意念。

願藉此書一角感謝周神助牧師、師母為我所做的一切，以及一些愛我的牧者們為我所做的代禱，願神紀念您們，並且加上祝福！亦讓我們一起吃出健康！

附記：羅禮先生於 2003 年 9 月時，再度赴醫院檢查，院方證實其身體健康，無任何腫瘤反應。

羅禮、王翠蓮夫婦合影　美國佛州奧蘭多

第四章

健康每日七件事

「你的日子如何，你的力量也必如何。」

（申命記第 33 章 25 節和合譯本）

「人種的是什麼，收的也是什麼。」

（加拉太書第 6 章 7 節和合譯本）

古有所謂每日開門七件事，即柴、米、油、鹽、醬、醋、茶。而維護身心靈的健康，也有七件事。

你每一天，只要照著這健康的七件事去做，你就會享有健康的人生。可是，如果你每一天都做一些讓你生病的事情，那麼10年以後你可能會得高血壓；15年以後可能得心臟病、糖尿病；而20年以後就可能得癌症囉。也就是你有什麼樣的生活「習慣」，就會帶什麼樣的生活「結果」。在觀察人生百態之後發現：有些人在他的生活中，有一些「生病的習慣」；另一些人「有健康的習慣」。生病的習慣，就容易生病。健康的習慣，就能擁有健康。因此，一個人如能在幼年的時候，就養成健康的習慣，一生都能享有健康的歲月。

我發現一件有趣的事：有一些人很容易生病，後來才知道因爲他常常做「生病的事」。所以，生病是應該的。如果你想要健康，你要怎麼辦？每一天都做健康的事，那麼你很自然地就會健康。有一回聽一位百歲鋼琴家分享他的健康長壽祕訣～一位記者問：你爲什麼那麼健康？他說：「50歲以前，我照顧我的胃；50歲以後，我的胃照顧我。」可惜，我們大部份的人是，50歲以前，我「摧殘」我的胃，50歲以後，我的胃「折磨」我。唉！

聖經加拉太書第六章說：「人不要自欺，神是輕慢不得的。因為人種的是什麼，收的也是什麼。」你種什麼，你就收什麼。種豆得豆，種瓜得瓜；種「蘋果」不會得「香蕉」。而且，這裡用的是一句很「重」的話：「人不要自欺，神是輕慢不得的。」你養成什麼樣的生活習慣，你就會帶來什麼樣的人生結果。我有時候也很有興趣去探討，一個人爲什麼會命苦？其實你看他的生活模式和思考的形態就會知道這個人，命苦是「應該」的。

因爲你所種下去的，你就照著去收成。在俄巴底亞書裡也說到：「你付出什麼，你就得回什麼。」（第16章）這是不變的定律。在我們身心靈全人健康上，也是一樣的原則。你今天怎麼對待你的生命，生命就會回報你什麼。後來我就把它歸納分析、整理找出最重要的七個法則，就是我們講的健康每日七件事。每一天只要照著這七件事去做，你會發現你整個人生的狀態就會有所改變。你不妨嘗試看看，眞的會感覺不一樣！我們就來看看第一件事情吧！

涂榮成　36 歲（台灣）

◎排毒的驚人效果

我是一個腎絲球腎炎的洗腎患者，每週需接受三次的血液透析治療，來清除食物所帶來的毒物殘留（因腎臟已無法代謝）算算如此的情形已有兩年七個月之久。

2002 年的 2 月農曆年過後，開始接觸林光常教授的排毒餐食療法，剛開始因為口味太淡無法適應，但經過媽媽的鼓勵與看完《無毒一身經》這本書後，使我更有信心地堅持下去，直到同年 4 月，當洗腎室每月定期做檢驗報告時，我才發現了重大的改變。

在此附上檢驗報告三張，以便比較說明，排毒前與排毒後之差異，在此要特別感謝我的母親，為了我的身體健康不辭辛苦地一心一意照顧我，也感謝上帝的眷顧，給我這樣的方法與環境，讓我能在短短的時間內有如此重大的改善。謝謝林教授與一切關心我的同事與親友，我願分享我的個人經驗，願盡我一切所知，來分享健康的喜悅。謝謝您！

文 新 診 所

專用　檢驗報告單

期: 92.02.10　查詢編號: M69　編號: 31
名: 涂棨成　年齡: 0　性別:男

URR = 83.3%

項 目	中文名稱	結果	正常範圍	單位
能				
(AST)	GO 轉氨	8.9	0.0 - 40	U/L
(ALT)	GP 轉氨	4.2	0.0 - 40	U/L
	鹼性磷酸	71	35 - 135	U/L
n	白蛋白	4.0	3.5 - 5.5	gm%
能				
	尿素氮	↘78↑	5.0 - 23	mg%
nine	肌酸酐	16.0↑	0.5 - 1.3	mg%
icd	尿酸	11.0↑	2.5 - 7.0	mg%
	AD	13	5.0 - 23	mg%
質				
	鈉	139	135 - 155	mEq/L
ium	鉀	4.9	3.5 - 5.5	mEq/L
n	鈣	11.5↑	8.5 - 11.0	mg%
orus	磷	6.2↑	2.5 - 5.5	mg%

顏色說明:正常藍色高值或低值紅色　Examiner:　長元醫事檢驗所 劉正偉
用美國 CIBA-CORNING 全自動電腦生化檢驗系統　機構代碼9417051578

文 新 診 所

病歷專用　檢驗報告單

檢查日期: 92.03.04　查詢編號: M69　編號: 48
受檢姓名: 涂棨成　年齡: 0　性別:男

URR = 82

檢 查 項 目	中文名稱	結果	正常範圍	單
肝功能				
G O T(AST)	GO 轉氨	10	0.0 - 40	
G P T(ALT)	GP 轉氨	8.0	0.0 - 40	
ALK-P	鹼性磷酸	69	35 - 135	
Albumin	白蛋白	4.3	3.5 - 5.5	
腎功能				
B.U.N.	尿素氮	↘62↑	5.0 - 23	
Creatinine	肌酸酐	13.6↑	0.5 - 1.3	
Uric Aicd	尿酸	8.7↑	2.5 - 7.0	
B.U.N	AD	11	5.0 - 23	
血脂肪				
Triglycerol	中性脂肪	244↑	30 - 200	
Cholesterol	膽固醇	170	130 - 230	
電解質				
Sodium	鈉	138	135 - 155	
Potassium	鉀	5.5	3.5 - 5.5	
Calcium	鈣	10.8	8.5 - 11.0	
Phosphorus	磷	5.6↑	2.5 - 5.5	

報告單顏色說明:正常藍色高值或低值紅色　Examiner:　長元醫事檢驗所 劉正
本所採用美國 CIBA-CORNING 全自動電腦生化檢驗系統　機構代碼94170515

文 新 診 所

病歷專用　檢驗報告單

檢查日期: 92.04.07　查詢編號: M69　編號: 35
受檢姓名: 涂棨成　年齡: 0　性別:男

67.9
URR

檢 查 項 目	中文名稱	結果	正常範圍	單位
糖尿病				
Glucose AC	飯前血糖	87	70 - 110	mg%
肝功能				
G O T(AST)	GO 轉氨	12	0.0 - 40	U/L
G P T(ALT)	GP 轉氨	7.8	0.0 - 40	U/L
ALK-P	鹼性磷酸	74	35 - 135	U/L
Bilirubin Total	總膽紅素	0.5	0.2 - 1.2	mg%
Bilirubin Direct	直接膽紅素	0.1	0.1 - 0.5	mg%
Total Protein	總蛋白	7.4	6.5 - 8.7	gm%
Albumin	白蛋白	3.8	3.5 - 5.5	gm%
Globulin	球蛋白	3.60↑	2.5 - 3.5	gm%
腎功能				
B.U.N.	尿素氮	↘53↑	5.0 - 23	mg%
Creatinine	肌酸酐	13.0↑	0.5 - 1.3	mg%
Uric Aicd	尿酸	8.7↑	2.5 - 7.0	mg%
B.U.N	AD	17	5.0 - 23	mg%
血脂肪				
Triglycerol	中性脂肪	341↑	30 - 200	mg%
Cholesterol	膽固醇	161	130 - 230	mg%
電解質				
Sodium	鈉	141	135 - 155	mEq/L
Potassium	鉀	5.2	3.5 - 5.5	mEq/L
Calcium	鈣	10.6	8.5 - 11.0	mg%
Phosphorus	磷	4.6	2.5 - 5.5	mg%

報告單顏色說明:正常藍色高值或低值紅色　Examiner:　劉正偉
本所採用美國 CIBA-CORNING 全自動電腦生化檢驗系統　機構代碼 [illegible]1578

第一件事

「你們清晨早起，夜晚安歇。吃勞碌得來的飯，本是枉然。惟有耶和華所親愛的，必叫他安然睡覺。」

（詩篇 127 篇第 2 節和合譯本）

> ⊙ *每天晚上 9 點到 11 點之間，熄燈就寢；放下生命的一切憂傷。*

爲什麼現代人身體這麼差？多數現代人都不是在睡眠中走的！（這才叫壽終正寢。）現代的人，多數都是病死的！而且常在生病以後病死的。從生病到死亡，有的眼睛瞎了，有的胃割掉了，有的心臟裝了機器，有的是腸子剩一半了；還有人是「截肢」。這個在古代來講，叫做凌遲而死，也就是「不得好死」。亦即身體沒有辦法保持「全屍」。現代慢性病它有一個重要的起因，就是睡眠的品質不好！你可以 10 天半個月甚至 40 天，只喝水不吃食物；照樣可以活下去！可是，你只要有五天不睡覺，命就可能送掉了！

台灣曾有一篇報導，說一個年青人在網咖裡面打電玩；連打了 54 個小時，最後身體不適，暴斃死亡……。說實在的我們現在有更多人在「慢性自殺」：以前晚上 11、12 點「唱完國歌」就沒有電視節目了；但自從有了錄放影機之後，每天看完電視，還要看錄影帶；再來更糟糕了，有線電視台是 24 小時播放！更嚴重的呢？有了互聯網（internet）以後，白天上網太擁擠，半夜上網才能飆速！你看現代人的睡眠怎麼有好品質呢！

睡眠不足，危害更甚煙酒

睡眠不足，將危害自己和他人的生命。這不是危言聳聽，一份由澳洲雪梨南威爾士大學所做的研究指出，每天睡眠不足 6 小時的人，極可能發生意外，因為睡眠不足對人體功能的影響與酒精中毒產生的作用是一樣的。簡單地說，睡眠不足對身體的影響，並不亞於酗酒，甚至更嚴重。

睡眠不足或睡眠受到干擾的人，他們的正常和準確思維能力以及行動和反應能力都會受到嚴重影響。一個人連續 18 個小時不睡覺與飲酒達到法定限度是一樣的。在美國所發生的交通事故中每三起就有兩起與睡眠不足有關。故睡眠不足不僅會影響到個人，對社會也會造成危害，對他人也形成威脅。

有一些人是很想睡，可是睡不著！最嚴重的問題就是「很累、很想睡，但睡不著！」奇怪！很累應該很好睡才對呀。這是一個很矛盾的現象。如果你有這個現象，表示你的肝已經嚴重受損。不過，因為肝沒有感覺神經，所以你沒感覺肝在哭泣！很多時候我們身體出狀況、一些症狀是上帝給我們「提醒」；是上帝給我們的管教。「要注意！你再不注意！就有大問題要發生了！」有一篇報導說，台灣每一天有 200 萬人睡不好覺，得靠安眠藥才能過生活。

可是對安眠藥一旦產生依賴性，會引發更多的問題，就更睡不著。所以睡覺對健康而言，是頭等大事，但是我們很多人不知道該怎麼睡。這很麻煩！睡覺不是本能嗎？怎麼不會睡呢？

一天從晚上開始

當我讀創世紀第一章的時候，看到上帝的創造，我發現世人對睡眠有很嚴重錯誤的認知。創世紀第一章裡面講到神的創造過程裡；神說：「有晚上，有早晨。」這是第一天。「有晚上，有早晨。」這是第二天。「有晚上，有早晨……」這一個詞，一直重複出現！就是「有晚上」、「有早晨」。爲什麼要一直強調？因爲猶太人的一天，不是從早上開始，而是從太陽下山以後開始。創世紀第一章，「有晚上……有早晨……」意指我們的一天，是從休息和睡眠開始的，是從「晚上」開始的！

一天，是從睡眠開始，而不是從勞動開始的。因爲你晚上有了很好的睡眠，才確保了你白天有很好的體力、活力和精力。可是，如果你不重視晚間的睡眠，你白天的工作能力就難以發揮。你有沒有發現，大多數的人很重視白天工作，很努力去衝刺；但是一到晚上的時候，好像能夠拖到多晚睡，就儘量拖！很捨不得睡！（這是很嚴重的問題！）如此對睡眠的重視程度是相當不足的。

曾有一個針對年青人的科學實驗，讓他們連續一周每天只睡4個小時，這些年輕人的血糖值竟然降低了30%，幾乎和糖尿病患一樣。這是由於睡眠失衡造成胰島素大量喪失，使得壓力荷爾蒙升高的結果。而這種身體狀況還會導致肥胖、高血壓以及記憶功能受損。

瑞典的一項研究顯示，睡眠較少的男性比睡眠充足男性的健康程度要差5-6倍，女性則爲3.5倍。可見睡眠充足的人，不僅身體好，而且也因抵抗力強而活得長。

子時午時最關鍵

當我們熬夜時，首先傷到的就是肝和膽。中醫裡認爲我們一天之中有兩個時段是最重要的睡眠時間：一個是子時，一個是午時。依中醫的看法，這兩個時辰，正好是我們骨髓造血的時間。如果這兩個時辰你有很好的休息，很自然你就會精力充沛。

多年來，我一直都保持一個習慣，一到晚上 11 點，一定是風吹雷打不動——睡覺！午時的兩個小時裡面，也至少有半個小時完全放輕鬆。午時，就是中午 11 點到 1 點；子時就是晚上 11 點到 1 點。譬如說在中午時，如果有可能，建議大家盡可能在 12：15 以前用完午餐。12：15 到 12：30 分，這 15 分鐘，做一些跟你上午工作「沒有任何關連」的事情。然後，在 12：30 到 1 點甚至到 1：30，這 30-60 分鐘完全用在休息、放鬆。

據 2003 年 6 月份《自然神經科學》期刊所刊載的一份由美國哈佛大學心理學團隊所做的實驗結果顯示，午飯之後好好睡上 60 至 90 分鐘，可以提神醒腦，等同於夜間睡 8 小時。白天不准午睡的受測者到晚間時其腦力呈下降情形，而睡午覺者在晚間記憶力仍能恢復；同時，午睡也使夜晚睡眠的益處更為提高。實驗第一天有午睡的受測者在 24 小時之後的記性，比未午睡者強 50%。我的看法是午睡很好，但超過 60 分鐘，則不太好。美國睡眠專家羅斯凱恩也認為午睡不應超過 45 分鐘，否則會顯得懶洋洋。不過即使只是小睡 5 分鐘或 10 分鐘也都有相當的功效。

一項關於長途飛行員的研究顯示，一組飛行員小睡 40 分鐘，另一組則完全沒有小睡，結果有小睡的飛行員工作表現提升了 34%，而且，精神狀態 100%清醒。美國航空總署的研究人員也證實，駕駛員在夜間飛行時很難保持精力集中，儘管在飛行前已有充分的休息。但是，若駕駛員有疲倦感時，只要小睡 20 分鐘，那麼在夜間的其餘時間就完全可以保持在清醒狀態。

知名的卡爾加里睡眠研究所主任亞當・莫斯科維奇即建議，消除日常生活心理緊張的最好藥方，就是每天睡 20 分鐘的午覺。忙碌的現代人啊！不妨試試看吧，這可是完全免費供應！

振興醫院精神科主治醫師嚴烽彰說，人的生理時鐘一天有兩個時段腦部會分泌褪黑激素，對睡眠有幫助，一次是晚上 11 時至 12 時；另一個時段是下午 1 時至 2 時，所以中午的確適合小睡一番。

此外，中午小睡時，最好儘量躺著。因爲近代醫學發現一個人躺著時，比坐著的時候，血回流到肝多 40%。爲什麼我們有很好的體力、精力坐在這裡？因爲我們的心臟把血送到全身去；那麼血在送到心臟之前，要先經過哪裡？答案是經過肝。肝把這個從脾收集來的血液，處理乾淨以後，再送到心臟去。經由心臟再將乾淨的血液送到全身。因此，若你等一下看書看到一半睡著了，就表示你的血已經不夠了。

致命的「猛爆性肝炎」所引發的敗血症，就是因爲肝已經不能製造出乾淨的血液將之送到心臟，送到心臟都是髒的血液。這個髒的血液一旦送到全身，就會引發敗血症。你看肝是多麼重要！有時候，即使你全身壞光了，只要肝還好的，那你還有救！這個肝實在是太重要了！你應特別謝謝它！但它也常被你虐待地很嚴重。所以我們眞該向肝道歉！

不過，更了不起的，還是中醫老祖宗在兩千年前的《黃帝內經》就講：「臥則血歸於肝。」也就是說，當你睡「臥」的時候，血就回流到肝去。我知道有一家公司都是用原木來裝潢，進辦公室的時候，還必須脫鞋進入。中午時間一到，11：45 到 12：15 這半個小時用餐；然後有 15 分鐘的時間，是隨便他們做些跟上午工作無關的事。12：30 到 13：00，除了總機接電話以外，辦公室熄燈。男生一間，女生一間，全部躺下來睡覺。他們原本有很多身體不好的同事，都說到這裡上班，賺到了「健康」。

清晨早起，夜晚安歇

詩篇第 127 篇第 2 節說到：「你們清晨早起，夜晚安歇。吃勞碌得來的飯，本是枉然。惟有耶和華所親愛的，必叫他安然睡覺……」NAS的譯本寫道：「甚至在神所愛的人睡著的時候，神也賜福給他……」能夠安然睡覺？這是什麼？這是祝福啊！這是多大的福氣？我想失眠的人最能體驗這句話。

當耶和華所親愛的人睡覺的時候，神依然賜福給他。是說我們在睡覺的時候，神正在賜福給我們。我們睡覺的時候，神並沒有睡覺。所以當我們早上起來的時候，神已經爲我們工作一整夜了。而我們早上起來開始工作的時候，只是加入了神的工作。你、我不是起始者，我們是過程的參與者，這觀念非常重要！我們不是開創的，是神已經先爲我們開路了。我們只是「加入」神所做的工作。建立這樣的觀念後，當你遭遇人生挫折，面對失敗、困難或患難時，態度就會不一樣。

在我們有限生命中所遇到的事情；都不是偶然的，必定是對我們生命有益處的，因此要感謝，除了感謝，還是感謝。因爲不是對我們有益的不會臨到我們身上；你放心。各位你知道爲什麼年輕人容易得血癌嗎？很多急性血癌的患者都是年輕人，而且他們常有一個共同的特性。能力很強，但是性子很急；什麼事情都要快！賺錢要快，花錢也要快！談戀愛要快，結婚快；離婚也快！吃飯快，走路快，講話快；然後得癌症也快！

聖經給了我們一個很重要的提醒：「你們淸晨早起，夜晚安歇，吃勞碌得來的飯，本是枉然……」這邊講到一件人生很無奈的事情；枉然，做白工、白做了。什麼事情是枉然的事情？你每天早上起來，你出去工作、出去衝刺，爲了你一家大小付出無數的心力，養家活口，夜晚回來呢……安歇。你得到的是什麼？吃「勞碌得來的飯」，這是你的結果。但是這個結果是什麼？本是枉然！

我看很多人都是這樣，他人生就是這樣；每一天早上很努力地起來，衝啊！殺啊！工作！然後，你問他爲什麼要賺錢？因爲要繳房屋貸款，那爲什麼要繳房屋貸款？因爲回家有個地方好住好睡!那你爲什麼要睡覺？因爲早上起來才有體力去工作。那你爲什麼要去工作？因爲要賺錢。那你賺錢是爲什麼？因爲要繳房屋貸款。你繳房屋貸款做什麼？晚上回去有地方睡覺，睡醒了吃足了才有體力、精力去上班。上班做什麼？賺錢……

有人將這樣的人生叫做織布機的人生。你看這個人生多可憐。結果是什麼？枉然。許多人是這樣的人生。記得你的「一天」不是從早晨開始，是晚上開始。但人的一生光有自己的努力奮鬥還不夠，你需要神；你需要創造天地萬物的主來幫助你。

現在，二、三十歲得癌症的人越來越多，尤其是大腸癌跟肝癌。他們都有一個共同的特色，就是熬夜。如果我們說抽煙喝酒對身體的傷害是很大，那麼熬夜對身體的傷害，遠遠超過抽煙喝酒。所以聖經給我們規定的生活模式，是從休息和睡覺來開始你的一天。而我們絕大多數的人是「日夜顛倒」。現在年輕人在網咖裡面，可以待上三天三夜。而且光台灣，每一天，迷戀在網咖的年輕人，竟然超過 30 萬人……你看那是多大的問題！多可怕的隱憂！

失眠 23 元凶

忙碌的世界，我們最需要學習的是安靜、休息與放鬆。這是生命中最重要的定律之一。

每夜 9 點之後，就進入到休息的狀態；盡可能就不要再勞累；在 11 點就寢。如果無法在晚上 9 點開始休息，11 點進入睡眠；那麼在中午 11 點到 1 點之間，就要有充足的休息。所以健康的第一件事就是「每一天，都要重視你的睡眠。」也許你會想說：「光常啊，我知道啦！睡覺很重要；但我就是睡不好嘛！」下面我歸納了失眠的 23 元凶，讓我們先將「偷取睡眠的盜賊」

抓出來，再有效對治，相信會有利於你的一夜好眠～

⑴**觀念不正確：**每個人睡眠時鐘不同，無通用模式。如愛迪生睡 4hr，而愛因斯坦則要睡 8hr 才夠。

⑵**睡前看電視、報紙。**

⑶**睡前胡思亂想、計劃滿檔。**

⑷**躺在床上、說話、唸書、講電話、吃東西。**

⑸**睡前飲酒飽食：**茶、咖啡、香菸、酒、可樂。

⑹**開燈睡覺。**

⑺**當風而睡：**冷氣直吹，頭部血管收縮，導致血量減少，頭部疼痛。

⑻**蒙頭大睡：**CO_2 增高，O_2 減少，空氣混濁。

⑼**睡中忍尿忍便。**

⑽**張口呼吸睡覺，尤其鼻過敏者。**

⑾**白天睡太多，不活動。**（銀髮族最明顯）

⑿**怕睡不著，愈睡不著；**努力、認真去睡最糟糕！

⒀**睡醒周期障礙：**如輪班制、時差。

⒁**身體不適：**如疼痛、心臟疾病、呼吸道。甲狀腺功能異常、糖尿病、腦神經……等。

⒂**藥物引起失眠：**如類固醇、降血壓藥、安非他命、支氣管擴張劑、化療藥。

⒃**心情：**特別令你生氣或高興的事，憂鬱症、躁鬱症、焦慮症、精神分裂。

⒄**寢具不恰當：**如化纖的材質。

⒅**旁邊睡的不是你愛的人。**

⒆**穿戴衣物，**造成身體無法真正放鬆，如穿著胸罩睡覺。

⒇**白天無目標，夜晚無好眠。**

(21)**睡姿不良，**如手置腹部，有壓迫感不好睡。

⑵噪音，包括有人打呼，影響你的睡眠。

⒇睡床周邊太多電器插座、開關、電線等，導致電磁波干擾睡眠。

一夜好眠 23 招

緊接著我們再來提供一些讓你睡好覺的方法，不妨姑且一試，反正也不會有損失～

⑴晚上睡覺以前「泡溫泉」。哇！這個好！因爲溫泉能幫你「促進」血液循環、溫泉會幫你「發汗」，從「裡面」發出；這時候你會感覺身體很輕鬆，而且毒素也已經透過汗排出一部份。然後，睡覺的時候你就會很安穩……家中有溫泉嗎？沒有！那不就白講了！其實溫泉你也不要太相信。你看溫泉池旁邊都有一排字：「凡是有性病、皮膚病者，嚴禁入池」但有性病、皮膚病的人心想：我就是有這個病，才來的啊！所以，去泡溫泉要小心啊！

最好的方法是什麼？住到溫泉源頭旁邊，然後把溫泉引到你住的地方來；這個最好！台灣很多溫泉，中國大陸也很多溫泉，不過美國好像很少地區有溫泉，而且也不是每個人都有能力搬到溫泉區居住。那麼「講了老半天還是沒有用！」我現在就提供一個方法，跟溫泉的效果是很接近；每個家庭都可以做的，而且很便宜喔！就是你去買海鹽，一種沒有精緻加工的粗鹽。約裝吃飯的「小碗」一碗，然後倒入熱水中。最好再裝上除氯接頭，確保水中的氯能消除掉，否則對身體不利。

這個熱，要是你能承受的最高熱度，跟鹽混在一起；它所釋放出來的能量，就和溫泉很接近。溫泉爲什麼有這麼大的療效？一般我們用水煮蛋時，是先熟蛋白再熟蛋黃；可是溫泉煮蛋，是先熟蛋黃再熟蛋白……因爲溫泉的熱能，是從裡面往外面熱；但一般的熱，是由外而內。市面上常見的蒸氣浴，那就是由外而內的熱，尤其那水質，如果又有氯的話，就應避免！否則吸了更多的氯進去，身體反而遭殃了。

此外，建議大家浸泡時先做「半身浴」：坐在浴缸裡面，水約到肚臍就好。當然，如果你的心臟比較好，水位只要不超過鼻子都可以。

剛開始泡 5 到 10 分鐘就好，因為你的血液循環會加速、心跳會加快，所以剛開始泡 5 分到 10 分，慢慢可以增加到 15 到 20 分。這個方法很有效，非常地有效！和溫泉一樣，血液循環會很順暢！尤其對末梢神經的循環。有人說：「這樣一碗鹽，就泡一次哦？」當然你們家如果感情好浴缸也夠大，全家一起泡啊！如果浴缸不夠大，那就一個、一個泡。不過，不愛乾淨的最後泡。有香港腳的，就自己泡吧！

⑵**白天有固定而規律的運動**：尤其是能夠流汗的運動，更有助於夜間的睡眠。為什麼很多人晚上睡不著？因為他白天睡太多！白天沒事做嘛，一直躺在那邊，那晚上怎麼睡呢？所以你白天一定要去動！在太陽下活動！多流汗，多健康。

⑶**睡覺前做一些「睡覺」的事，有助於你的睡眠**。也就是說睡覺前，不要做不利於睡覺的事，例如，睡前吃太飽或太餓，吃甜食或油膩食物，尤其是經油炸處理過的肉類，還有咖啡茶或煙酒，都不利於睡眠。什麼叫睡覺前做一點「睡覺」的事呢？譬如說整理床鋪，這個很好！是準備睡覺的事情！而睡覺前「看電視」，就是影響你睡覺的事！我們用微波爐的時候，都知道不要靠微波爐太近，因為知道有輻射嘛！那微波爐才三十秒、一分鐘耶！而且任何食物只要經過微波爐，都只剩下熱量，而沒有能量了。所以，你今天回家以後，就把微波爐看做一個「箱子」就可以了！你知道電視比微波爐讓人更沒有警覺，「坐在電視機前幾

個鐘頭」是什麼意思？就是告訴電視說，讓你的輻射照我吧！

有些人睡不著覺，就去看電視；結果越看電視越睡不著。尤其你「躺在」電視機前面睡著時最危險！爲什麼？因爲當你睡覺的時候，你的腦波進入α波。剛開始睡眠的時候，從β波進入α波；當你一進入α波以後，你的潛意識會照單全收。此時若電視上在演肥皂劇，裡面那些怪力亂神的劇情，自然就進你腦去了。很可怕吧！所以睡覺前千萬不要亂看！你想要有一夜不好的睡眠嗎？請在睡覺前看一些亂七八糟的電視節目，一定很有效！

我有個醫生朋友得了癌症，不過排毒餐吃的效果很好。但有一天晚上血壓突然高起來，他太太就打電話來求救：「怎麼辦，他血壓突然又高起來了！」我說：「他看電視了？」因爲他很有愛國心，一看那種是非不分亂講的節目，他就很生氣啊！有一次就氣到拿椅子砸電視！血壓豈有不高之理。所以請你睡覺前不要看電視，當然祥和的宗教節目另當別論。

不過，在晚上睡前一鐘頭，最好還是不要看電視。因爲，這時候看電視，人很容易疲倦，但是那個疲倦，又是讓你「無法睡眠」的疲倦。因爲電視輻射會干擾我們的腦神經系統。所以，臥房內各式電器愈少愈好，而且電器無論有沒有打開，只要接上電源，輻射就存在。

睡覺前還要做什麼事情，幫助你睡覺呢？養成一個習慣：熄燈睡覺。特別強調是「熄燈就寢」。爲什麼？因爲我們人會睡覺，是因爲腦部的松果體分泌「褪黑激素」，然後我們就會睡覺。很多人睡不好覺，就是因爲開燈睡；開燈睡的時候，當我們的眼睛一接觸到光線，松果體不能分泌「褪黑激素」。沒有分泌「褪黑激素」，就沒辦法入眠。爲什麼小孩子睡眠時間長？因爲他身體分泌褪黑激素特別多；爲什麼小孩子容易入眠？因爲他身體分泌「褪黑激素」的功能強！老人爲什麼睡覺時間短？因爲分泌褪黑激素少的緣故。

褪黑激素什麼時候會分泌呢？是當我們眼睛沒有接觸到光線的時候，才會通知松果體該分泌褪黑激素了。可是很多人卻喜歡開燈睡。前陣子一則醫學報告說「經常開燈睡的人，免疾力會比較差；松果體會老化得快。而且這樣的人，得癌症的機率特別高。」那你說：「我半夜起來上廁所呢？」那倒沒有關係，你可安置一盞小燈。燈的高度要低於床的高度，你伸手一按就可以把燈打開，小小的燈就好！

⑷**躺下去 30 分鐘還睡不著覺的話，建議你起床做點溫和的事**，如看書。因為有些人平常不看書，一看書就睡著。但是你也不要亂看書，有時候越看越睡不著，如一些妖魔鬼怪的東西，最好不要看！看什麼最容易睡著呢？看聖經。聖經要看哪一段？看馬太福音第 1 章，耶穌的家譜。看完耶穌的家譜還睡不著？請你翻到舊約民數記第 1 章到第 7 章；你一定會睡著！當然這是逗你開心的話，記得可以看書幫助入眠。

⑸**固定就寢時間，規律生活節奏**。每天夜晚 9～11 點之間入睡，成為一種習慣。

⑹**睡飽即可，不要求自己非睡幾小時不可**。如此一來，壓力太大，反而睡不好。

⑺**就寢時，專心睡覺，不做與睡覺無關的事**。不在床上看書、看電視等。

⑻**練習放鬆睡覺，一天的憂慮當天擔就夠了**；明天的事，明天再說。

⑼**開心睡覺，以愉快的心情就寢**；「不可含怒到日落」，當然日落後就不可含怒，不要帶著憤怒上床，那會使你一夜難眠。

⑽**不飽肚睡覺**，就寢前 3 小時不進食，否則胃腸會不得安寧，使人睡不安穩。倘若實在飢餓難耐，可吃點水果。

⑾**晚餐時，與晚餐過後，就不吃①甜食；②油膩、高脂、高蛋白食物；③刺激性飲料**，如可樂、汽水、茶、咖啡等。

⑿**晚餐桌上加一道「安神粥」**（可直接代替雜糧米飯），即是小米加紅糖。

⒀**一日三餐，健康排毒餐**。即使是只堅持早餐吃排毒餐，都有意想不到的效果。因爲身體毒素少了、輕鬆了，自然好入睡。

⒁**有意義有目標的白天**，會帶來安歇的夜晚。最怕白天無所事事，行屍走肉。

⒂**優質的睡眠環境**，如空氣流通、避免噪音、調暗燈光、偏涼室溫，要善用窗簾。

⒃**優質的寢具**，特別是具遠紅外線和負離子功能的床墊，枕頭和被單等。

⒄**善用輔助工具**，如具遠紅外線和負離子功能的眼罩，絕對不可用塑膠或化纖材料的劣質眼罩，如某些航空公司所提供的。另外，投資一個功能全備的耳機（塞），是值得的。尊貴的好友陳永昌董事長，這位美國物流業的先進前輩，平日樂善好施，敬神愛人。永昌兄念我終日長途飛行奔波勞苦，特贈我極爲高級耳機乙組，確實助我機上安眠，發揮了大效果。每次使用耳機，心中感念永昌兄不已。

⒅**穴位、經絡按摩**。如神門穴、三陰交穴和內關穴，都有意想不到的功效。

⒆**睡前泡腳**。以加了粗鹽（或中藥）的熱水泡腳，能活躍末梢神經，調節自律神經和內分泌系統，改善腳部和全身組織營養，促進局部血液循環。古謂：「春天洗腳，升陽固托；夏天洗腳，濕邪乃除；秋天洗腳，肺腑潤育；冬天洗腳，丹田暖和。」此乃足養眞經，供你參考。

⒇**學習裸睡**。根據日本的醫學研究，60%的婦女疾病如腰

痛、經痛、便祕、腹瀉、花粉熱和頭痛，都是因爲睡覺時穿著過緊的內褲所引起。

裸睡可促進全身肌肉伸展，全面放鬆。據台北市立療養院醫檢師蔡政�研究，攝氏 37 度左右，容易滋生細菌、黴菌，引起皮膚病等。若是男性穿著緊身的內褲，尤其是三角褲，很容易將自己的小蝌蚪悶死；倘若是女性，更容易爲病媒舖設一個溫床。

⑵1**認罪悔改**，與神與人和好，使心無牽掛、無遺憾、無恨意、無憤怒，才有一夜好眠。

⑵2**睡前有段安靜時刻**，靜享晚禱良辰或靜坐默想。

⑵3**學會凡事交託神**，時時仰望神和信靠神。

裸睡 6 大好處

蔡政�醫檢師總結裸睡的六大好處：

①使血液循環更通暢。

②皮膚更能增加吸氧力，增強皮脂腺和汗腺的分泌，加速新陳代謝。

③避免內衣褲成爲黴菌和細菌孳生的溫床。

④有利神經化學傳導的調節，增加適應和免疫能力。

⑤消除疲勞，鬆弛緊繃的肌肉。

⑥身心更加舒暢。

李先生 37 歲　（台灣）

◎惡性淋巴瘤不見了

91 年上半年忙於公務，且常趕製會計報表，必須經常加班，有時連假日也不得休息，加上趕提碩士論文，小孩子需照顧，痛苦壓力實在無法忍受，長期的熬夜、宵夜吃泡麵、小孩的吵鬧……種種煩惱，終於在 91 年 11 月發現左頸後突然長一塊約 3 公分不痛不癢的腫瘤。

同年 12 月到醫院檢查，最後判定為非何杰金氏淋巴瘤（non-hodgkins' lymphoma）。當時有如晴天霹靂一般，心裡真有千百萬個捨不得，父母妻兒也都為此事流了不少眼淚。回想枉費自己通過高普考，有穩定的工作，順利取得碩士文憑，以及難捨可愛的妻兒子女。試問我還有多少時間可以和他們相處，是否一切都將成雲煙？92 年 1 月我接受腫瘤切除手術。

自從確定自己得癌症後，所有親朋好友的探訪及推介祕方，我也稍微做些嘗試。在偶然的機會，我就讀小學一年級的女兒，拿了《無毒一身輕》給我，女兒說那是他的老師，得知我的病情後，好心送給我參考。我就從書中附贈的 CD 開始傾聽，覺得作者的健康飲食觀念十分有道理，便開始逐字閱讀林教授的書，當下決定與父母妻子溝通，不接受西醫的放化治療。破釜沉舟地開始吃排毒餐，因為我是與「時間」賽跑，所以我很徹底地執行林教授書本及錄音帶上的指導。雖然剛開始我十分不能接受這種沒有口感且有點噁心的排毒餐，但是它卻改善了我的體質。體重從 64 公斤下降到 59 公斤，原本少許的白頭髮也轉黑了，不再腰痠背痛，精神比以前好，每天早上六點自然甦醒；而且喝了以琳元氣水，就會想去上廁所，別人都說我看起來年輕了很多。

92 年 3 月底我花了五萬元到台北榮總做 PET（正子斷層掃瞄），報告結果出來，身上已找不到任何癌細胞，感謝林光常教授改變我的新生命。92 年 4 月起我到一年五季養生坊開始購買健康的產品，包括植物綜合酵素、昆布粉、元氣水機、備長炭及床墊、蔬果解毒機、車用及家庭用負離子機，還有全套錄音帶及書籍，當然持續吃排毒餐，也不再吃魚肉蛋奶。我重生了，我也常常叮嚀家人及同事，不要再培養酸性體質，要改善生活飲食習慣，這樣才能活得有品質。愛別人先要愛自己，愛自己就從健康身體開始，請大家保持早睡早起的習慣，不再攝食魚肉蛋奶等食物，每天持續吃健康排毒餐，相信健康會永隨我們，謝謝。

Robert 謝 41歲（美國佛羅里達）

◎排毒餐治癒淋巴腺腫

我的太太（Wen）在一次全身健檢時發現，鼻咽中有異物，大小如花生，據兩位不同醫院的主治醫師推斷，鼻咽癌的可能性非常高，當時 Wen 只有 37 歲。（事後檢驗報告出爐，證實只是良性的淋巴增生）。雖然如此，但 Wen 的免疫系統，已因為長期感冒、淋巴腺腫大需服用西藥的關係，而愈來愈差。尤其當花粉季節來臨時，更是毫無招架之力，幾乎到無法呼吸的地步。

去年經由好友的介紹，我們認識了林光常教授，林教授發現 Wen 的免疫系統極差，必須立刻進行「健康排毒餐」來挽救她那即將崩潰的免疫系統。就這樣，我們夫妻倆同心一致地進行了一個階段的「排毒餐」療法，每天都只食用適合 Wen 體質的蔬果，而且絕對不吃油炸類食物；每天準時上床就寢，並遵守各項林教授所交代的注意事項。

就這樣令人驚嘆的效果，很快地就在Wen的健康狀態上顯現出來，她開始不再受花粉症之苦，淋巴腺也不再腫個不停，各種過去常出現的症狀，都大幅地減輕許多。真是感謝上帝對Wen的醫治，也感謝林教授的及時幫助，使我跟Wen都開了眼界。認識了「排毒餐」的神奇功效。

因此我們極願意分享自己的經驗，讓更多的朋友認識「排毒餐」的好處，希望能幫助有免疫系統方面困擾的朋友，找到正確的方法，恢復健康，重新享受人生。

「我的心哪，你為何憂悶？
為何在我裡面煩躁？
應當仰望神，因祂笑臉幫助我；
我還要稱讚祂。」

（詩篇42篇5節和合本）

第二件事

「駝鳥下蛋在地上，使蛋得到土地熱氣的溫暖。」

（約伯記第 39 章 14 節）

⊙早起待露水乾後，赤腳（或是穿著草鞋），在草地（或是黃土地）上「散步」15 到 30 分鐘。

先談談「散步」這回事，舉世公認散步是有利於健康的，但究竟散步與健康有何關連呢？德國著名詩人哥德曾說：「我最寶貴的思維及最好的表達方式，都是在我散步的時候出現的。」其實哥德每天下午準時散步的習慣，正爲全德人民所共知。散步可以增加大腦血液和氧的供應，增強大腦的活動力，更有益於預防老年痴呆症，甚至還能提升聰明才智。

醫學界曾有過一個試驗，發現 15 分鐘輕鬆散步所獲得的鎮靜作用，勝過 400mg 眠爾通（一種安眠藥）的作用；同時，散步還可促進各種消化液的分泌，增強胃腸蠕動，調整消化系統的功能，解除飯後腹脹的不適。

另有一位美國醫生奧散汀・貢唐研究發現，散步能使腎上腺素代謝發生變化，從而消除一些人的焦慮和混亂情緒。這種散步療法對於意志消沉和失去生活信心的人特別有幫助。

據美國《護理健康研究》刊載，一項長達 20 年的統計研究指出，一周運動 7 小時以上，可以降低 20%的乳癌罹患率，而最簡便的運動首推散步。而一天較快散步 1 小時，對Ⅱ型糖尿病有 50%的預防效果。《新英格蘭醫學期刊》報導，一周散步 3 小時以上，可降低 35%至 40%罹患心臟病的風險。另一份報告也指出，每天步行 20 分鐘上班的人，其心電圖「心肌缺血表現」的發生率比坐車上班的人低三分之一。

散步時，記得要抬頭挺胸，雙臂大幅擺動，大步前進，如此一來，可產生最佳效果。

我們來看一段聖經的記載：在約伯經歷了人生大考驗之後，神在旋風中回答約伯：「駝鳥下蛋在土地上，使蛋得到土地熱氣的溫暖……」（約伯記第 39 章 14 節）你看！駝鳥下蛋在土地上，因爲土地裡有熱氣。土地熱氣所帶來的溫暖，可以幫助蛋裡新生命的撫育。你有看到駝鳥把蛋下到柏油路上嗎？沒有！因爲柏油路所釋放出來的能量，是有害於身體健康的。

土地的熱氣本身就是大地最大能量的來源之一，人的生命氣息跟土地有最直接的關連。所以，你看到在農村種田的人，身體比在水泥屋上班的都市人好，爲什麼？因爲他的身體是直接跟土壤接觸的。駝鳥的本能智慧，使牠將蛋下在土壤裡面。牠如果把蛋下在柏油路上，蛋會死掉，爲什麼？因爲柏油路會消耗而非增進生命的能量。這也就是爲什麼你走柏油路的時候，會越走越累！

當兵的時候有這個經驗。我們阿兵哥在鄉下土壤走的時候，精神很好；一到柏油路走，卻很容易中暑。後來才知道柏油路是消耗我們的能量。有時看見一些人早上起來，在馬路上跑步，而且你知道有些地方是「上坡」路。跑的很喘，然後，剛好又有一台「烏賊車」經過……（噗～～～）你說，這個身體是不是越跑越糟？千萬記得柏油路是給車子走的。

土地匯集宇宙能量

土地才是宇宙能量匯集的地方，所以你經常跟土地接觸，你就能吸收宇宙的能量。從物理學去看宇宙萬物，物質是由元素所構成的，而元素是由原子所構成的。原子又是由原子核跟電子所構成的。原子核是帶正電，電子是帶負電；電子環繞著原子核，一正、一負平衡。在中醫裡面也認「陰平陽祕」是健康最高的境界！是維持身心健康最好的方法。而相反地，失去平衡是罹病最大的原因之一。

當我們身邊出現很多正電（正離子）的時候，那麼圍繞原子核的這個負電，它就被勾引、吸走。有可能它自己去「投靠」；因爲正負相吸嘛，這叫做「氧化」，此時負離子就會不足。如果你增加負離子，就叫做「還原」。這也就是爲什麼人在森林裡、瀑布邊會感覺非常地舒暢，因爲它有負離子。你在噴水池旁邊，也會覺得非常舒暢；爲什麼？因爲負離子！而且，負離子有穩定神經系統的作用。相反地，在陰雨綿綿的天氣，連續下雨十多天時，人很容易感到沮喪，容易疲倦、心煩氣躁。心情會很鬱悶！這個時候，有些人的憂鬱症會爆發出來，甚至會有自殺的傾向。爲什麼？就是因爲陰雨綿綿的天氣，整個大地就充滿了正離子，負離子嚴重的不足。

而大雷雨過後，你的感覺好極了，因爲此時大地充滿了負離子，令人心曠神怡啊！可是，我們平常每天都接受了很多化學纖維和塑膠的傷害，還有電器的輻射，以及像X光或是CT等的醫學輻射，都對我們身體都有不利的影響。如何排除體內過多的正離子呢？有個簡單可行的好方法，就是赤腳在草地或黃土地上走路。

你白天這樣走，也會有助於晚上入眠。很多癌症病人跟我說：「奇怪！？平常走路走個十分鐘就很疲倦了；光常，我照你的方法，赤腳在黃土地、草地走；越走越有精神！甚至，走一個兩個鐘頭都不會累！而且，心情也好多了，……」爲什麼呢？因爲你平常走路是消耗能量，可是當你在黃土地或草地上走的時候，你是在吸收能量，並釋放正離子。尤其，平常經常接觸電

器、電腦輻射的「你」，更需要這樣做！

正離子太多的時候，連脾氣都可能變壞。你看度蜜月到有山有水的地方，心情就會好，感情更濃。但如果到了正離子充斥的沙漠，小倆口脾氣一壞，又吵嘴，回來後就可能離婚了！如果家附近沒有公園，那在石頭地，或是木頭地也可以。我看很多人家裡是木頭地板（非常好），結果那上面卻又舖了一層地毯；現在許多地毯都不是綿的、不是布織的，而是「化纖」的。（這個叫無知，反而造成很大的傷害）……明明「木頭」就是最好的能量釋放物啊！

赤腳有利釋放正離子

爲什麼要「赤腳」呢？因爲人是一個導體，立於天地之間，赤腳立在土地或草地上有利於釋放身體過多的正離子，並能從地氣裡吸收大量的能量。君不見，在農村赤腳長大的小孩常常比都市穿名牌球鞋長大的小孩要來得健康嗎？！

經常赤腳散步可有效防止感冒和心腦血管疾病的發生，還可減少鷄眼、香港腳、腳部軟組織炎症，增加大腦半球皮層緊張度，使人感到輕鬆愉快，因爲腳底有許多經脈、穴位以及與內臟器官連結的神經反射區。

此外，腳部血液循環的好壞與腦、骨盆內的血液循環關係密切。赤腳散步可促進全身血液循環，增進新陳代謝，有效調節自律神經和內分泌功能，提高人體對外界變化的適應能力。

要記得在冬季，可穿著草鞋或棉襪，效果一樣好。還有，草地露水未乾不可赤腳行，黃昏散步亦是好時機。

當然，踏草地或黃土地時，一般都是在太陽下，可以順便接受日光浴。但在冬天曬太陽要特別注意兩個最適合曬的時間。第一個時辰是上午 6～10 點鐘，此時紅外線爲主，紫外線偏低，能感受到溫暖柔和且有活血化瘀作用。第二時辰是下午4～5點鐘，此時紫外線 A 光束較強，可促進腸道鈣、磷吸收，促進骨骼強壯。

但是無論哪一季節，每一天上午 10 點到下午 2 點這個時段是紫外線 B 光束和 C 光束最強的時候，會造成皮膚的傷害。

此外曬太陽時，穿著紅衣是你最佳選擇，因爲紅色的輻射長波能迅速吃掉殺傷力很強的短波紫外線，在這方面功能，白色次之，黑色最差，一定要避免。

董毓玲　（美國西雅圖）

◎由無知到健康

以前一直有個觀念，那就是個人的健康與否是在神的手中，因此每次禱告祈求之外，還不知道自已能為健康做什麼？父親2002年8月底肺癌過世，雖然他拒絕了手術放化療，也試了許多方式的生機飲食療法，最後仍然無功效。而我可 能因家父的過世所引發的悲傷，大概在 11 月底，左下腹一直隱隱作痛，直到有一夜痛得徹夜難眠，才掛醫求診，作斷層掃瞄檢查。雖然沒有腫瘤但卻開始口乾舌燥，每日喝大量的水也無效。兩個腎臟每日酸痛，那時也覺得奇怪，為什麼神不賜健康給我。每日除了照顧家中兩個年幼的小孩子就已筋疲力竭，何況我還有兒童主日學，家中開放團契，探訪……。簡直是老年拖破車，怎麼拖也拖不動，去年（2003 年）1月中旬，我得到《無毒一身輕》，花了兩個星期反覆看了 3 遍，於 2月 1 日開始實行排毒餐，至今，再回顧我以前的日子，簡直不敢相信我有這麼大的改變，略述如下：

1.以前感冒必定中獎，且每次都咳的拖至 2-3 星期。在我吃排毒餐兩個月左右，有一次咳嗽，但不是太厲害，每咳一次都有大量黃且濃的痰吐出，到了第3天痰也淡了，咳也少了，之後就完全好了。上次流行性感冒流行，我居然也能倖免，我知道不是偶然的。

2.由於我要照顧兩個年幼的孩子，需要體力，所以不願意餓肚子減肥，而我也一直認為瘦身是與我無緣了。沒想到吃排毒餐使我就輕鬆瘦了16磅，最重要的不僅是瘦而是健康。

3.我吃了排毒餐兩個半月，老覺得腎臟還是酸痛，我想腎的問題與水是直接有關，雖然家中那台濾水器是花了200美元，且都符合美國環保署的核准與EPA和FDA的標準，後來又聽教授錄音帶裡談到水的問題，於是決定換一台元氣水機，結果這個元氣水才喝了10天左右，我腎臟的痛就好了許多，因為腎臟好了許多，所以慢性中耳炎的左耳疼痛也好了。

4.我生了老二以後（老二現在2歲8個月）嗓子就一直沙啞，時好時壞，到後來就常啞著。以前唱歌是唱女高音，而現在一上Ra音就上不去了，排毒餐大概吃了3個月（喝元氣水大概兩個星期）嗓音就完全恢復。我最愛唱歌，原本以為嗓子回不來了，如今卻回來了，元氣水的威力真是大。

5.我的扁桃腺一直慢性腫大有2-3年之久，如今也好了。

6.我的眼睛浮腫，雙手腫脹，我想可能是因為水腫的關係，而如今眼睛不再浮腫，手脹的感覺也消失，許多人見到我都說我的眼睛亮了許多。

7.之前臉上有許多斑點，不知是老人斑或雀斑，但現在斑點淡了許多，有的也消失了，臉色亦比以前好。

8.生了老大以後一直打噴涕，還會漏尿，內褲常會弄濕，可是現在已經好了。

9.以前月經來，肚子會痛，現在吃排毒餐第二個月，就排出一些血塊。第三個月時血塊更多，且經期更長，可是第四個月就沒有血塊，月經期正常，而且不會再肚子痛了。

10.我生完老二之後，得了產後憂鬱症，雖然醫生都說我的症狀嚴重，非得吃藥來控制。但我拒絕，因我決定找心靈的大醫生——耶穌，感謝神！靠著神的救恩努力去對付憂鬱症的情況也幾乎好了。但在我吃排毒餐之後，幾乎又得了憂鬱症，易怒，失眠，沒有耐心，身體沒有精力，每天無精打采。我也在奇怪，怎麼我的憂鬱症回來了；結果大概兩個多星期，這些症狀消失了。當我在重建我的靈性時，我發現以前要花許多精力去對抗那「老我」的律，就是立志行善由得我，行出來卻由不得的律；可是現在卻改觀了，我變得比較有耐心，積極，充滿了希望而不煩躁。我驚訝這樣的改變，反覆思索，禱告時間沒有加長，讀經時間沒有加多，唯一的改變就是排毒餐，難道排毒餐真能改變人的心情、思慮、想法嗎？因為我親身的經歷，我必須說是，難怪林教授在「吃得對，活的好」錄音帶裡，反覆地提醒我們要吃得對。

先父過逝前，也一直算吃得健康，可惜無奈沒有找到一位像林教授那樣，將道理做法吃法，講得那麼完整，讓願意做的人可以去遵行，而不用自己去摸索。先父聽了許多課，花了許多精力、時間、金錢去找自然療法，可惜卻沒有遇到林教授。而林教授這條通往健康大道的自然療法，相見恨晚的我們，豈能就讓它擦身而過！聰明如你也不要讓它擦身而過。

第三件事

「萬民哪，你們都要拍掌；要用誇勝的聲音向　神呼喊」

（詩篇 47 篇第 1 節和合譯本）

> ◉隨時用手按摩胸腺，每天 200 下；
> 再加拍手 2000 下。

四十多年前，以美國爲首的西方醫學，對胸腺還不太了解；以爲它是沒什麼用的東西。因此那個時候年輕人胸腺發炎，或是腫大，有些醫生採用的醫治方法就是把它割掉。爲什麼要割掉呢？割掉就不會再發炎了！這是多可怕的邏輯！

就在這最近不到十年的時間，醫學界發現到胸腺實在太重要了！因爲我們身體的免疫系統，就像國家的武裝部隊一樣；而其中的T細胞就是負責統領這些免疫細胞。爲什麼愛滋病很難治？因爲愛滋病的病毒是躲在T細胞裡面（所以，免疫細胞看得到愛滋病的病毒嗎？看不到！它看到的是T細胞。）以至於愛滋病很難解決。身體最重要的免疫細胞之一「T細胞」，在哪裡產生？在胸腺產生。所以，當醫學界發現了這個事實以後，回過頭去找以前四十多年胸腺已切除的病例。很多把胸腺割掉還活著的人，幾乎都得到癌症。

你看！人類的無知造成多大的傷害？所以聖經上說：「無知的人一定衰敗。」你也許會想說：「那～現在醫學比較進步啦！」你記不記得，你動腹部手術的時候；有些醫生會跟你說：「唉呀！反正你動腹部手術，就順便把盲腸割掉；割掉盲腸就沒有盲腸炎了」盲腸不是沒有用！而是非常非常有用！身體「腸胃」最重要的免疾細胞，都在盲腸裡面！千萬不要亂割！上帝所創造在我們身上的一切，沒有一樣是沒有用的！人類應該謙卑。尤其醫學界，更應該謙卑！當扁桃腺發炎，人發燒時，尤其你一年若超過三次，醫生就會說：「你把扁桃腺割掉吧！割掉以後，就不會因爲扁桃腺發炎而發燒了。」那還會不會發燒？你知道扁桃腺是什麼嗎？扁桃腺不是沒有用的東西，扁桃腺它是專門負責「收集」腦部跟頸部所有的「毒素」，它是免疫「入口」的掌門人呀！

胸腺才是健康與否的關鍵！你要如何保護你的胸腺呢？現在介紹一個很簡單的方法，可以讓胸腺活躍起來。只要每天用手按摩胸腺 200 下就能有效活化胸腺功能。像有一些癌症病人，病情已經到了末期，狀況已經很不理想了，晚上都不好睡。然後我就請他的家人幫他按摩胸腺，他就容易入睡多了！而且還發現一件事情：凡是得癌症的人，胸腺觸摸下去，都「沒、有、感、覺」！越健康的人，胸腺的敏銳度越高；健康人的胸腺，輕輕一壓，他就感覺到疼痛。所以，你看小孩子很敏銳；尤其十幾歲的年輕人一壓下去……哇！如果你現在壓下去，胸腺沒有任何感覺，沒有任何疼痛感；那麼你在未來的兩年之內，得癌症的可能性是很高的。換句話說，你不會馬上得癌症，你還有兩年可以「認罪、悔改」，好好改變自己的飲食習慣、生活方式和情緒，以便遠離癌症。

只要你開始改變生活、飲食習慣，就不必太擔憂。而且吃了排毒餐、按摩胸腺以後，快的話約一個禮拜，胸腺的敏感度就增強了。有一個朋友才 14 天，原有的淋巴腫瘤已大大改善！她吃排毒餐只有三天，胸腺功能就恢復了。當然腫瘤的發展跟情緒有關。她在情緒上，也眞心徹底原諒了傷害她的人，故有這麼好的效果。（按摩胸腺時，要輕輕地，重擊的話，命可能會送掉。）

每一個人生下來都有胸腺；我們的胸腺，出生時約有 10-15

公克；兩到三歲胸腺就開始成長；到了青春期的時候，成長的最快約 40-50 公克。可是 40 歲過後，就開始萎縮。絕大多數的人，在 70 歲到 80 歲之間，胸腺完全萎縮。所以，爲什麼很多人年老時候，體弱多病。

雖然，胸腺在 40 歲過後的時候，就會逐漸地萎縮。但是只要你經常不斷地刺激它，經常保護它，它就會保持在最活躍的狀態；而且就不容易生病。所以，胸腺如果沒有保護好，受到傷害，就非常地危險。癌症病人胸腺壓下去，是沒有感覺的。越健康的人，胸腺輕輕壓下去，就有較強烈的感受（有痠疼感）。所以，要看癌症「病情」能不能改善？胸腺是一個很重要的參考指標。

胸腺在那裡

現在教你胸腺在哪裡？（圖①～③）首先先找鎖骨！你看到脖子下面有兩塊大骨頭，這個是支撐你的頸部；往中間是不是有一點凹進去？這兩塊就叫鎖骨。功能的察覺胸腺有兩個代表點，從鎖骨直直垂下來，這就是胸腺。那往下多長的距離呢？四指寬的長度（一定要用自己的手量，不可以用別人的）。胸腺只有一個在正中央，但它的代表點是左右各一，就好比肝只有一個，卻有左右葉。

那麼要怎麼按摩呢？按的時候手握拳；上下在胸腺上搓動；你現在開始連著按！一次大概 30 到 50 下；一天要按 200 下。你會發現「一波一波」，「熱」由裡到外發出來。輕輕地按！不要太重。有一次有個朋友說：「我按的都沒有效果！」我說：「怎麼會沒有效？！你怎麼按的？」他就把他的皮包一打開，拿出電動按摩棒。還有一次更好玩，有一個人跑來說：「我按了以後……你看看……」哇！全部脫皮！我說一天 200 下；他老兄呢，

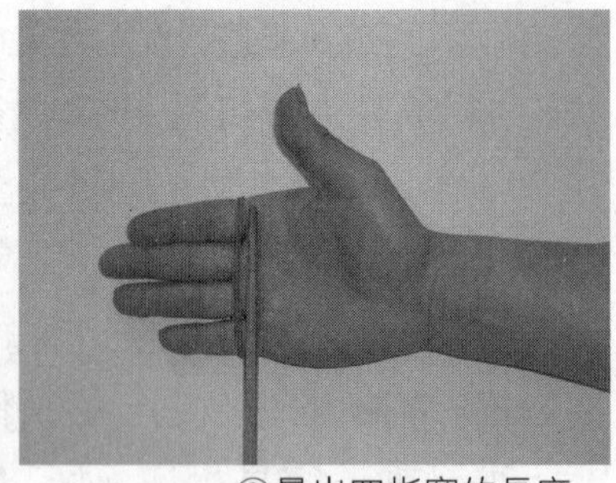
②量出四指寬的長度

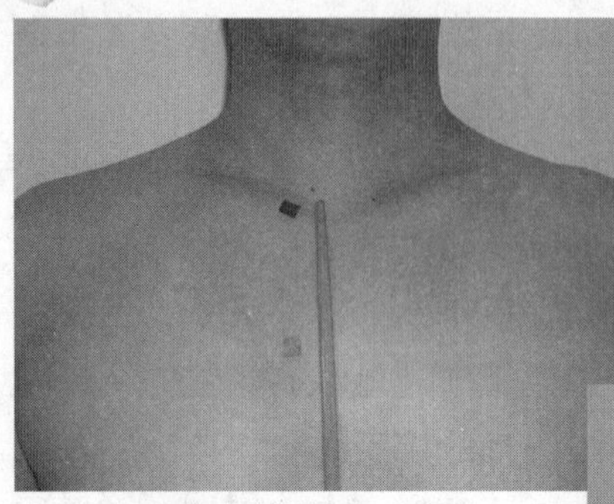
①找出鎖骨

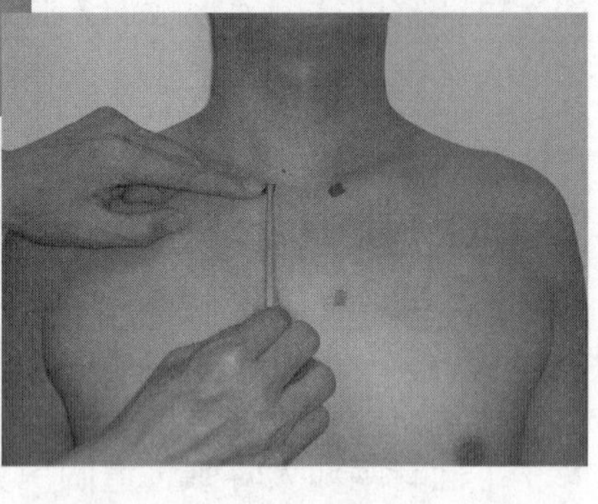
③鎖骨向下，四指寬處即胸腺位置

一次 200 下！一天做五六次！記住過猶不及都是不好的。

現在有一些企業機構，他們上班第一件事情就是按摩胸腺。希望將按摩胸腺變成「全民運動」。

簡易有效拍手功

再談談簡易、方便又有效的「拍手」。

上帝所創造的人體構造極爲精妙，手上有數十個穴位，雙手拍擊時，正好可以反射振盪氣脈，以氣導血，以此帶動奇經八脈和十二經絡的通暢循環。雙手拍擊時，透過十個指尖的相互撞擊，可有效排除身上陰寒之氣和逼出污穢之氣。

剛剛開始拍擊時，只要用力，手掌就會疼痛，甚至會瘀青發紫，但要記得，不痛就沒效，需忍著點。只要幾回過後，就不會再瘀青了，你也會感到神清氣爽。

拍的時候，要先將雙手十指張開，再將雙手拉開與肩同寬，後拉回雙手彼此碰撞。拍擊時，要手指對手指，掌心對掌心，此時，會發出響亮清脆的聲音。記得，要用點力，不要怕痛。根據經驗，赤腳踏草地時，邊走邊拍，效果最佳。

大家可能都有參加演奏會或演唱會的經驗，當主角表現傑出時，我們會用力地鼓掌，我記得歷史上演唱（奏）會後，觀衆起立鼓掌最長的是 27 分鐘。但是連續拍打手心 27 分鐘，恐怕就痛死了。差別就在心情！記得，一邊鼓掌，一邊心懷感恩！

不要想一次拍完 2000 下，可試著分次分段，逐步增加的原則，而且要在飯前飯後半小時才可進行。

王終桂　（台灣台中）

◎化苦難為祝福

2002 年底，我因工作辛勞及生活上的一些壓力而生了場病；原以為只是小病，休息休息就會好，沒想到檢查結果，竟然是癌症。一聽到醫生的宣判，我的眼淚就如泉水般地流出；即使醫生一再安慰我，我還是很難過，無法接受這個事實。最讓我放心不下的是孩子，才讀國一就得面對這殘酷的事實，真是情何以堪！

接下來，就是接受事實，面對考驗的時候了，在沒有家人陪伴下，我隻身前往醫院，準備動一個大手術，摘除腹內的許多器官，包括卵巢、子宮、盲腸，以及大腸截去一節，裝上人工肛門。手術如果成功，我可以存活下來，如果不成功，只能活三個月，頂多六個月，這是醫生給我的無情宣判。

據說這個手術足足開了八小時，當我被推出手術房時，我隱約聽到孩子的哭聲，心裡好痛。手術後，我得在病床上躺著，吊點滴，住院住上半個月。這段日子非常痛苦難熬，還得不時靠著麻醉劑減輕痛苦，幸好有教會的弟兄姊妹時常來看我，安慰我，為我禱告，使我心裡平靜很多。

有位姊妹告訴我上帝的兒女不用怕死，死就是回天家，沒什麼不好，我仔細想想也對，一切的掛慮就交託給上帝吧！

接下來，奇妙的事發生了，有一天黃志恆牧師和林惠美牧師來看我，為我禱告。惠美牧師送了我一本林光常教授的書《無毒一身輕》以及錄音帶。出院回家後，我利用很多時間看書及聽錄音帶，並且開始身體力行，吃排毒早餐。這當中為了安慰家人的心，我同時接受化療又吃惠美牧師提供給我的「植物綜合酵素」，效果真是太好了。本來化療完都會想吐，並且噴嚏聲不斷；可是我的排毒餐及酵素都使我兩天就恢復正常，並且排便也很順暢。相信我體內的毒，經過這半年的調養，也排得差不多了。如今化療已經完成了一個療程，我不但沒死，還好好地活著。

上醫院門診時，連醫師都覺得很奇怪，我姐姐問醫生說我會不會死，她們好為我準備納骨塔位，醫生說，看我恢復的情況，又見我的精神特別好，再活十年沒問題。直到今日，醫生都不知道我在吃排毒餐。

這期間也曾遇到SARS風暴，但我的排毒餐及酵素卻使我安然渡過，讓我深深覺得排毒餐不但可以排毒，還有增加免疫作用，真是太好了。

此外，我的母親原本是個固執的老人家，但是目前她也跟我一起吃排毒餐，而且她多年的腹瀉已獲得改善及控制，這不是太奇妙了嗎？

感謝主！因一場晴天霹靂的苦難，我受洗成為上帝的兒女，開始經歷身心靈重整的恩典，現在的我對未來充滿希望，我一定會利用活著的日子為主做見證的。

第四件事

「你們要事奉耶和華的神，祂必賜福與你的糧與你的水，
也必從你們中間除去疾病。」

（出埃及記第 23 章 25 節和合譯本）

「神說，看哪，我將遍地上一切結種子菜蔬，和一切樹上
所結有核的果子，全賜給你們作食物。」

（創世紀第 1 章 29 節和合譯本）

⊙一日三餐，健康排毒餐。

擁有健康，除了消極的「不中毒」之外，在積極的方面，更要「排毒」；透過有效簡易的排毒餐把體質調回弱鹼性。有關健康排毒餐，《無毒一身輕》書中已有詳細說明，在此僅作簡要回顧及強調三個重點。

地瓜、水果、蔬菜不可少

早餐，是一種水果、兩種蔬菜，癌症或慢性病病人兩份番薯（地瓜）（保健者一份就可以了）；米飯一份。水果是一種，加上兩種蔬菜，是不是三種（三份）了？地瓜兩份是不是五份了？米飯一份；是不是六份？米飯占六分之一，水果占六分之一，地瓜占三分之一，兩種蔬菜占三分之一。

一定要吃地瓜

今天開始，什麼都可以不改變，但一定要開始吃地瓜！地瓜早餐、午餐都吃也可以，晚餐就不用吃了。一定要吃地瓜！以後不要問人：「你吃飯了沒有？」而要改問：「你吃地瓜了沒有？」（要形成「全民地瓜運動」；口號「吃地瓜，不會變傻瓜。」）此外，份量比例要抓對。譬如說：你今天吃的水果，是一個手掌大西瓜；那你就要吃一個手掌大的地瓜！依照重量來抓比例。

人體一旦離開酸性體質以後，就不會再想吃肉蛋奶；愛吃肉蛋奶的人，就是因爲體質太酸的關係。

水果，一定要是當地、當季盛產的食物；過季的就不要吃了。什麼叫當地？就是指跟你所住的地方，同一個緯度、同一種氣候，所生產的食物。（例如：新加坡跟馬來西亞、印尼是同一個氣候帶；換句話說溫帶的、寒帶的食物）就不適合新加坡的居民吃（像富士山大蘋果、櫻桃）。蘋果是好水果，但不見得適合每一個人，北方人就幾乎都很適合吃蘋果。而台灣屬於亞熱帶；溫帶水果還可以，寒帶的水果就不可以。

若以中國大陸來看，所謂北方人就是指長江以北，不適合吃香蕉、榴槤、荔枝、芒果；吃後病情可能會加重。南方的人，如果是癌症病人，我也建議你不要吃以上的幾樣水果，這幾樣都是很「發」的東西，可能會讓癌細胞得到更好的發展。在醫院裡我們爲病人的體質量身訂製飲食菜單時常發現，癌症病人剛開始能吃的東西會比較少，但是隨著病情的好轉，能吃的東西會越來越多。

最近有一個病友就說，他剛開始的時候，把四、五十種食物通通擺出來，結果能吃的只有七、八種；讓他有點沮喪。可是，過兩個禮拜以後就可以吃三十多種！爲什麼？因爲體質已經調過來了。至於冷藏的水果也暫時不要吃。那怎麼知道這個水果是「盛產」的呢？看看市場上最多攤位在賣的、最便宜的那就是當季盛產的。

至於蔬菜，要選擇根（如紅蘿蔔、白蘿蔔、山藥或淮山）；莖（如西洋芹、筍類）；花（如花椰菜）果（如大番茄），四大類的食物。山藥有些病友適合吃，有些不適合吃。筍類也要看體質，西洋芹則每一個人都可以吃，紅蘿蔔也是。如果你買到的是有農藥的蔬果，你就要想辦法先把農藥處理掉，不然你就自己種。蔬菜，要盡可能生吃；因爲只有生吃，才有酵素，才能產生最大的食物功效。一餐中至少要有 50%～75%的蔬菜是生食，以確保你的胃能輕鬆愉快地爲你效勞。

當然你可以額外補充優質的植物綜合酵素，不過，買時一定要小心！因爲，再好再貴的東西，對張三來說是仙丹，對李四來說，卻可能是毒藥！明明這個很好，爲什麼張三吃了有效，而李四吃了沒有效？很可能就是因爲體質差異太大。

花類有包心菜、花椰菜。綠色花椰菜幾乎是適合所有人吃的！（特別好！）黃瓜有兩種，要吃「本地瓜」；你如果不知道，問問店家哪一種便宜，便宜的應該就是本地瓜。（就熱帶氣候而言，貴的日本瓜是壞瓜；但是，對日本人來說是好瓜，因爲它是寒帶出產的。）

一定要連皮吃

記住！蔬果一定要連皮吃！爲什麼有些人吃了很多蔬菜、水果，還是不健康？因爲他們都不吃皮。而皮大部分都是鹼性的，果肉大部分都是酸性的，你一定要連皮吃，完整地攝取。像芹菜也是；芹菜的葉子就比芹菜的莖更營養（參考《無毒一身輕》）。

可是爲什麼我們不吃葉子嗎？因爲葉子不好吃！什麼東西好吃？炸鷄漢堡薯條？唉！好吃的東西常常不健康，健康的東西常常不好吃！尤其芹菜葉對心臟特別好！香蕉也是好食物，可是癌症病人有些能吃、有些不能吃！但是能吃的人，你要一定記住，要「完整的」吃香蕉有益健康之處，並不只是果肉而是連果皮！香蕉皮對心臟也特別好！那麼該怎麼吃？將香蕉切成一片一片來吃！你如果不敢吃，就把它打成果汁，打成果汁一點都不澀，因爲裡面太甜；一調和之後，剛剛好！

大番茄也是所有人都適合吃！花椰菜川燙一分鐘來吃也是可以的。但是生吃更好。紅蘿蔔呢？非常好！若是打汁來吃，一定要連「渣」一起吃。如果不吃「渣」，你乾脆不要吃。水果蔬菜都要「生食」、「完整的」攝食，連皮吃。最重要的是，排毒餐中如果你只吃水果蔬菜並沒有用，一定要吃地瓜（番薯）；沒有地瓜，這個排毒餐就無效了，在《無毒一身輕》的附錄中，我已詳實地說明了地瓜的價值，請參考。地瓜要用「蒸」的，處在熱帶的人千萬不可以吃烤的。還有要記住，一定要連皮吃！最重要的就是皮。米飯，各位要改成糙米，不要再吃白米飯了！白米、白麵粉、白鹽、白砂糖和味精我稱它們爲「五白」；常吃「五白」，人生慘白呀！

吃糖就要吃紅糖，爲什麼？因爲紅糖的鐵質是白糖的3.6倍，鈣質是白糖的10倍，葡萄糖含量更是白糖的22倍。此外，紅糖還含有人體生長發育必不可少的核黃素、胡蘿蔔素、菸鹼酸和微量礦物質，如錳、鋅和鉻等各種元素。

對婦女而言，紅糖更是一帖良藥。產後的婦女每天食用適量的紅糖，不僅能補充營養，還可補血益氣。此外，紅糖還可舒筋活血、暖脾健胃、化淤生新等功效。

有的人問我：「我已經動過手術了，還可不可以吃排毒餐？」反正你總要吃東西，只是換成排毒餐而已，又不損失，何況還有健康的機會，何樂而不爲呢？小孩子不能喝牛奶，那要喝什麼呢？把糙米，做成「漿」吧！這樣大人也可以喝。（糙米漿加杏仁，非常好！預防過敏，營養又充足，對呼吸系統、免疫系統，都非常好！杏仁是配角，主要是糙米。將之磨成粉，用熱水泡就可以了！）一邊磨，還要一邊感恩祝福。要祝福所吃所喝的，才會越來越健康！因爲，所有的食物都是有生命的。它都聽得到，你在罵它、還是讚美它？你罵它，吃下去就壞肚子了！

糙米，你可以占 70%，然後其餘雜糧占 30%，包含紅米、蓮子、薏仁、枸杞，紅棗。如果沒有癌症、腎病或痛風，可以加黃豆；有這些病，就不要加黃豆。等病好了再吃！

一定要以全穀類為主食

三餐中五穀雜糧，一定要占到 50%以上的份量，現代人身體爲什麼那麼差呢？就是因爲不吃五穀雜糧。我們的主食變成了鷄、鴨、魚、肉、蛋、奶、漢堡、炸鷄、薯條、牛排！體質就越來越虛弱！中醫經典中一句話就道盡了五穀雜糧的重要，它說：「天生萬物，獨厚五穀」、「五穀最養脾」。而脾不好的人，免疫、造血、消化都跟著出問題。

在《無毒一身輕》的附錄中，我曾花費了極大的篇幅，解說五穀雜糧地瓜對健康的益處。現在，再提一個較新的觀點說明，粗糧的重要，並化解人們對粗糧和地瓜中「澱粉致胖」的疑慮。

早先科研人員驚喜地發現，一種廣泛存在於碳水化合物中的澱粉——「抗性澱粉」，比膳食纖維對人類健康具有更加廣泛的意義與價值。1992 年世界糧食組織根據專家建議，將「抗性澱粉」定義爲「健康者小腸中不吸收的澱粉及其降解產物」。近年的研究已經初步證明，「抗性澱粉」不能被小腸消化吸收和提供葡萄糖，它在結腸中可被生理性細菌發酵，產生短鏈脂肪酸和氣體，刺激有益菌生長。

由於「抗性澱粉」的特點是在小腸中不完全被消化，因此，它能提供低而持久的能量，它的飽腹作用也較持久，世衛組織的報告中認爲，「抗性澱粉」具有調節血糖的作用。世界各地流行病統計發現，澱粉消費量高的地區，其結腸癌的發生率顯著低於澱粉消費量低的地區，判斷與「抗性澱粉」攝入量有關。因爲「抗性澱粉」在結腸中發酵，其所代謝的產物會維持腸道的酸性環境，又可促進毒素的分泌和排出，因此可預防結腸癌的發生。另外，「抗性澱粉」還有控制體重的作用。想不到吧！過去，人們對澱粉實在有太多的誤解，該是還原其眞象的時候了！

健康排毒餐三要件

接下來再談健康排毒餐中須特別注意的三件事。

第一，食物比例、食物類別的選擇與進食的程序要先做到。譬如，住南方的人就不適合吃麵粉製品；麵粉製品是北方人吃的，但是不管南方、北方都適合吃糙米。地瓜也是所有人都適合吃，它幾乎沒有地域的限制。提醒一個重點：種子類要吃會發芽的。種子是植物的精華，像白米沒有生命！因爲它不會發芽。糙米、地瓜會發芽，是有生命的。

再強調一次順序的重要性。吃排毒餐的時候一定要記住程序！很重要！用餐時，水果先吃，再喝小碗濃湯，然後是生蔬菜，後是熟蔬菜，再吃地瓜和米飯。最後才是蛋白質，尤其動物蛋白，一定要放在所有食物的最後面。記住，一個水果、兩個蔬菜、一份地瓜，一份米飯。水果一定要在飯前半小時或空腹時吃。因爲飯後所吃的水果，會被消化得慢的蛋白質和澱粉所阻塞，所有的食物一起攪和在胃裡，而水果在體內37°C的高溫下，很容易腐爛產生毒素，造成身體的疾病。

飯後吃甜點更是個大問題，因爲它會中斷、阻礙體內的消化過程，胃內食物容易腐爛，甜食會被細菌分解成酒精及醋一類的東西，產生胃氣，形成腸胃疾病。

用餐從喝小碗濃湯開始，既可用來暖胃，又可讓餓壞了的肚子不致一下子狼吞虎嚥而吃得太急、太多。看來，西餐裡先喝湯和生食蔬菜是正確而值得我們學習的，但飯後吃甜點則切切不可如此。

爲什麼我們要特別注意到這個比例？因爲在搭配食物的時候，有時食量沒有那麼大，所以我們就可以把蔬菜、水果的量減少；記得是相對減少，依照這個比例。每一樣都要攝取到！蔬菜、水果、地瓜、五穀雜糧，一定都要吃到！這個份量的比例一定要吃到。那午、晚餐的水果呢？就沒有那麼嚴格的限制。你吃一種、兩種、三種、五種、十種……隨便你！（當然你不可能吃到那麼多嘛！）

那麼爲什麼一定要一個水果，兩個蔬菜呢？很多人問說：「兩個水果、一個蔬菜可不可？」不可以！因爲酸鹼不平衡！或是用中醫的術語「陰陽不協調」！

第二個健康排毒餐要特別注意的事情：給自己和家人時間，慢慢去達到健康生活的方式。你不需要馬上達到這個階段，給自己三到六個月，甚至九個月到一年；當然病人就比較沒有那麼多時間可以去等待。可是還沒生病的人，你有時間可以慢慢來。如果你一開始，就要求自己和家人完全達到排毒餐的要求，這樣的壓力會太大！可能適得其反。

有一次，我在教會分享這些觀念後，有一位姊妹很憂心地來告訴我，她說：「我先生就是像你講的……他得了大腸癌！可是他沒有肉不行！已經得癌症了，還是要吃肉……」，我說：「你不要逼他馬上改！你逼他馬上改，壓力很大，免疫力會降低；免疫力一降低，病情就很容易加重！」

只要你還能夠再活一段時間，就給自己時間慢慢來達成。至少早餐完全照排毒餐吃，午、晚餐稍微放肆一點也無妨！因爲在午、晚餐中了毒，然後早餐排毒，問題還不會太嚴重。你不要午、晚餐已經中毒，早餐還中毒！無論如何早餐是最重要的，現代孩子最大的健康危機，恐怕是在外面吃的速食快餐、漢堡、炸鷄、薯條、含糖飲料……；此外還有一樣更不健康的東西——洋芋片（chips）！你知道那個東西，它的熱量有多高嗎？你拿火來燒洋芋片試試看，每一片都要燒二、三十秒！整片都是油！愛吃這些食物的人，將來非得糖尿病、心臟病、高血壓不可！

肉食八大原則

給自己和家人時間，慢慢來。譬如說肉，不管我是否已經把肉之害講得多嚴重，很多人聽完看完後，還是難戒口腹之欲。所以我們就先來建立一個吃肉的八原則，也就是說如果你還是非吃肉不可，請依循這些原則吃肉，一來可繼續滿足你吃肉欲望，另一方面也可漸近地達成健康飲食的目標。

⑴從每餐都吃肉，改成一天只吃一次肉，而且只吃一種肉。因爲同時吃牛肉、羊肉、豬肉無疑是在重傷胃功能。

⑵肉類選擇以魚優先，它遠較鷄、鴨、牛、羊、豬肉安全。當然，魚也會有重金屬污染需要注意。

⑶即使吃魚，一周只能吃 1～2 次，否則吃太多魚依然對身體不利。

⑷請於晚上 6 點以前吃，方才不至於影響夜間睡眠。

⑸天冷時才吃，如氣溫在 15°C以下時才吃。

⑹魚或肉的料理，以清蒸優先，油煎、油炒、油炸均不宜。

⑺一餐之中動物性蛋白（如魚肉蛋奶）的總量不可超過總飲食量的 15%，降到 10%更好。

⑻如果以上 7 點都做不到，你至少要堅持這一點。就是，等待所有食物，含水果、湯、蔬菜、五穀雜糧、豆類都吃完後，最

後才吃魚或肉。

有許多人說，「光常，你好聰明哦！」因爲，如此一來，最後的魚或肉，根本吃不下了！其實，要求不能吃，常會有失落感，可是，因爲吃不下了而不吃，卻是自己的選擇。你可以告訴自己，是我自己選擇不吃，而不是別人強迫的，這樣一來，你必能持久採用健康飲食過生活。

不吃五穀雜糧會生病

製作排毒餐的時候，儘量增加一些變化。如雜糧米飯的多樣化製作，不要去外面買現成的「五穀米」。因爲它裡面會加高粱、大麥、小麥、燕麥、蕎麥，不見得適合你，最好是自己配！吃飯的時候，還可以加一些如海苔、芝麻、松子等在雜糧米飯上面。我自己很喜歡「松子」。這個松子啊，尤其孕婦吃，對腹中寶寶的腦袋發育特別好！還有些人嘴巴饞，吃了排毒餐，很快就餓，那就吃點松子。這個松子要不經烤過，生吃！

許多人問：排毒餐這麼有效，它的理論基礎，是從哪裡來的？我們可以看聖經裡面很重要的兩段經文。分別是《出埃及紀》第 23 章第 25 節到 26 節和《創世紀》第 1 章 29 節，這是神給我們的應許；我非常非常喜歡這一段應許。其實《摩西五經》裡面也有許多豐富的養生醫學觀，剛好補了現代醫學的不足。

如果你是基督徒，而職業是醫生，並不表示你就是「基督徒醫生」。因爲基督徒醫生是依照聖經的倫理學，來對待病人；是依照聖經的原則，來醫治病人。請你看看聖經裡面，一個很偉大的一個健康原則。我們一起來念：「你們若事奉耶和華，你們的神，祂必賜福你的糧與你的水；也必從你們中間除去疾病。……，我要使你滿了你年日的數目。」現代中文譯本直接將聖經和合本中這句「滿了年日的數目」用兩個字表達：「長壽」。年數，就是120歲以上！長壽！你看，25節後面說：不只是賜給我們長壽，要從我們中間「除去疾病」。要從我們中間除去疾病？我們想想，那爲什麼「除去疾病」跟「長壽」前面有一段話，叫「神賜福我們的糧與水」？後來我才發現，大部分的文明病是怎麼來的呢？是錯誤的飲食習慣！就是吃錯了糧！喝錯了水！

再看到世界衛生組織的統計，80%的疾病，都跟水源的不潔有關係……！你看3500年前，從聖經裡面已經有了重要的健康原則。所以，我將康復的重點放在「糧跟水」上面。那糧到底是指什麼呢？我們可以看到聖經創世紀第1章第29節：「神說：『看哪！我將遍地上一切結種子的菜蔬，和一切樹上所結有穀的果子，全賜給你們做食物了！』」我曾經花了很多時間跟大家解釋這一節經文。在現代中文譯本，就直接將它翻譯成神說：「我供給五穀和各種果子做人類的食物。」

現代人爲什麼多得文明病？因爲不吃五穀雜糧。你看健康排毒餐之中有一種食物占有特別重要的地位，就是五穀雜糧。我們要回歸以五穀雜糧爲主食的飲食方式！這裡面就講到水果、蔬菜和五穀雜糧三樣食物，是人類要健康地活在世上最重要、最重要的食物！可是人都偏離了這些食物。人偏離了神所創造最主要的食物。水果、蔬菜、五穀雜糧再加上水，這四樣形成了健康排毒餐最重要的內容。你只要回歸正常的飲食，然後照著出埃及記第23章第25節第26節跟神禱告：「我願意回歸神原始所賜與的飲食，也求你照著出埃及記第23章第25節的應許，應驗在我的身上。從我身上除去疾病，賜福與我的糧、我的水。」其實我們眞的很幸福！你全世界去哪裡找一部經典有這麼多健康長壽、幸福快樂的應許？

好轉反應是好反應

第三個，你在吃排毒餐的時候，請你特別注意到：你可能會有一些「不舒服」的反應！這叫「好轉反應」。那好轉反應是好現象！是這個毒要排出來的徵兆！不要害怕、不要擔心。整個排毒餐裡有一個關鍵，就是吃排毒餐後，毒素會排出來！造成你酸性體質的這些毒會陸續排出來。排出來到那裡？到血液裡面去。身體就會不舒服甚至會發燒。不用擔心，也不要管它！要怎樣減少這些不舒服？這個時候一定要注意，要喝大量的好水！至少2600c.c.，最好到3000c.c.，此外應多休息，如有預算再些加植物綜合酵素更佳，它就可助你盡快走過好轉反應階段。

那排毒早餐什麼時候吃效果最好呢？早上六點半到七點半之間。那又有人會問：「我半小時吃不完怎麼辦？我吃東西很慢。」不要緊張！緊張時，免疫細胞可是會降低的！我不是說六點半「開始吃」到七點半「一定要吃完」。我是說，在這段時間你可以開始吃排毒早餐，所以你七點開始吃也可以；要吃到十點也沒關係。同時你會發現吃健康排毒餐之後常常一天吃三次，就上三次廁所。而且，出來的「每一條」都會很漂亮；還有，「身材」也差不多！一樣的三圍，像香蕉一般金碧輝煌。

食物進入體內後，若 12 至 18 小時沒有排掉，這些食物就會變為身體的負擔。所以吃排毒餐之後，有兩個最明顯的反應；第一體重減輕，減輕的部分大都是排出的毒素。因為我們身體至少有 10 磅到 25 磅的毒素。第二就是大便很順暢，大腸的功能恢復。換句話說，早晨吃的，會在晚上排出去；中午吃的，會在睡覺前排出去；晚餐所吃的，會在早上起床之後排出去。一天吃幾餐，就排幾次。

為了讓你吃的效果更好，妳每一天攝取的食物纖維，盡可能達到 30 到 35 公克；如果攝取不足，可以買一些纖維補充食品。但是你不要去買高纖餅乾，一定要是「純纖維」！記住！在個人的經驗裡，認爲最好的纖維是「植物種子纖維」；它會把腸裡面的毒素，吸、吸、吸……然後排出來。那眞是好！大便完，屁股擦個兩三下就乾乾淨淨的。而且你會發現，臉上那些斑斑點點，慢慢就消失了。

越咬越不老

還有，每一口食物要咬 30 下；你在咬合的時候，你的腦部組織也正在活動！（把手放在太陽穴，然後做咀嚼的動作；你會發現太陽穴，在動。）如果你不咬，當心以後易得老人癡呆症。

日本西崗教授發現，人咀嚼食物時所產生的唾液有很強的消毒功能，它能殺滅食物中的致癌物質，使其毒性失靈。當致癌物質伴隨食物進入口腔，在唾液中咀嚼後，唾液中所含的過氧化物酵素，會促使致癌物質的毒性完全或大部分消失了。美國喬治亞醫學院實驗所得結論亦相同，拿同樣的唾液分析，身強力壯的年輕人比老年人的過氧化物酵素含量多，如果老年人能夠細嚼慢嚥使唾液量分泌增多，就可能延緩衰老。

美國醫學界也認爲，咀嚼對致癌物質有解毒作用。研究人員曾將人分泌出來的唾液，加到致癌物中，竟然使致癌物完全喪失致癌能力。

咀嚼還有利於壓力的宣洩，就是心理學上所說的齒性攻擊，藉著咀嚼的過程使人的壓力獲得紓解。君不見，市面上酥脆食品爲何如此熱賣，就因爲咀嚼過程正可助人舒壓，並帶來身心的快感與滿足。

總的來說，咀嚼食物有利於大腦訊息的傳遞，咀嚼能加強大腦皮質活化，咀嚼能促進胰島素分泌，可加速調節體內糖分的新陳代謝。還能使顏面皺紋減少，肥胖的雙下巴逐漸消失，咀嚼能解毒、保健與舒壓。總之細嚼慢嚥，每口食物咬 30 下，好處多多，不妨一試。

排毒餐是一種生活

雖然吃健康排毒餐，排便量會增加。但是排毒餐不是藥，只是一個健康的飲食結構。而且每一餐最少要有兩樣蔬菜是生食，因為只有生食才有酵素，有酵素才可以分解食物。而上帝賜給我們的食物裡面，本身就有分解食物的酵素。可是當我們煮（溫度在 54°C以上）的時候，酵素就被破壞了。所以我們很多胃不好的原因，就是吃太多熟食。

其實健康排毒餐不只是一個飲食習慣，更是一種健康的生活模式！如果你晚上 11 點睡早上 6 點起床，而早上 5～7 點正好是大腸在蠕動的時間（大腸經），所以你自然就會去上廁所。真的，健康排毒餐不只是一個「餐」，它更是一種生活模式。

照排毒餐去吃的第一個反應是「每天大便很順」，而且出來都很漂亮！一條一條像香蕉一樣；而且一拉出來有 30 至 45 公分長；還都連在一起，排列整齊，井然有序；兩三分鐘就解決了！衛生紙一擦幾乎沒有東西，很乾淨！

因此健康排毒餐的生活方式在積極的方面，是把體內已有的毒素排出去！使你的身體回復為弱鹼性和充滿氧的環境。消極的方面，是不要讓毒素再進入你的身體。所以慢性病人在養病期間，請特別注意，有「十二樣」東西，請你暫時不要吃（請參閱《無毒一身輕》），不然至少也要保持「無味精、油少、鹽少、糖少的料理原則」。

鄭國治　（美國）

◎改變飲食，找回健康自我

自從聽了林光常教授的錄音帶，我便開始採用健康排毒餐。原本我的飲食已相當清淡，而且注重原味，但仍屬於魚、肉、蛋、奶、蔬菜、水果型。因工作繁忙，常常午夜才睡，睡前難免會感到饑餓，於是經常會吃點清淡的宵夜——如泡麵、粉絲、麵線、牛奶餅乾等。如今我已改變飲食生活方式，改採素食為主，盡量少吃肉類，魚亦減量，蛋奶亦減了百分之九十，並且以水煮為原則，大部份蔬菜只燙一分鐘就撈起來。我盡量依照林教授的方式選擇食物。平時我常飲中國茶，如今也幾乎不喝了，咖啡、可樂、冰水早已與我無緣。而且在睡前兩小時盡量不吃東西，同時盡可能於晚上十一點入眠。

此外，我每天運動走三英哩（以前是走二哩半），如此五十七天，我瘦了 14 磅。其中有兩次，因有貴客從遠方來，為盡地主之誼，大開海鮮大餐口戒，結果每次都胖回兩磅。要再花三、四天的功夫，才能瘦兩磅，雖非前功盡棄，但總要守住口慾，才竟全功。

至於我用健康排毒餐的感受如下：

一、要順其自然，不必刻意減胖，它自然就會減輕體重。

二、要有信心、毅力、意志堅強，持之以恆。

三、習慣之後，必可品嚐原味之美。

四、一切瓜、果、蔬菜的皮都有其鮮美之味。當我連皮吃奇異果時，感到有特別優美的風味。尤其是鮮橙，削去外層黃色表皮，留下白色的皮連肉吃，對身體尤其好，早期我連續吃數日削皮橙，腰就感到酸痛，如今天天連皮吃，身體仍感到很舒適，表明酸鹼平衡。

五、我感到精神比較旺盛，且較能持久。

六、以前當我感到餓時，有時手會發抖，身體感到軟弱。如今餓時手不會發抖，期間只要喝一杯水，或吃一點水果即可。於是，早餐之後，即使中午禁食禱告，也就易如反掌，毫不疲累。

七、我的排泄本來就很順暢，採用排毒餐之後，更加順暢且次數增加，如此，就不會有任何餘毒留在體內。

八、我的腳已經好幾年的水腫，如今水腫亦減少，令我心情也更加輕鬆。

九、近一年來當我吃飽後，腹部常感脹氣，如今卻完全消失！

十、當我講道時感到更輕鬆有活力，走路也比較敏捷。

十一、我感到聖經說的非常好。「所以，你們或吃或喝，無論作什麼，都要為榮耀神而行。」（林前 10：31）要吃出健康，活得愉快平安，不拖累家眷與兒孫，才是真正的幸福。吃要對食、對時、對序；在飲食上成功，已是成功的一半。若能排除心靈的毒，除去一切的詭詐、恐懼、害怕、嫉妒、忌恨、惱怒、結黨、紛爭、污穢、邪蕩……（加 5：19-20），才能全然成功！排除身體與心靈的毒，才能達到真正的健康。惟有信靠耶穌基督的救恩，藉著聖靈大能才能清除心靈的污穢！

鄭國治先生是馬來西亞學園傳道會創設人及首任會長。現任國際學園傳道會美國華人事工會長，國際華人佈道團主席。他常在世界各地主領重要聚會，個人著作共 50 餘種。

第五件事

「水流過的地方都有生命。」

（以西結書第 47 章第 9 節）

⊙每日生飲好水 3000c.c.。

人身體有 70%是水，可以說沒有水，就沒有生命。你身體中水的品質與變化與你的體質有很大的關連。

清晨先飲七合好水

一天當中，有三個最重要的時段要喝水：早上一早起來的時候；下午三點鐘左右，以及晚上七至九點鐘。早上那一杯水尤其特別重要！能在早上起床後，不洗臉，不漱口，先喝七合好水，不間斷，甚有清腸特效。「合」是日本計量單位，每合約 0.18 公斤，七合相當於 1.26 公斤，即 1260c.c.。若喝不到此量，最少也要喝 500c.c.。如果喝 500c.c.就分 300 口喝下去；一次約 1.67c.c.，如此也可以培養耐性。因爲人的身體會不好，就是常常性子太急。（記住：要積極但不要著急！）

爲什麼清晨早起與睡前喝杯好水是特別重要的，醫學研究證實，人的血液黏度在一天之中會不停地變化，而且有一定的規律。血液黏度最高的時間，是在早晨 4 點到 8 點，以後逐漸降低，凌晨達到最低點，然後再逐漸回升，一直到淸晨再次達到巔峰。而這種規律性的波動在老年人身上就更爲明顯。腦血栓的發病時間許多都在淸晨至上午期間，這便說明了血黏度增高與腦血栓的發生有必然的關係。

另有研究提出，在夜裡讓老人家喝200cc的水，則早晨血黏度不僅不會上升，反而有所下降。因此，醫學界普遍認爲，晚上飲水的確可降低血黏度，維持血流順暢，防止血栓形成。當然腦血栓的發病，原因衆多，血黏度增高只是其中之一。

因爲人在入睡之後，人體因呼吸、出汗和排尿會失去水分，所以早晨若不及時補足，生理功能必受影響。

清晨吃好水，好處多

根據醫學統計，大多數心臟病患都是猝死於黎明。原因有三：⑴早晨的血小板活性增強，容易形成心血管內的血栓，引起心肌缺血。⑵人體生理血壓在早晨時會升高，黏附在血管上的脂肪沉積塊便容易鬆動脫落，阻塞心血管。⑶人在睡眠中，血流較緩慢，血液濃度增高，體內代謝物易堆積，增加了血栓形成的可能性。但是，只要清晨早起的一杯好水，便可有利於減少心臟病、心肌梗塞和心絞痛的發生。

人的胃腸內壁有許多微細絨毛，黏附著許多食物碎渣和廢物，在晨間運動或開始一天的活動之前，如能生飲一杯好水（最好是冷水，溫開水或冰水較不適宜）就能有利於刺激腸胃道的蠕動和腹部肌肉的收縮。而水在胃腸內來回晃動，還可以沖洗胃腸內壁的污垢，減少消化系統疾病的發生。尤其對消化不良、便祕、神經衰弱，甚至痔瘡等病都有好處。

對於腎結石的患者，夜間睡前的一杯好水，就更重要了，因爲夜間結石的結晶濃度高，體內更需要水份來協助新陳代謝。當然感冒或生病的人，更加需要多補充大量的好水，才能有效地排泄體毒和藥毒，使自體的免疫力逐漸恢復。但是，有心臟病、腎臟病和肝硬化的病人，因有水腫和腹水的問題，排尿功能較差，所喝水量宜遵照醫師指示。而有動脈硬化、痛風和結石的人就需要多喝好水，才能降低血管栓塞、痛風和結石的發作機率。

七八月熱天最需補水

醫學界曾發現，一年之中老年人血黏度最高的時期是在夏季，尤其是七、八月份。因為七、八月份天氣最炎熱，人體排汗過多，飲水相對不足，體內水份就會減少。血液中水份一旦減少，血液的黏稠度就會增高；人的血黏度一增高，血流就緩慢，人體組織獲得的營養和氧就相對減少。血黏度增高到一定程度，會出現血液凝集塊，造成血管栓塞，從而引起心肌梗塞和腦中風等缺血性心腦血管疾病。所以，每天一定要多喝好水，使血液稀釋，就可防止血黏度過高。

日本醫學界還做了一個研究得知，人體內的水份含量，是與年齡的增長成反比的。這不僅造成中老年人的顏面皮膚缺乏光澤，出現皺摺，還會出現令人尷尬的口臭。因為體內的水份一旦供應不足，泌尿系統的排尿活動就遭受抑制，無處可去的尿溶液，除了一部份透過皮膚毛細孔外排，就只能透過內臟「湧」出來，這就形成了口臭。

所以，日本醫師建議，由於口臭與體內水份缺乏有關，中老年人除了要勤刷牙、洗假牙外，更要多喝好水。

我們身體裡面水份的代謝，一天最少要 2600c.c！一個人禁食時，可以 40 天完全不吃東西，只喝水，依然可以活下去；甚至有記錄可長達 130 天只喝水，不吃東西的。可是你如果不喝水，七天左右，你就會脫水而死。你或許有疑問說：「耶穌在曠野不是禁食 40 天嗎？」但聖經沒有說耶穌沒有喝水啊？聖經上記載：「40 天過後，耶穌就餓了。」他沒有說耶穌就渴了，你若不相信！沒有關係！到天堂再跟耶穌對質囉！

喝好水讓身體排毒

身體的毒素要排出來，都必須要靠水把它帶出去！所以你吃排毒餐的時候，要一直喝水、一直喝水！可是我發現一個很悲哀的事情，我們很多人卻是因爲喝水喝錯了才生病的。舉個例子來說，台灣有一個頗具規模的醫院統計了十年來洗腎的病人，正以等比級數在增加，而且年齡層越來越輕！得尿毒症（洗腎）的人，已經越來越多！一個禮拜至少洗三次，每一次至少洗四到五個鐘頭。多少人生歲月，在此耗盡。

而且我發現得癌症的人跟得尿毒症的人，所喝的水幾乎都有一個共同的特點，那就是他們喝的不是「自來水」就是「純水」。我不能說喝自來水、純水一定得癌症、尿毒症。但是我們發現已經得癌症、尿毒症的病人，喝的水幾乎都是純水或自來水！純水是乾淨的水，但並不是健康的水。因爲純水是實驗室或食品工業用水，並不適宜人長期飲用。

新加坡政府爲加強自身的供水系統，使星國的水供應更能自給自足，因此決定從 2003 年 2 月起供應新生水。雖然大衆對新生水反應熱烈，但賢明的新加坡政府還是決定不把新生水直接供作食用水，政府發表三點說明，其中最重要的一點是因爲新生水在經過反向滲透或稱逆滲透（reverse osmosis, RO）的處理，許多礦物質已被淨化掉了。政府強調，未來新生水使用計劃，主要還是直接供作工商業用途，如用新生水來驅動冷氣系統或其它工業用途。（詳文請參閱新加坡聯合早報 2002 年 9 月 26 日報導）

2000 年，中國大陸第九屆全國政協會議上，全國政協常委、北京化工大學學術委員會主任金日光教授也正式提出了「關於科學宣傳和認識飲用水問題的建議」。金教授指出：「當前不顧我國百姓飲食結構的特點，過分地提倡人們喝純淨水是不合適的，因爲純淨水的凝聚態結構不僅使人體細胞很難吸收，反而還會把人體內有用的微量元素排泄出去，減弱身體免疫力」。壯哉！斯言！

喝錯水身多毒

《當代健康報》曾在 2003 年 3 月 22 日「世界水日」時，發表了一篇有關飲用水的專文，名爲「純淨水是健康水？」內文中提到上海一家醫院臨床報告：有些孩子不明原因地全身乏力、掉頭髮或禿髮，經醫生調查，這些小患者的家庭都是將純淨水作爲日常飲用水的。天津市兒童醫院 1997 年 6 月連續收治了 9 名肌肉哆嗦、眼皮跳動的患童。經過仔細檢查，發現這些患童體內缺鉀和鈣；經詢問這些孩子的家長，了解到這些患童長年飲用的都是純淨水。

1997 年上海市教委下發給中小學的一份文件，文件引述了上海市科委和上海市衛生局的一項論證結果說：「中小學生正處於生長和智力發育階段，加上好動而損耗許多無機鹽和礦物質。如長期飲用（純淨水），將對中小學生的健康造成影響。」

再從營養學角度來看，飲水不僅是爲解渴，它還是提供人體必需礦物質和微量元素的重要途徑之一。聯合國衛生組織也印證了，人體必需的礦物質和微量元素有 5%～20%必須從水中獲得。這些元素在水中的比例與人體的構成比例基本相同，容易被人吸收，有利於人體健康。純淨水因爲不含任何礦物質和微量元素，礦鹽含量和硬度都近於零，彷彿處於「飢餓」狀態，具有極強溶解能力。因此長期飲用純淨水不僅不能帶來營養，相反地，還會將體內的部分有益元素溶解，排出體外。因而長期飲用，就會造成人體營養失衡，體液電解質濃度下降，出現健康「赤字」，不利於人體健康。

純水中加個「淨」字，讓人誤以爲純水是健康的水，這實在是一個大誤會。其實世界上最著名的飲用水品牌，如法國的，美國的ARROWHEAD、CRYSTAL，日本的SUNTORY或比利時的SPA等，都是弱鹼性的礦泉水，而非偏酸性的純（淨）水。其實純水的水分子結構是極度串聯和線團化結構，不易通過細胞膜，此會導致與生命相關的有益元素大量流失。感覺敏感的人，一喝純水，是越喝越不解渴，越渴越想喝，喝久了會感到疲乏無力，尤其是對正在生長發育的兒童和青少年危害最大。難怪上海市教委會發文要求中小學和幼稚園禁止將純水做爲學生飲用水。

水少人老，水對人好

我們身體有70%是水，老人家有60%是水，小孩子有80%是水；也就是說「水分減少」的過程，正是人「衰老」的過程！所以我們常說這個人「乾扁扁」、「瘦巴巴」的，就表示他快步入老年了。所以，如果想要老得快，很簡單，只要你少喝水多吹冷氣，因爲乾燥催人老，一定有效。相反地，你有機會就要多流汗，多喝水，這才是健康美麗之道。

水眞的是很重要！水「對」的時候，你身體70%都「對」！而且水在我們身體裡面的90%，是以「血」的型態存在的；連我們的骨頭裡面都有22%的水份！你看這個「水」重不重要？所以我常跟人家講，如果你家裡的預算很有限，你什麼都可以慢慢來，惟獨水方面要處理得很積極。當初我一開始還不太注意這個問題，所以病友們雖都吃排毒餐，但有一些好的快，有一些好的慢。百思不解之下，我就請他們把所有他們吃的喝的，通通都帶過來，想從中找出不同點。後來我才發現一個最大的不同點：就是喝的水不同。

然後，我就把病情恢復較好病友喝的水，建議給其他人病友喝，結果眞是不同。聖經以西結書第 47 章裡面講：「水流過的地方都有生命。」水跟生命，始終是在一起的。有水，就有生命；生命必須要靠水；沒有水就沒有生命。所以，水眞是太重要！可是，很不幸的是，爲什麼？在市場上，商家總喜歡供應純水。

原因在於純水不養「菌」！有利於商業風險的降低。可是你知道嗎？你把這個純水，拿去澆花，花會死！養魚，魚會死！那你喝呢？……結果可想而知！

好水生飲 7 要件

你最好自己去買一個濾水器，預算夠，買好一點的，預算不夠，買普通的；不過一定要符合可直接生飲的條件，因爲煮過以後，就沒有氧了。我們身體裡面 70%是水分，而且每 18 天更新一次。所以，你只要吃排毒餐，每天喝好水 3000C.C.；18 天左右，整個人可能就煥然一新！你可以試試看！只要把水改過來，身體上許多的功能都可以恢復。你喝錯水，更糟糕！像很多女性們有尿道炎；其實，你只要養成多喝水，不要憋尿；這些毛病自然就減少了！

那什麼叫好水？好水的條件，我把它整理出來共有 7 點：

第一，它必須是要保留「原始的」礦物質。

第二，沒有氯、沒有雜質、沒有重金屬。

我在中國大陸時，有一次開水龍頭洗臉，突然跑出一隻「蚯蚓」……唉！大城市耶！不過牠倒是長得蠻可愛！而且很肥喔！還有一次在國內。我回國的時候到親戚家裡去，喝水時發現這個水有味道，我親戚就說：「哪裡有問題？都喝這麼多年了……」我就說：「不是！是『自來水』已經有加『料』了！」爬到水塔上去看……果然發現死老鼠！而且是母的老鼠！肚子裡面還有三隻小老鼠，多可怕！難怪國人除了肝不好以外，許多人的腎臟也不好。因爲當你的水有問題時，你的腎臟就變成「過濾器」。身體喝入的水，要靠腎臟過濾；如果沒有好的濾水系統，你的腎臟就是濾水器。幾年下來，它就不堪負荷了，難怪現在老老少少的腎臟多少都有隱患。

第三，好水，必須是弱鹼性的水。因爲我們的體液 pH 值，是弱鹼性的，基本上是 7.4。

第四個，這個水要符合「生飲」的標準！許多國家的水生飲標準，都認同美國 NSF 標準。如果這個淨水系統是符合 NSF 標準，就會有這個標誌打印在商品上。

第五，水必須是含氧的。各位有沒有發現，山泉水喝下去，很甘甜；用來洗臉，感覺很有精神！因爲它有氧！但是有氧的水，煮過以後，就變成沒有氧的死水。那政府爲什麼宣導要大家煮開來喝呢？因爲在自來水中，是用氯來消毒的，因此不鼓勵生飲。其實，我們應告訴自來水廠，「我要生飲，請勿加氯！」冬天時，可「間接」加熱來喝；如果你的胃比較寒，也可間接加熱，不要「直接」加熱。不過只要有優質的過濾器就可將自來水轉換成好水生飲。

第六，好水的分子整齊，密度高，以化學角度來看，就是分子結合度高的水（High moleculet water），或說是黏稠性較高的。

第七點，濾水器，處理上最好是沒有經過電的。爲什麼？因爲電有輻射。這個輻射會影響水分子結構。例如，商店有賣貴得不得了的進口瓶裝水，是「裝在塑膠瓶」裡面。可是再好的水，裝在塑膠瓶裡面，過一段時間，這個水的能量就被破壞掉了，因爲塑膠分子會溶到水裡面去。所以，你看現代人爲什麼身體那麼差？如果你有好的濾水器；出門的時候，這個水不要用塑膠瓶裝。最好是用什麼？你看德國就知道，用玻璃，用不鏽鋼器皿，這是比較安全。不要用 PE 的塑材，這種很容易溶出塑膠分子；小心吃到最後，身體裡全是塑膠，那就糟糕了。

健康投資首重水

我個人覺得健康投資中，最重要的就是水。可是很不幸的，你去公司、學校、機關、教會……供應的幾乎都是純水！所以你只有自求多福了。

其實最符合上述七條件的好水，莫歸於「雪水」。臘月的雪水是天賜良藥。明朝李時珍在其巨著《本草綱目》中論到雪水，「臘雪甘冷無毒，解一切毒，治天行時氣瘟疫，小兒熱痛狂啼，大人丹毒發動，酒後暴熱……煎茶煮粥，解熱止渴。」

根據現有科學儀器測定，雪水中所含的重水比普通水少25%，重水對人體新陳代謝和血液循環有抑制作用；此外雪水中更含有對人體生死攸關的酵素成份，而且極爲豐富，並可降低血中膽固醇，防治高血壓和動脈硬化。

但是，現今環境污染嚴重，所以採雪一定要採清潔的高空雪，千萬不可使用已被沾污的表層雪。

那也許你會心想，住在熱帶和亞熱帶的人，可能連雪都沒摸過，如何能獲得雪水？此時，我們可退而求其次，就是攝取水果中的水，那也是好水，當然，你一天不太可能喝果汁喝到3,000C.C.，故還是建議你選購一台符合上述條件的優質水處理器或生飲機。在《無毒一身輕》的附錄中已有詳細說明，請參閱。

「你們要給人，就必有給你們的。」

（路加福音第 6 章 38 節上和合譯本）

張瀞文　（加拿大温哥華）

◎改善化療的痛苦

林教授充滿智慧、愛心與幽默的言語教導，不但讓我敬佩他在這麼忙碌緊湊的生活中，仍能保持如此健康的生活作息與飲食習慣，更讓我深受感動，並願與大家分享如下：

我是一個卵巢癌末期的患者，自 1999 年 4 月發病，2000 年 11 月復發，已做過兩次手術、兩個療程的化療（每月一次共 14 次）到了去年 4 月中旬癌病再次復發。醫生告知，因為癌細胞在腹腔上下左右都有，已不適合做手術，只能用化療再試試了，於是 5 月初又開始了化療。感謝主，經由這次的苦難讓我認識了祂，也因病開始接觸有關身心靈整體健康的資訊，並在半年多的時間裡改變了以蔬果穀芽為主的飲食及運動習慣，但總覺得不完全正確，心靈信仰的力量也不足。感謝主，在 2001 年 10 月帶領我去到了天橋教會並開始接受聖經真理的教導，更感動的是我在 2002 年 10 月感恩節受洗，成為一個得救的基督徒。記得受洗前不久童牧師拿了兩卷林教授「飲食環境與健康」的錄音帶給我，我們全家反覆聽了許多遍，對於如此生動，內容豐富的演講，覺得不但受益良多，而且很開心，便開始愛上了林教授，並將錄音帶copy傳聽。感謝主，在 6 月中又收到親友寄來林教授 5 月在LA分享會的 13 捲錄音帶及《無毒一身輕》，林教授充滿智慧、愛心與幽默的言語教導讓我深受感動並願將我的抗病歷程和大眾分享。

1. 即使在化療期間，我仍相信更需要排毒，於是我把過去習慣的水果麥片早餐改為排毒餐，並開始食用酵素，結果腹脹和排便的次數都有顯著的改善。

2. 每日在公園步行時，拍手次數由原來 1,200 多下增加為 1,600

下後，感覺也更好了，相信不久即可達到2,000下的目標。

3. 開始按摩胸腺，也和先生常用「報告你一個好消息」來分享喜悅的事，感覺更開心，相信免疫力一定隨之增強。

4. 心中的苦悶怨恨，在聽到錄音帶中談到情緒及饒恕時，讓我感動得痛哭流涕，內心感覺無比的釋放。

5. 每日感恩祈禱時也為林教授代禱，共祈求主賜我節制的靈幫助我回歸到自然如廁的生活作息與飲食習慣，將神在聖經中啟示我們的真理落實在我的日常生活思想言行上，做一個身心靈全然健康的主的忠心良善僕人，為主而活，為主做見證，為主所使用。

6. 更加敬愛信靠這位創造宇宙萬物的真神，神的話語更成為我在痛苦時的安慰與力量，在**8**月**1**日那次化療後，往常藥物反應最強烈的頭兩天，全身酸痛的情況卻減輕許多，居然還可以去公園步行運動。

感謝主，將祂美好的旨意在林教授身上彰顯，他不但幫助所有的朋友做個開心的健康人，更幫助所有的弟兄姊妹做個真正討神喜悅的兒女，願主繼續帶領賜福裝備使者林教授，讓他所到之處繼續為主發光榮耀主名，哈利路亞。

為了感謝林教授這麼用心傳神的教導，除了自己要更用心開心地過每一天，為生命譜出美麗的樂章，特別在林教授到溫哥華舉辦健康福音講座前寫下我的見證，與各位朋友分享。

再次感謝主，感謝林教授，感謝牧師、教友、親朋好友的關心與代禱，感謝「鹹夫」「笑子」的愛心照顧和支持，我將繼續為大家代禱，願神祝福大家。

第六件事

「你們要給人，就必有給你們的。」

（路加福音第 6 章 38 節上和合譯本）

「要常常喜樂、不住的禱告；凡事謝恩。因為這是神在基督耶穌裡，向你們所定的旨意。」

（帖撒羅尼迦前書第 5 章第 16 節到 18 節）

⊙喜樂、禱告、感恩和捨得

情緒對健康的影響

「要常常喜樂、不住的禱告；凡事謝恩。因為這是神在基督耶穌裡，向你們所定的旨意。」（帖撒羅尼迦前書第 5 章第 16 節到 18 節）濃縮起來就是六個字：喜樂、禱告、謝恩。令人驚訝的是這段經文中「喜樂」的前面，不只是「常常」，還加了一個命令字：「要」。就是說，「喜樂」不只是權利，更是一個義務。喜樂是上帝給的命令！眞令人驚訝！所以我就照這個「命令」，常常去告訴癌症病人「要」常常喜樂。因爲神用「笑臉」幫助我們，那我們怎麼可以用「愁眉苦臉」還給祂呢？所以我們也要有笑臉，對不對？而且醫學上證實：「經常開懷大笑有助於免疫力的提升！」

我常常發現有一些捨不得笑，臉上不是「王」就是「川」的人，身體通常就是比較差一點。眞的，要常常喜樂！我常常告訴癌症病人。他們就說：「你不知道，我病好起來，我就會常常喜樂。」我說：「不是，你要喜樂，病才會好！」他又說：「不是！我要病好了，我才會喜樂啊！」我只好再強調：「不是！你要喜樂，病才會好！」因為「喜樂的心，乃是良藥。」喜樂會讓你免疫力提升嘛！

但是他還是不相信，所以他的病並沒有好。他仍在等他「病好」，可是不會好；除非他先喜樂。例如你去上班，你說「老闆，請給我加薪吧！」老闆會說：「你要先好好做！」你又說：「老闆，你給我加薪，我就好好做！」老闆說：「不！不！你要好好做，我才會給你加薪！」如此下去一定沒完沒了。所以，要常常保持喜樂！

1-2-3 樂樂功

因為你並不能經常見到我，所以我要在此傳授你們一套「大內」的功法；叫做「樂樂功」。什麼叫做「樂樂功」呢？就是你一笑的時候，你就會快樂！越笑，越快樂！什麼叫做樂樂功呢？就是你要心想著讓你樂的事，一聽到 1-2-3（你自己喊 123），你就要大笑三聲「哈！哈！哈！」

這叫「初級」樂樂功。現在我們再來學「中級」樂樂功：兩支腳平放，除了喊 123，大笑「哈哈哈」之外，你的兩隻腳還要「咚、咚、咚」地踏！（會了？各位的智慧都非常高喔！）

再來教你「高級」樂樂功；高級樂樂功，除了以上說的「哈哈哈」、「咚咚咚」之外，手還要「啪、啪、啪」地拍！我們來練習一下。（開心嗎？開心「心法」嘛！）古先知哈巴谷在絕望中道出了喜樂的原因。不是因為賺大錢，中頭彩，不是因為人生很順利。而是喜樂，是因耶和華而歡欣喜樂！因為耶和華我們的神，是好的神！我們的神，是良善的神。我們的神，是賜福給我們「滿滿」的神。我們的神，是希望我們在一生之中，享受祂的恩典的神。

現在再談「凡事謝恩」。為什麼要凡事謝恩？保羅說：因為

「萬事都互相效力」（羅馬第 8 章 28 節和合譯本）。也就是說沒有一件事情，是對我們沒有幫助。每一件生命中遭遇的事情，都是爲了使我們有機會更加提升，更親近神、更多經歷神的恩典。所以，爲我們人生中所遇到的人事物而感謝吧！保羅的人生價值觀令人激賞：「無論是生、是死，總叫基督在我身上照常顯大。」（腓立比書第 1 章 20 節下和合譯本）死也好，活也好；都要榮耀基督……這是多麼偉大的人生信念，多麼崇高的生命力量。要感謝！而且在醫學上也證實，一個懂得感恩的人，他的免疫系統特別好！一個經常抱怨、批評、責備的人，免疫系統很差！但是現代人常常都很不會感謝別人；好像講一句感謝的話，牙齒會全掉光似的。尤其是願意對我們晚輩、對下屬表達感謝之情的那就更少了。

感激之情，溢於言表

至於怎麼表達感激之情，共有三種表達方式：

第一，語言表達。對中國人的民族性來說，這是一個很大的挑戰。「呃～～他知道啦！講出來就沒有意思……不用講啦！」不！感激就是要表達出來。而且光說「謝謝！」還不夠！盡可能把「原因」講出來，例如：謝謝你的仁慈！謝謝你的慷慨！其實你今天看完這本書，可能還是不會講。所以，我寫一句，你就跟著講一句，把它背起來！你看牧師在幫你禱告時，不也都叫你要走到台前來；人生跨出這一步以後，就不一樣！

每參加一次聚會，每讀一本書，你就對付一個「個性」；在神面前，求神對付它；給你自己這一個機會「走到」上帝的台前。這沒有什麼丟臉！你是最棒的。現在請跟著我說：

你眞好（這要很感動地講）！

我眞感動啊！

怎麼會有你這麼好的人呢！

你對我眞是太好了！

還好有你啊！

沒有你，我怎麼辦啊？

你是上帝派來的小天使啊！！……

剛開始，你一講，對方一定還不習摜，你需要給對方一些時間。講的時候，發自內心的眞誠。其實眞的不必多，一兩句就能帶給人們好心情。像先生跟太太講幾句好話，那她做牛做馬，做死都甘願。例如你要跟她講：「我的好運，是妳帶來的，妳眞有幫夫運」。可是，我發現很多男生「打死」都不講。有時候還會講說：「有什麼了不起？」你看，這種男人壞透了！放下這本書後要會講，好嗎？

這種語言表達方式和民族性有關，是需要突破的；你要練習，讓孩子「從小」就練習，長大後就容易多了。沒有學會的，先不要嫁娶，免得害另一人。

第二種，文字表達。將它寫下來，再傳給他。現在簡訊很方便，e-mail 也很容易。剛開始時，如果不敢講，就用寫的吧！寫下來，寄過去，對方看了一定心情大悅，閩南語有一個俚語，叫「暗爽不能講」，就是在心裡很高興又不能講出來，但不講出來會得內傷。美國偉大文學家馬克吐溫能每天給他太太寫一封情書，實在太了不起了。

第三個，行動表達。行動表達是什麼？就是送一些小禮物；但不須送大禮物。不要爲了買禮物而去找禮物，那是很浪費時間的。有一種方式，你可以試試：看到適合當禮物的，都買回來！送給誰？不知道！先買！這個方法非常節省時間；等到要送禮物的時候，再去挑。

箴言裡面不是講嗎：「暗中送禮，可息怒氣……」（21：

14）這可是眞的啊！但是你不須送太「重」的，如鑽石一克拉，那可能就有問題了！小禮物就好！它可能只有美金一塊錢、兩塊錢而已。有空時不如逛逛夜市，我每次到一個陌生地方，我就去逛夜市！因爲逛夜市的時候，就會看到一些具當地特色的小東西；而且很便宜，買回來放著，有機會就送給合適的人。

演講會時，我都會做一個概略的統計。請問在場的各位太太：這一年之內，有多少人收到先生送花或其它禮物？結果發現經常接到禮物的女士們，都低於百分之二。當然你不要在情人節送花，那不夠聰明。（實在是不想罵人笨；可是在情人節送花眞的好笨！）情人節你要把「花」直接「折現金」，包「紅包」，那更有用！要送花就平常送！

萬一你因爲景氣不好，「預算」有限，那你就不要送一束，只送一朵也可以！如果你連送一朵，都捨不得買，我再幫你想個辦法好了。美國是沒有啦！台灣就很方便。因爲台灣路邊就有很多辦「喪事」的，摘一朵回來送（當然這是開玩笑啦）。還有就是我們可以把語言表達與行動表達「結合」在一起，來表達我們心中的感謝。我相信這都是非常有價值的。

透過擁抱傳遞溫馨

現在我來帶你做一遍好嗎？你跟著我說：「謝謝你爲我所做的一切。」（要很有感情）然後你去找到「至少五個人」去跟他說：「謝謝你爲我所做的一切。」這個叫「初級」班。你們都很有智慧，所以我們直接進「高級」班。其實，最好的行動表達就是「擁抱」；沒有比擁抱更好的表達方式。所以，擁抱的時候，你要跟他說一句：「謝謝你給我溫暖……」等一下唷！還沒有完；這一次，至少要「找七個人抱」。再等一下！還是沒有講完。男生，要找男生抱；女生，要找女生抱；一家人？那就隨你抱！

夫妻回家，一天至少要抱 15 分鐘！你知道爲什麼留學生的離婚率那麼高嗎？因爲夫妻分開兩地嘛！他們根本沒有時間擁抱。擁抱，就是我給你能量、你給我能量。現在小孩子很可憐；爲什麼現在小孩子會這麼冷漠？就是因爲從小，他會走路後，你根本就不再抱他。所以，對於孩子，不管他多大都要抱！抱到「抱不動」爲止。

根據教堂山北卡羅來納大學心理學家葛瑞文在美國身心醫學會所提出的報告指出，在展開一天的辛苦工作前與伴侶溫馨的接觸，可讓人整天都感到溫暖愉快。即使只是與伴侶短暫擁抱和牽手 10 分鐘，都可以大幅減少緊張壓力對身體造成的傷害。

在這項研究中，100 名擁有配偶或長期伴侶的成年人，手拉著手一起觀賞 10 分鐘令人心曠神怡的影片，然後互相擁抱 20 秒鐘。另外，85 人沒有伴侶陪同，單獨靜靜地休息。

然後讓所有參與實驗的人花幾分鐘時間，談論最近一些讓他們生氣或緊張的事情。這些回憶通常會讓人心跳加速，而血壓升高。事後再測量參與者血壓變化的情形，結果顯示，孤單組的人血壓遽升，收縮壓跳了 24 點，比有伴侶擁抱組高出一倍以上；舒張壓也顯著提高。孤單組每分鐘心跳增加 10 次，也是有伴侶組的一倍。

邁阿密大學醫學院接觸研究所的蒂凡妮・斐爾德教授說，親密接觸能降低與緊張壓力有關的內分泌素皮質醇分泌量。而皮質醇濃度一旦降低，令人感受愉快的腦部化學物質血清素和多巴胺會急遽增加。所以，朋友們，沒事，多抱抱；有事，更要抱抱。

感激之情的表達，對於健康，是大有用處的。尤其是將對個人家人的小愛，化作對衆人對陌生人的大愛。這樣的人，不知不覺中會蒙上帝賜福。當初期癌症病人去照顧末期癌症病人，兩方都會得到令人高興的結果。我發現力行健康排毒生活而得到健康的人，如果他主動願意去教導和協助他人力行健康排毒生活，自己也能日復一日，保有最佳健康。而且越幫別人，自己得到越大幫助。眞如耶穌所說：「你們要給人，就必有給你們的」。

中國人或許經歷了太多太多顚沛流離的日子，悠悠五千年，眞正的承平歲月沒有多少。因此，多數人都只是想緊緊抓住既有的，更遑論將之與人分享。（當然，現在已有越來越多的善心善行人士，如光寶集團副董事長林元生先生，他只爲國家社會，不爲沽名釣譽的善舉，經常讓我感動得不行了！）所以我常鼓勵癌症病人，給自己訂一個奉獻的目標，不爲得什麼，只想給出去。因爲越捨不得，越不得；捨得，捨得，能捨，才能得！得是爲了捨，捨越多，得的空間才會越多。你就獲得更大捨的能力，造福更多人。

爲有價値、有意義的目標，努力奉獻金錢，才華、能力、時間、智慧、……，人生一遭才沒有遺憾啊！

當我將演講錄音帶 CD 版稅的大部份，取出來，做爲社會公益用途時，我又從上帝和讀者聽衆那裡得到了十倍以上的回報。在世界各地的健康分享會結束後，我經常收到數十元到數仟元美元不等的捐款，支持我後續所推動的「全民健康排毒」運動。而且許多在傳媒界服務的朋友，當他們體驗了健康排毒多多的益處後，都主動地安排，透過廣播電視報紙雜誌推薦，以期影響更多人，期望人人健康，家家幸福，如中時晚報陳國祥先生、飛碟電台朱衛茵小姐，資深媒體記者曾建華先生、美國台北衛星電視網總經理莊昌平先生，和健康節目主持製作人胡小蘭小姐，眞叫我感動啊！

第4章

架起喜樂與謝恩的橋樑

「喜樂」跟「謝恩」中間還有一個橋樑。很多人說：「我就是沒有辦法喜樂；我就是沒有辦法謝恩；我的人生很痛苦……」那你需要中間的一個橋樑，是什麼呢？禱告。禱告就是跟神呼求。我們中國人有一句名言，眞的很有道理：痛則呼娘（媽呀！好痛！），窮則呼天（窮，不是說沒有錢；窮是指人生「窮途末路」）。窮則呼「天」，這個「天」，不是指「物質」的天。其實中國夏商周時代，凡講到有關「天」的觀念，都是有「位格」的；就像聖經裡面講的一樣！都是有位格的。天，不是物質的天；直到後來中國大道隱沒了，離開了神。因此從春秋戰國以後，整個天下就大亂。

禱告就是跟神呼求。所以，不管你的人生在怎麼樣的情況，你都可以呼求上帝。我很喜歡劉翼凌牧師評論宋尙節的一句話：「宋尙節講話很少，講道很多，禱告更多……」我很佩服我們牧師，他每一天至少禱告四個小時，藉著禱告帶領一個數千人的教會。你看，他每天早上 4 點鐘起來；5 點到 7 點帶著弟兄姐妹禱告。每次聽到一首中國大陸寫的歌，叫「中國早晨五點鐘」，都聽到掉眼淚！每一次都想到自己的虧欠，在神的面前，眞是「不配」。

清晨早上 5 點鐘，我們向神禱告；眞是太美、太美了！不過不要在 3 點以前起床，因爲晚上 9 點到隔天 3 點是整個身體最重要的「修復時段」要好好地休息。

我發現成功者都有一個特質：早起。你也可以成爲叫太陽起床的人，而不是陪月亮不睡的人。也許各位可以嘗試參加教會的禱告會。教會的禱告會越興旺，教會自然就越興旺。教會興旺；不是「聚會」先興旺，一定是「禱告會」先興旺。我們需要更多的禱告養成習慣，時時禱告，事事禱告，處處禱告，你的人生將有不同。

聖經裡，我們常聽到耶穌講「捨己」。「捨」就是放下，願意放下。人不快樂，生病的原因，有很多是他不願意「放」，他不願意「忘」，不願意讓它「過去」。尤其是不愉快的事情，別人對不起你的事情，或欺負你的事。年紀越大，不愉快的記憶越多，對你的傷害就越大！

「那時彼得近前來對耶穌說：『主啊！我弟兄得罪我，我當饒恕他幾次呢？到七次可以嗎？』耶穌說：『我對你說，不是到七次，乃是到七十個七次。』」

其實原諒別人，受益的不是別人，而是自己。謹記傷害的人和事，心靈被捆綁，身體亦不得放逐，呈現出失眠、焦慮、胃病和高血壓等。癌症爆發的原因之一，是心理面有很多的委屈、痛苦和不愉快的往事堆積在一起，到某一個程度爆發出來。想要把所有不愉快的全部忘記，是不可能的。因人是有記憶的，但是可以交給神，向神呼求。有什麼恩恩怨怨，有什麼心裡的苦處，來到上帝的面前。藉由禱告，求神的能力來覆蓋，求神的恩典來塗抹這一切。

我再強調一次，喜樂不是有值得喜樂的事情才喜樂；是「喜樂」後，才有事情值得喜樂。每天想快樂的事情，想到以後，就大聲地笑！開懷地笑！心就打開了！如果「樂」不起來，就多接觸「快樂人」；所有一切生命面的痛苦，所有一切的悲傷，所有生命裡面的傷害；透過跟上帝的呼求，能夠獲得醫治⋯⋯

林焜華　（台灣台北）

◎生機盎然的美食

當我著手寫下這篇文章時，很難想像 4 個月前的我和現今相比，不論是身心靈各方面都有天壤之別。

過去我也是美食饗客，是重口味的食肉族，雖然喜好運動，專長游泳，但多動多吃，不動就想睡的體質使我容易發胖，加上新婚後心寬體胖，體重直線上升不少，為了減重健身，下班後即到健身房加強運動游泳，但成效有限，既耗損時間，精力也減少，令我苦惱！

由於妻子的虔誠信仰，使得我們在平日生活之餘就一直努力身心靈三合一的實踐，因為三者平衡循環，方是生活良好的動力，否則身體不健康心靈也是軟弱。

本著如此信念，也是上帝厚愛眷顧，因緣際會，藉由學校一位熱心家長推介，認識了林光常教授，他也是一位基督徒，從聖經的原則倡導自然飲食療法，我花了相當的時間仔細研究閱讀他的著作——《無毒一身輕》，並且聽他演講整理資訊，才知道過去所謂美食，已在我體內累積，太多毒素，不但沒營養反而垃圾堆積如山。新陳代謝不佳，當然體重增加就容易疲倦，如同心靈累積過多苦毒也會生病一樣。恰巧妻子也在同時因為鄰居的關係，接觸到有機飲食產品，我們幾乎是同時決定改變生活飲食習慣，真是奇妙！率先登場的是早餐，我們吃的是林教授介紹的排毒餐，非常簡便經濟實惠——一份水果，兩份蔬菜，一份黃番薯連皮蒸熟，一份糙米飯，細嚼慢嚥品嘗自然原味，真是美味極了！而後奇妙的是，每天不只一次的排便順暢，體重直線下降，至今我已減去 15 公斤，並且身體也起奇妙變化，常有排毒現象，尿酸減輕，新陳代謝良好，精神頗佳注意力集中，看著毒素一天天減去，令我信心喜樂十足。

這是符合上帝創造自然資源給人類享受，希望我們學習親近土地的美好法則，當然我希望好東西能和好朋友分享，並且期許未來和妻子一起致力推崇排毒餐生機飲食，身心靈的喜樂，生機盎然的活力，加油！

「上主啊，祢已經醫治了我。

我們要彈琴、唱歌讚美祢；

有生之日，我們要在聖殿中讚美祢。」

（以賽亞書 38 章 20 節）

第七件事

「生死在舌頭的權下」

（箴言第 18 章 21 節和合譯本）

「你所說的話句句有後果」

（箴言第 18 章 20 節）

⊙掃除一切悲觀消極的意念。
負面話語一句都不說出口。

箴言第 18 章第 21 節：「生死在舌頭的權下」，也就是說我們所說的話，決定了我們的一生。尤其是情緒性的話，特別影響我們的人生。箴言第 18 章第 20 節上半段：「你所說的話，句句有後果。」爲什麼生死權在舌頭下？因爲你講的話，每一句都會有後果的！做錯事？做錯了就算了！講出來的話卻永遠不會止息的！耶穌說在末日審判的時候，曾經講的閒話還要再講一次！多可怕！箴言第 4 章第 23 節：「你要保守你心，勝過保守一切；因為一生的果效，是由心發出。」這個心也可以說是思想。新的中文翻譯本：「你所思、所想，要謹愼。因爲人的一生是由思想來定形的。」負面的話語，一句都不要說。不管你人生遭遇到多大的困境，進入到多大的絕望，永遠不要說出絕望的話來。永遠不要說出來；爲什麼？因爲「生死在舌頭的權下。」或生、或死，你的舌頭有決定性的權利。最怕癌症病人跟我說：「這個也不能吃，那個也不能吃，乾脆死掉算了！」

自我詛咒很快見效

很奇怪，凡是講這個話的人，沒有多久就死掉。爲什麼？生死在舌頭的權下。他已經用他自己說出來的話語「咒詛了」他自己。爲什麼生死在舌頭的權下？因爲你所說出來的每一句話，句句都有「後果」。不會講完就沒有了，而是你講完了以後，這個話語的力量，正要發生……。

當我們到監獄去拜訪受刑人時，看到年輕人就特別疼惜。一位年輕人他說：「老師，你知道，我爲什麼會來這裡？我小的時候很頑皮、很壞；我爸爸媽媽拿棍子打我的時候，就說：『你這小孩子這麼壞，以後一定當強盜！我要打死你，免得以後你做強盜！我看你這麼壞，18 歲以前一定進監獄……』你知道嗎……我 14 歲就進監牢……提早 4 年，完成他們的『心願』……」你們看看，舌頭多可怕啊！

越有權威越有果效

聖經上告訴我們：上帝是基督的「頭」，基督是男人的頭，丈夫是妻子的頭。「頭」就代表權威。你看，神的「授權」像一條電纜線。神授權後，越有「權威」的人，講出來的話，力量就越大。對孩子來講，最大的權威是爸爸媽媽。父母親對孩子所講的話，對孩子是最大的權威。夫妻之間因爲他們是一體的，所以互爲最大的影響力。很多作妻子生氣的時候，會講一句話：「我瞎了眼才會嫁給你！」很奇怪，從此以後視力開始衰退。而且她視力的衰退，從哪裡表現？從肝功能。因爲肝主「目」；視力的衰退會從肝開始表現。先生有時候講的話很壞：「她做的菜不好吃！」（結果越做難吃。）他最後還加一句：「眞倒胃口……」結果從此以後就「胃病」隨身。很可怕吧！因爲「生死在舌頭的權下」。

我會的你沒考

我有很多機會到學校去對老師演講。除了大學之外，我也希望能對小學老師演講。因爲我發現很多小孩考試考不好，老師就會罵他：「你怎麼那麼笨哪！」數學考不好，老師就罵他笨！回到家爸爸媽媽也罵他笨；從此以後小孩的數學一定考不好！爲什麼？爲了證明爸爸媽媽你罵我「笨」是「對」的，這個叫「咒詛」！但是我百思不解的一個問題，各位比我更有智慧，或許可以告訴我。我也常常想問小學老師，「考試考不好，跟聰明或笨有什麼關係？」考試考不好，只證明我會的你沒有考而已，怎麼可以說我笨呢？我有別的天份啊！（老師你不知道而已！是你笨吧？是不是？）

可是，各位你知道嗎？我們人生裡面衆多的悲哀、痛苦、焦慮、咒詛、悲慘……從哪裡來？從小來自家庭、父母、師長「負面話語」的傷害。他有很多情緒的痛苦，始終不被了解、未被醫治。爲什麼有那麼多的痛苦？因爲他跟他父母之間的關係，沒有和好。爲什麼沒有和好？因爲有「自幼的傷痛」在心裡頭啊！

許許多多「夫妻之間的痛苦」在哪裡？可能是言語之間，負面話語的傷害。話語爲什麼具有生命的決定權？因爲你所說出的話，具有創造力，也具有毀滅力；當你說出祝福的話，它就變成創造。當你說出咒詛的話，它就變成毀滅。或創造，或毀滅，你自己選擇。更可怕的一件事情，是我們自己「對自己」的咒詛。人生的幸福、成就與個人的才華，常常在負面的話語中流失了。我可以講一句很嚴重、很嚴重、很嚴重的話：你的孩子、你的先生或你的太太，今天所變成的情況，你要付最大的責任！因爲你所說出的每一句負面的話，都在他生命裡面留下很深刻的刻痕；而且會跟隨他一輩子。

算命的真實意義

這法則不只是對個人，它對國家民族的命運也起作用。讀中國近代史時，常常一邊讀、一邊流眼淚。尤其從滿清末年以後這個民族一直都在大苦難之中！中華民族爲什麼這麼悲慘？我深刻的思考發現我們的民族，是一個非常喜歡「算命」的民族；也許各位早就經歷過了。

什麼叫算命呢？你把命這個字寫寫看！它是怎麼寫的？你把「命」這個字的「口」拿出來，它就變成兩個字；一個叫「口」，一個叫「令」。算命是什麼意思呢？就是你去找算命先生，把你自己的「命運」交給算命先生背後所代表的「靈」……。最可怕的是，你算完命以後，你說：「好準啊！」各位，你知道這是什麼意思嗎？這表示你的人生，正交給算命先生背後所代表的靈，它正在命定你的人生……

夫妻兩個人難免意見不同；吵了架以後，就去算命。這個算命先生若說：「你們根本八字不合，怎麼會做夫妻呢？而且剋夫、剋妻、剋子……」（剋爸、剋媽，全剋了！）那你說，他們還能做夫妻嗎？所以不管夫妻兩個人怎麼吵翻天，什麼話都可以講，有兩個字永遠不要講出口！當你這個話一講出口以後，你們的命運就會朝方向走去。

憤怒的話最苦毒

我看到很多孩子，是非常聰明、有智慧的；可是爲什麼他們活得不快樂？爲什麼會感覺很大的壓力？你知道嗎？因爲父母師長常常在無形之中，給他的苛責；不願意講鼓勵、欣賞、讚美的話；總是把批評、抱怨、責備的話掛嘴邊。尤其是在憤怒之中，帶出苦毒的話，那就更可怕了！你可以想像：當你孩子打翻了一桶水（因爲愛玩），你打一下他手心；他就知道以後不要打翻了（痛過就算了）。可是，當你打下去的時候，再送他一句：「你這個白痴、笨蛋！」各位知道結果是什麼嗎？這個孩子就開始領受了這個咒詛；他的人生就開始扭曲。在你的孩子出生前，在你肚子裡面就開始受到母親話語和意念的影響。

我們出版社，就是這本書出版社社長的女兒，她在懷孕之前，我就建議她吃一些膳食。懷孕後她的情況都很好。一直到第九個月的時候，她告訴我說：「糟糕了！」這個小孩子突然「轉頭」了；頭跑到上面來，腳在底下……糟糕了！再幾個禮拜就要生產了；怎麼「倒立」也沒有用！她問我怎麼辦？我跟她說：「妳要告訴妳的孩子，請他頭朝下、腳朝上。」她說：「我講了！可是他還是不轉過來！」我就問她：「妳怎麼講？」她說：「你要回到正常體位……」

我說：「不！他聽不懂『正常體位』；妳要跟他講：『大大、重重、圓圓的那個，叫做頭；要朝底下！』」一個禮拜以後，她就告訴我：「眞的，轉回來了。」

爲什麼有些人終其一生，都無法發揮他們的才能，當中有很多是父母時常在無意之間，在話語上傷害了他們，讓他們感覺自已是「多餘」的；他是不被期待之中生下來。而這些意念，常常會帶他們走過幾十年，甚至帶進墳墓。怎麼辦？

認罪是治療的開始

寬恕跟認罪是唯一治療的方法。而當我們說出負面話語的時候，說對不起，是不夠的。當我們說出負面話語的時候，我們已經出現一個更大的問題。因爲我們所說出負面話語，在說的時候，我們的靈和聽的人都已經被「扭曲」了，這是多可怕的事情！

我曾經見過一個非常傑出而優秀的人，但他很痛苦。他有世人所羨慕的一切，但是他不快樂。爲什麼？而且，他很奇怪，他只要一見到他爸爸，就手足無措，不曉得該怎麼辦。即使他平常的表現非常好！而他的爸爸建立了很大規模的企業，七十歲要退休的時候，也非常痛苦。爲什麼？因爲他唯一的兒子沒有出息。（他從小就罵他「你這個沒有出息的孩子！」）其實這個孩子，在台灣建國中學畢業，唸台大；台大畢業，唸哈佛；哈佛唸完，回到台灣。在所有人的眼中非常優秀！可是，很奇怪，他只要一見到他爸爸，就變得手足無措；整個人就變得很自卑、很自卑。總覺得自己好像不知道該怎麼辦……各位你知道爲什麼嗎？因爲他的爸爸之前告訴他：「你是個沒有出息的孩子。」結果是爸爸痛苦，兒子也痛苦。

我知道你今天心裡面，一定有一些事情！你的心爲什麼這麼憂鬱、這麼煩啊？有時候，做太太的無意之間說了很傷人的話，當你說出：「妳爲什麼不像某某人一樣？」的時候，這是最傷人的話。當妳說：「某某人的太太，都有怎麼樣」的時候，妳知道妳丈夫受的傷害，也是很重很重的。

各位先生，你有沒有看到你太太的心情？爲什麼你常常看到她好像比較懶惰？因爲你一直告訴她：「妳很懶。」爲什麼你太太好像結婚以後，變得比較笨？因爲你常常罵她「笨」；這是咒詛！你是最有「權威」的人。所以在教會，聚會結束，一定要等到牧師祝福完再走？因爲在教會裡面，最高的權威，代表神的是誰？牧師！

牧師祝禱改變一生

我永遠不會忘記我十六歲那一年，牧師爲我祝福禱告的事；牧師求神「賜給我充足的智慧，並且讓我一生受用。」就從那一天開始；很奇怪！我變得很愛唸書。（我家裡的人都覺得很奇怪。我媽媽還說，不曉得我發生什麼事情？）我從小唸書的時候，我爸爸看到我，就會說：「你的屁股有針喔？」所以，常要我跪著寫功課。因為坐不到三分鐘，我就跑掉了；他只要一轉身，我比他轉得更快！可是，當我讀到雅各書1章5節的時候，我就跟神禱告：「神啊！這一節經文就是寫給我的。你真好！派了雅各寫下這一段話！」

「你們當中若有缺少智慧的，應當求那厚賜與眾人，也不斥責人的神；主就必賜給你們！」很奇妙，我就是雅各講的這類人。我們牧師為我祝福禱告的時候，很奇妙地，我生命的智慧被打開。後來我媽媽會常說：「不要讀書，出去玩啦！」你知道為什麼嗎？因為她說：「你這樣會讀成書呆的！」她怕我變書呆子。以前，是怕我不讀書；16歲以後，是怕我讀太多書？（這真是神的恩典）。

負面話語代代相傳

而且還有一件更可怕的事：如果在你這一代，你不對付負面話語的問題，這個問題會傳到下一代，還是解決不了！為什麼？我講一個實際的例子給您參考。有一個人很優秀，擁有很高的學位。有一天，他在責罵他的小孩。他不僅罵得很兇！他罵人罵的……實在是；我從來沒有聽過這麼沒有水準的！

他罵完之後，就反過來對我說：「對不起啊！我實在不應該在你面前責罵小孩……」因為我是反對用「責罵」。我贊成用「打」的，但是不能常打！平均兩三年打一次，打一次就刻骨銘心，不會忘記。所以在孩子十幾歲以前，大概頂多打個三、五次；打下去就永遠不會忘記！而且，不可以用手打；因為「手」是上帝給我們擁抱用的，不是打孩子用的。要用棍子打；沒有找到棍子，不可以打。（太太就要負責把棍子藏好。）很多人都說很有效！（找棍子？找到棍子的時候，怒氣已經消了。）

我這個朋友就跟我說：「對不起，我剛剛很失態。」我就說：「對啊！我從來沒見過一個人那麼沒水準的！」他說：「眞的啊？」我是沒有見過他爸爸；我跟他說：「你回憶一下，你爸爸媽媽罵你的時候，跟你現在罵小孩；有什麼不同？！」他馬上回說：「不可能一樣！我爸爸沒有唸過書，我可是唸到博士吔！」他講完之後，想了想又說：「你講的對！我罵小孩的樣子，眞的跟我爸媽罵我的樣子有點像。而且用的詞彙都差不多！爲什麼？我受那麼多教育卻沒有改變？」

我們想什麼、我們就講什麼。耶穌說，我們心裡所充滿的，我們口就說出來。你講的話，常常和你父母親講的話，不會差太多。如果我們在我們自己這一代，不把我們話語和思想的資料庫重新更新，那我們會把上一代，所有歷代所延傳下來的，那些錯誤的話語思想，延續到下一代。你所講出來的話，就定了你的命，定了自己的人生。尤其對孩子（晚輩、部屬）所講的，那是最大、最有效的話。而你的孩子，就會照著你所說的話去作。如果你罵他「沒出息」，他就表現沒出息給你看！

更新你的資料庫

人的話語很難更新。因爲你整個思想資料庫，是根深柢固的。而最好的方法就是熟讀有價值的經典，如聖經！因爲聖經上所有的這些話語，你把它背起來、學會，並不斷地說給別人聽；那你蒙福，對方也蒙福；這個動作不斷持續，這個力量就會加大。也因爲話語的咒詛，會「代代相傳」。除非在你這一代解決掉；除非你把你話語的資料庫更新，否則你沒有好話可以講。也許你想講好話，就如很多父母親說：「我想講！但是沒有話可以講。」有些父母一直責罵孩子，甚至連續半個小時罵的「都」不一樣！但說鼓勵、正面的話語呢？

「ㄟ……ㄨ……」（狗嘴吐不出象牙）為什麼？因為他整個話語的資料庫，沒有好的材料。所以各位朋友，我希望你看完這本書後，有機會可以領受從上天而來的祝福。我們求神來更新我們話語的資料庫。我們今天要做兩件事：第一，我們要原諒曾經用話語傷害我們的人。讓我們的生命，在神的面前再做一次的對付。讓我們的人生有機會，再做一次更新。因為我們的孩子，我們身邊最親密的人，常常是我們用話語傷害最重的人；所以導致他今天人生變得沒有活力。至於曾經被人家用話語傷害過的人，對生命之中所造成的極大痛苦，我們今天要奉主耶穌的名，撤銷這些咒詛！然後更新我們話語的資料庫。

第二，你曾經以話語傷害過別人的，你要向他們鄭重地表達歉意，請求原諒。在神面前，我們要求神給我們這樣的勇氣。我們要對他們負責，要特別為他們禱告。這是非常重要的一件事情！因為只有我們奉主耶穌的名字，去撤銷這個咒詛；所有以前的這個咒詛，不管是別人給我們的，還是我們給別人的。奉主耶穌的名字，去撤銷這些咒詛！用祝福來代替咒詛，我們的人生就可以從今天開始，斬斷世代的咒詛，重新開始我們的人生。

願上帝賜福

以下為美國加州洛杉磯中華聯合基督教會陳腓利主任牧師的禱告，你可自行按下列文字祈禱，願上帝賜福給你。

「親愛的主耶穌，我要奉祢的名宣告！在我以前所受的咒詛、我所受到的傷害、我無知的時候，算命、看風水、接觸邪教、紫微斗數，因著這事情所給我帶來的和咒詛、綑綁，要奉主耶穌基督的名，跟它一刀兩段！我要在這邊宣告，我單單屬於主耶穌。我跟以前的一切，奉主耶穌的名，我要跟它劃清界線！親愛主耶穌，我要跟它劃清界線。我要拒絕它給我的咒詛；我完全地歸向基督，單單的屬於基督。親愛的主耶穌！在過去的日子裡面，因著我的親人、朋友、老師；他們在話語上給我的傷害，我今天要奉主耶穌基督的名！要把它挪去！求神醫治我，我也要求赦免他們。因爲他們所說的，所做的，他們不知道。親愛的主耶穌！我在過去的日子裡面，也說過傷害人的話！對我的親友所造成的傷害；親愛的主！求神赦免！我求神醫治他們！求祢給我信心、勇敢的心；我願意去了結以往。我願意到他面前向他道歉，請求他原諒；好讓這些事情劃一個句點。有一新的開始。讓我們建立一個新的關係！主啊！求祢聽我的禱告，我要奉主耶穌的名宣告！那些我所傷害的人，要得到神完全的醫治！如果他們還沒有認識神，也讓他們有機會可以認識耶穌基督做救主。求神給我智慧，給我勇敢的心，來了結這件事。我的禱告是誠心誠意的，奉主耶穌的名！

阿們！

劉張惠惠

◎海外迴響

Dear Brother　林：

Although I've been in the USA since I was eight and the only Chinese language I know is limited to conversational cantonese, I've founded that not only are your Health & Diet sessions easy to understand, they are very informative, helps relieve stress at the end of a work day, but most important of all, it gives us a chance to praise God and to thank Him for His grace.

With the help of your research and of our Lord's blessing, my husban and I are on our way to a healthy, olng, and happy life. Thank you for ypur love towards people and God.

梅麗　59歲（美國休士頓）

林教授吉祥：

感恩您來到休士頓市為海外僑胞做健康講座，這三天四場我都參加了，並且還做了筆記。我在休市住了23年只有這一次健康講座是場場客滿，尤其今天，大雨傾盆，天空更是暗得連開車都看不見，休市很少有這種豪雨，但還是客滿了。看到一群在海外的遊子為了追求真正的健康，認真來到會場學習，真是令我感動。您是成功的，可以看出您所書、所言、所講都是長期研究，認真瞭解後才說出來的，尤其您的理念、理想都是為人類福利而做的偉大。

願上帝祝福您！

◎婦女福音

甘秀瓊　（美國休士頓）

光常弟兄：

感謝您撥冗，千里迢迢來到休士頓美南台福教會「分享健康人生」的保健講座，令大伙兒獲益匪淺。原本以為是趕流行或只是一陣旋風，沒想到聽後才知道這真是此世代的一股清流，驚醒許多沉睡中的人。

連續三天夜晚，人潮不斷湧入教會，使得會場座無虛席，而一樣的詩歌敬拜讚美，使我聯想到主日崇拜的光景，若是每次都能這樣該有多好！求神幫助我們明白祂的心意！而「排毒健康餐」更省卻我在廚房的時間，除聞不到油煙亂竄外，冰箱的食物也常保新鮮可口，對我這職業婦女真是一大福音。願神恩膏您的服事，讓更多人有機會到教會認識真神得到幫助。不止在身體上獲得健康，心靈上更是得到飽足！

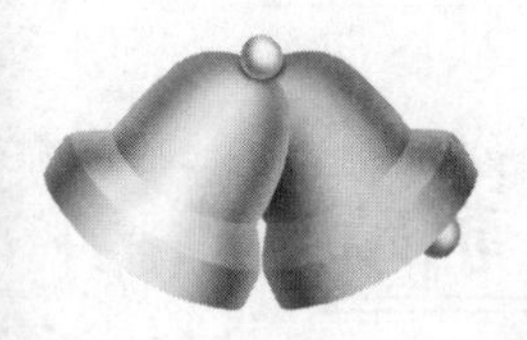

附　錄

「耶和華所造的，各適其所；
就是惡人也為禍患的日子所造。」

（箴言第 16 章 4 節）

「敬畏耶和華，心存謙卑，
就得富有、尊榮、生命為賞賜。」

（箴言第 22 章 4 節和合譯本）

附錄一　酵素——生命的奇蹟

酵素的作用

酵素是動物生命中不可或缺的一部分，是生命體的組成物質。酵素存在於所有的細胞中，動植物甚至細菌的細胞，時時刻刻都有成千上萬的各種生物化學反應在進行，而酵素正是這些生化反應所需的觸酶。因爲有酵素的存在，各種的生化反應才能以理想的速率進行。每種生化反應所需的酵素都不同，一種酵素只能催化一種生化反應，因此體內的酵素種類也很多，目前已知道的就有數千種。酵素也存在於各種體液中，如血液、消化液等。新陳代謝酵素主要作用於血液、組織及器官；消化酵素分泌用以消化食物中的醣類、脂質、蛋白質等。酵素的活性因年齡而異，由出生的嬰兒期至幼兒期之間，消化能力隨著酵素活性的增加而增進；進入中年之後，酵素的活性下降、消化功能也因而衰退。此外，酵素也是一種蛋白質，因此具有蛋白質的一切特性，對溫度與酸鹼度都很敏感，在烹調的過程中，食物的酵素會被高溫所破壞。然而酵素又常需要維生素和礦物質作爲其催化作用的輔助因子，因此酵素比維生素更不穩定，更易被破壞而失去活性。

生食酵素對身體的好處

在傳統的生理學和營養學裡，只重視體內的酵素，很少注意到來自食物中的酵素。美國和日本對食物酵素研究超過了30年，關於酵素的報告就超過五百篇，且研究報告也已顯示食物酵素有益健康，可預防某些慢性病，所以這更彰顯了食物酵素的重要性。一般來說，屬於蛋白質的食物酵素會在消化過程中被分解爲胺基酸，自然被破壞，不再有酵素的活性。當食物生食時，食物的細胞被破壞，其內的酵素被釋出，恢復活性，這些來自食物的酵素，在體內消化液中的酵素作用之前，便先發揮了作用。因此，生食新鮮的食物，不僅各種營養未受任何破壞，來自食物的酵素群也能被完全攝取。

如果能在安全攝取的前提下，適度生食，則經年累月所攝取的食物酵素，將遠超過體內器官所分泌的總酵素量，著實地降低了消化器官、胰臟與體內新陳代謝的負荷。其中實驗證明，草食動物的唾液中因缺乏酵素，主要靠著食物中的酵素來進行消化工作，所以其胰臟的大小不及人類的一半。而人類因爲已習慣熟食，食物的消化就要靠體內分泌的酵素了。其中偏愛熟食的東方人，其唾液腺和胰臟又比西方人大些，由實驗可知器官的擴大是一種病徵，也是退化的前兆。例如：老年人的代謝率下降，唾液和尿液中的酵素量減少；病人體液中的酵素也因疾病而降低。其實老化和生病過程當中，其身體組織所出現的化學變化非常相似。生病發燒時所發出的高溫，會使尿中流失的酵素量增加，人體發燒時體內酵素的活性上升，而細菌的活性下降，因此發燒對人體有保護作用。所以在免疫系統中負有重要任務的白血球，就比體內的其他細胞含有更多種類的酵素。

生食對人類慢性病有療效則和食物中的酵素量有關。偏愛熟食的人大都口味重、嗜鹽，而鹽在體內有刺激酵素活性的作用。現代人的慢性病常與吃鹽太多有關、生食部份食物可降低鹽的攝取，有益現代人的健康。對於預防慢性病，口服酵素或常吃酵素含量高的食物，都有不錯的效果。另外，研究也證實酵素能降低血糖和減少糖尿病的罹患率。長期服用藥物及因工業、空氣、水質污染、農藥濫用等對人體所引起的傷害，酵素可以幫助體內毒素排出達到淨化血液功能。對於失眠、嚴重疲勞感、皮膚異常、肝腎功能衰退、長期便祕、青春痘、偏頭痛、肩頸酸痛、貧血、食欲不振、揮鞭式損傷（神經炎）、過敏症、經常性感冒、過度肥胖，以酵素治療皆有驚人的效果。

張右炫　（美國休士頓）

◎排便順暢多了

我是年已 70 歲的老人，患有高血壓、心臟病已達十餘年，去年又患了輕度中風。這次非常幸運看了林光常先生所著一書《無毒一身輕》，並且聽了林先生的休士頓三天健康和保健講座。

我開始按書中所說的排毒餐要求試吃，嚴格地說，由於條件尚未具備，我並未按標準去做，但試吃幾天以後，我身上就發生可喜的變化，不僅血壓更正常，收縮壓由過去的 128 毫米汞柱下降到 118 毫米汞柱，舒張壓由過去的 72 毫米汞柱降到 70 毫米汞柱。而且原本過去每日大便很費力，排便時間長，但吃了排毒餐以後，大便時間縮短，也很順暢，以前每日只能便一次，現在開始每日都能便二次。大便以後人的精神也不一樣了。

吃了排毒餐後，有這樣明顯的好效果，我願寫出來與大家分享。同時我還要繼續努力去做，相信在我的身上還會有更大的變化。感謝神的恩典，使我晚年身體更加健康生活更喜樂，也深深感謝林光常先生的醫德和為世人事奉的精神。但願世人和我一樣，吃了排毒餐促進健康，去除身上疾病，使生活有福。

附錄二 酵母與維生素B群

我們都知道，人體的代謝反應完全依賴酵素，酵素主導著人體如何有效運用食物的營養素，透過酵素的作用，幫助調整體質、促進細胞新陳代謝、修護受損部位、加速體內廢物排除，維持體內各機能運作順暢。但這些反應光靠酵素還不夠，還需要有營養素輔助，它們被稱爲輔酵素。有些輔酵素人體是無法合成，必須從食物中攝取，也就是我們熟悉的維生素B群。

維生素B群的功能

維生素B群包括維生素 B_1、B_2、B_3（Niacin）、B_5（Pantothenic acid）、B_6、B_{12}、folic acid、Biotin，共8個維生素，生理功能可區分爲：

1. 營養素能量代謝：維生素 B_1、B_2、B_3、B_5。
2. 紅血球及各種細胞形成：維生素 B_{12}、Folic acid、Biotin。
3. 兼具上述二種功能：維生素 B_6。

至於維生素B群的特定功能爲：

名　稱	成人劑量	功　能
維生素 B_1 硫胺（Thiamin）	1.1～1.5mg	1. 碳水化合物的代謝 2. 肌肉協調及維持神經傳導所需 3. 維持體內水份的平衡
維生素 B_2 核黃素（Riboflavin）	1.2～1.6mg	1. 蛋白質、脂肪、碳水化合物的代謝 2. 細胞的呼吸，能量產生 3. 抗體與紅血球的合成

維生素 B_3 菸鹼酸（Niacin）	12～18mg	1. 糖解作用、脂肪合成、組織呼吸作用 2. 循環系統的血管擴張及血清中膽固醇減少 3. 性荷爾蒙合成所需
維生素 B_5 泛酸（Pantothenic acid）	5.0mg	1. 泛酸是輔脢A結構的一部分 2. 蛋白質、脂肪、碳水化合物的代謝 3. 乙醯膽鹼、膽固醇的合成
維生素 B_6 比哆醇（pyridoxol） 比哆醛（pyridoxal） 比哆胺（pyridoxamine）	1.4～2.0mg	1. 胺基酸的代謝 2. 血紅素的生成 3. 促進抗體形成 4. 神經傳導物質的生成
維生素 B12 氰鈷胺（cobalamins）	2.0ug	1. 促進葉酸代謝正常 2. 促進紅血球成熟 3. 維持神經髓鞘組織正常 4. 蛋白質、脂肪、碳水化合物的代謝
葉酸 （Folic acid）	200ug	1. DNA的合成 2.骨髓內成熟紅血球的生成
生物素 （Biotin）	100～200ug	1. 蛋白質、脂肪、碳水化合物的代謝 2. 參與普林（purine）與嘧啶（pyrimidine）的合成 3. 皮膚、指甲、爪等角質化

由上表得知，維生素 B 群與營養物質的消化或合成息息相關。飲食中碳水化合物、蛋白質、脂肪等營養素，需要此8種維生素分別與相互作用（它們互相當作催化劑及輔助劑），體內的生化作用始能順利地進行。

因此，當我們大吃大喝，大量攝食時，相對的維生素B群要增加攝取，不然很容易代謝失衡。當碳水化合物過多而維生素B群不足時，易造成肥胖（東方人的澱粉型肥胖），結果會導致消化不良、便祕、心臟血管疾病、貧血、意志力弱、精神分裂、神經炎等毛病。若攝食高蛋白質的食物，則得到慢性病的機率會增加，如糖尿病、痛風、貧血等。而脂肪攝食過多更是會發胖，連帶產生的疾病問題更多。所以，不管何種飲食，維生素B群一定要足夠，不然許多隱藏性的疾病，隨著年紀的增長會陸續出現且更容易發生。

維生素 B 群是水溶性的維生素（除了維生素 B_{12}），無法儲存於體內，多的就隨尿液排出體外，因此也容易隨著食品加工的過程而流失，所以每天都必須要有足夠的補充。食物中，肝臟含有最豐富的維生素B群，另外酵母、全穀類、小麥胚芽、豆類、牛奶、肉類等，也都是重要的維生素B群來源。素食者、不吃內臟的人及豬肝的來源不乾淨等原因，使得從肝臟中攝取維生素B群對許多人而言是有困難的（尤其是素食者最容易缺乏維生素B群）。因此，維生素 B 群的最佳來源與補充品首推『酵母』。

酵母菌是一種眞菌單細胞微生物，它能以極快的速度繁殖，在兩小時後菌數即會增加一倍。其除了擁有豐富的維生素B群之外，對人體的益處還包括：50％以上的蛋白質、胺基酸、多種維生素、礦物質（鉻、硒、鋅、鍺……）等。

酵母的保健功能

酵母含有每日生活所須之營養物質：

蛋白質及胺基酸	占組成之 48～52％；消化率為 90％ 高優質蛋白；含 18 種胺基酸，組成近似動物性蛋白
醣類	占組成之 27.5～32.5％；消化率為 80％ 其中所含之 mesoinositol 為保護肝細胞與加強膽鹼作用之重要因子。多醣類是由葡萄糖與半乳糖所組成，在體內吸收較緩慢，可適用於糖尿病者。
脂肪	占組成之 3～7.5％；消化率為 90％ 成分類似牛奶，含多元不飽和脂肪酸，為中樞神經系統及體表層生長、形成之主要成分。
維生素	消化率 100％ 富含複合維生素Ｂ群及維生素Ｃ

礦物質	占組成之 6.5～8.5 %；消化率為 90 % 鐵、銅、鋅、鈣、鉀、鉻等 14 種，可幫助體內酵素之活性化及提高維生素之效用。
核酸	DNA、RNA 促進蛋白質的生長，細胞抗衰老、再生的重點。

此外，酵母的保健功能爲：

1. 幫助消化、改善腸胃機能、提振食欲、促進發育。
2. 維護肝臟正常功能。
3. 保持肌膚、頭髮、指甲健康。
4. 減緩神經緊張、消除疲勞、舒解肌肉緊繃。
5. 改善失眠、頭暈、記憶減退。
6. 輔助治療貧血、高血壓、高血脂、糖尿病。
7. 提升免疫力。
8. 抗衰老。

酵母菌因培養基的不同有各種來源：

天然乳酵母	啤酒酵母
以乳糖、無機鹽類、牛奶等高養分原料培養，經發酵、離心、濃縮、破壞細胞壁而成。不具啤酒酵母的苦味，且含有天然乳香味。	啤酒酵母是利用啤酒花（啤酒的副產品）培養的，此種酵母也稱營養酵母。不同的原料培養以及菌種，均會影響營養物的產出與品質。

附錄三　植物種子纖維臨床研究報告摘要

植物種子纖維，有以下數點益處：

◆*降低血中膽固醇、預防冠心病*

從安全的角度而言，植物種子纖維可長期使用，以降低血中膽固醇，並防止冠心病。此外，從效果的觀點而言，植物種子纖維也很適合作爲冠心病的預防。從臨床研究結果顯示，一天服用三次（每次 3.4 克）的植物種子纖維可減少血清膽固醇 15 %；在輕度至中度高膽固醇症中可減少低密度脂肪 20 %，如能長期使用，可減少冠心病的發生，其降低率在 30 %以上。

試驗證明，植物種子纖維能有效治療高血脂。故植物種子纖維常被用於降低膽固醇。

◆*服用植物種子纖維時間愈久，總膽固醇及低密度膽固醇就愈低*

植物種子纖維的降膽固醇作用在使用二週後出現，如繼續使用，效果會漸漸增強；八週後，總膽固醇及低密度膽固醇仍在下降中。在使用植物種子纖維八週後，血清中的總膽固醇減少了 14.8 %，低密度脂蛋白膽固醇（LDL）降了 20.2 %，而低密度脂蛋白質與高密度脂蛋白膽固醇之比率降了 14.8 %。當時間愈久，總膽固醇及低密度膽固醇就跌得愈低。

◆無副作用、適合長期服用

在醫學文獻上也有十個關於植物種子纖維的研究被發表，其中有九個研究報導指出，使用植物種子纖維後，其總膽固醇至少降低了 13 ％。

醫學文獻的報導中亦顯示，植物種子纖維與目前所使用之降膽固醇藥物有同樣的效果，能有效降低膽固醇。常使用降膽固醇的藥物包括 nicotinic acid、probucol、colestipolcholestyramine、resin 等，這些藥物可降低血中膽固醇 6 ％～20 ％。而根據臨床研究顯示，血清膽固醇在使用植物種子纖維 3.6～2.2 克後，減少了 5～20 ％。

一般用作於降血中膽固醇的藥物與植物種子纖維之差別在於，這些藥物長期使用會產生很多副作用。藥物雖能減低血清總膽固醇 6～20 ％，但在長期使用及病人的承受度上，皆缺乏安全性的考慮。

減少高血脂患者血中脂肪

◆膽固醇愈高者，患冠心病的機率愈大

植物種子纖維的降膽固醇作用，使人聯想到高膽固醇及罹患冠心病的部分原因，可能是由於食物中缺乏某些纖維所造成的。一些流行病的研究，證實了膽固醇含量與冠心病確實有密切的關連性——膽固醇愈高者，患冠心病的機率愈大。

◆纖維攝取量愈低者，罹患冠心病而死亡之機率愈高

一研究顯示，在三組接受試驗的英國人當中，有大量攝取纖維的一組中，只有 5 ％的人會有冠心病的症狀；另一組很少攝取

纖維的實驗中，有 22 %的人，可能罹患冠心病。而另外一份研究則顯示，在二十個已開發國家中，冠心病的死亡率與纖維攝取量成反比。在愛爾蘭的後代中，也發現纖維攝取量愈低者，其因罹患冠心病而死亡之機率愈高。

◆*每天 6.7 克植物種子纖維，減少膽固醇*

在對 42 名（21 名男性，21 名女性）高血脂患者，進行減少高血脂患者血中脂肪作用的實驗中得到的結論是，和一些低脂肪食品合用，可減少高血脂患血清中的膽固醇含量。

◆*植物種子纖維是一有效且易為人體接受的附加食物*

另外，75 位患有中度至較重度高膽固醇的實驗結果顯示，植物種子纖維是一有效且易爲人體接受的附加食物，對於中度至重度高膽固醇的控制效果很好。在過去，食物纖維攝取量的增加，被視爲部份健康食品的用途；而現在經由醫學實驗的證明，更確定了植物種子纖維的重要性。

◆*均衡營養，不可忽視*

在美國，根據其國家膽固醇成人治療教育計劃的報告，大約有 40～50 %的美國人需要作食物調整，以控制其高血脂症。今日，我們的國民所得接近歐美先進國家，且國人飲食日趨西化，所罹患的疾病型態也一樣向歐美看齊，在心血管疾病、癌症等成人病的病例方面，有日漸增多的趨勢。因此，國人應加強對飲食及營養均衡的重視。

◆*植物種子纖維輔以食療，效果更佳*

本研究顯示植物種子纖維對治療中高血脂症有良好的效果。

而輔以食療，使每減低1％血清膽固醇可減少2％冠心病的發作。

植物種子纖維及小麥糠的協同作用，亦加強阻止了結腸癌的發生。

◆*高脂低鈣食品，導致結腸癌*

結腸癌在美國是第二位引致死亡的癌症。而流行病研究顯示，飲食習慣，例如高脂肪食品、低纖維及低鈣食品均與結腸癌有關。

◆*愈早食用高纖維食物對身體愈有幫助*

過去十年的研究報導所發現的一些情形，使我們對食物中的纖維對於大腸癌的特定作用有所了解。患大腸癌者，大都是常食用高脂肪食物，且很少食用纖維之人。在此情形下，大腸因缺乏纖維作爲保護，大腸癌發生的機率大爲增高。因此愈早食用高纖維食物對身體愈有幫助。

◆*植物種子纖維保持大腸功能正常運作*

纖維能加強保護結腸，免受結腸癌之害。而植物種子纖維比一般纖維更易發酵，產生短鏈的脂肪酸，這些脂肪酸對保持大腸的正常功能，包括其生成、分化均很重要。

純化的植物種子纖維可說是改善 了人類腸胃道的功能身體的及營養狀況。

◆*植物種子纖維的效果優於其他纖維*

以不同的研究設計，比較純化的植物種子纖維與其他純化的食物纖維之不同，結果顯示當飲食中之纖維量增加時，植物種子纖維的效果比其他纖維好。同時，植物種子纖維對於蛋白的減少及礦物質的使用也有所調整。

現今流行使用含有纖維的食品，很多其實只有一些已成熟、有根基的工業副產品而已。

◆*增加腸蠕動，減少熱量及脂肪吸收*

目前的研究中，排便時間是計算有染色的氣體通過腸胃道（固體相標記）所需的時間。一般有給予纖維食品者所需的排便時間與沒有給予纖維食品者之間相差無幾。但使用植物種子纖維食品者，排便時間就明顯縮短了。

且大便的乾燥重量深受纖維的影響。當使用植物種子纖維作爲纖維補充時，大便的濕重量爲沒有使用纖維的兩倍。此數字比使用其他纖維作測試者來得高。同時，使用植物種子纖維者的大便乾重量也比沒有使用其他纖維者來得高。這或可說明使用植物種子纖維時，水份的吸收是引起大便濕重量增加的基本原因。

陳腓利主任牧師　（哈崗中華聯合基督教會）

◎減輕體重，充滿活力

去年（2003年）五月2-4日及6-8日六個晚上在我們教會（美國加州洛杉磯哈崗中華聯合基督教會）舉行了六場「無毒一身輕的分享會」，是教會有史以來最轟動的聚會，約有四千五百人次參加，盛況空前！甚至最後幾晚在會前30分鐘主堂就坐滿了人，充分顯示出洛杉磯華人對身體健康的渴望與需求。

林光常弟兄的分享生動活潑、風趣感人！他在會中不但分享了「養生之道」，也分享了「永生之道」。在每一場的分享中，他都靈活地運用聖經所教導有關身心健康的真理，以及自己信仰的見證來證明自己多年來的研究與體驗，引起全場聽眾熱烈的回應。許多慕道友在會中決志接受耶穌作救主和生命的主，每個晚上都有約百人左右到台前作各種不同的決志。一個多月以來因著林弟兄的分享採取行動改變飲食習慣的兄姐中，也已看見許多明顯的效果，好幾位體重雖減輕了10-14磅左右，身體卻更健康、更有活力。

我們深深地祝福林弟兄，並求神繼續使用他成為多人的祝福。我們更為所有聽過他分享的親友們禱告，求神祝福他們不但懂得如何養生，更有蒙恩得救的智慧，這才是真福！

「主啊，我要為祢而活，只為祢而活；
求祢醫治我，讓我活下去！
我的愁苦將變成安寧。
祢救我的命，脫離一切危難；
祢饒恕我一切的罪過。」

（以賽亞書38章16-17節）

附錄四　台灣素食10大錯誤

有很多朋友問說：「排毒餐是不是就要素食？」不然，我自始自終都沒有講說要吃素食。爲什麼？因爲我發現在台灣有很多所謂的素食，其實並不正確。在台灣，甚至全世界都有很多信徒的一個宗教團體，他們不僅生活非常地嚴謹，在各方面的自我要求也非常地高。有一次，他們就邀請我談談有關飲食與健康的課題，我就給他們定了一個題目，叫做『素食～速死嗎？』這讓他們非常地震撼，每個人的眼睛都睁得雪亮追著我問：「難道我們吃素食會導致速死嗎？」

各位如果有印象的話，記得大約在十年前，台大公共衛生研究所曾經對一萬多各公保病人追踪分析，結果發現，吃素食超過 10 年以上的人，得肝癌的機反而比較高。（1991.6.6 聯合報報導）5 年後媒體又報導了該機構的一項腦瘤研究，初步懷疑吃素會增加腦癌的罹患率。（1994.1.18 聯合報）。當然素食團體便立即提出質疑，而且也提供很多美國素食團體的數據來證明公衛所的研究調查是有問題，有待商榷的。

後來我有機會受邀到全台各地機關團體演講，也順便去觀察當地許多的素食餐廳，了解台灣人們吃素的情形。果眞發現了一些問題，經整理之後，總結出台灣素食的十大錯誤。如果你吃錯『素』，那麼這個『素』對身體所造成的傷害，將不比葷的差。利用本書的部分篇幅，跟大家談一談～素食的十大錯誤，盼望諸位能就此注意，並改正過來，以至於能在飲食料理上面更上一層樓。

台灣素食的第一個錯誤是，油太多。很多店家在煮素食的時候，因爲害怕客人吃過素菜之後，會很容易餓，所以常常會不由自主地多加幾滴油。其實大家吃完素菜後會容易餓的原因，並不是因爲素菜品質不好，而是因爲素菜並不會增加我們腸胃的負擔，所以消化非常地快。它並不需要像一般的肉類，進入體內後，至少須經過四至六個小時（如果是油炒或油炸，甚至要十個小時以上），才會通過胃，到達小腸吸收。這個時間是非常非常地長，以至於你身體會處於長時間的勞累。

也因此台灣大部分的年輕人或是中年的企業家脾胃都不好，消化系統也跟著一場糊塗。爲什麼呢？歸究起來還有兩個原因，第一，他們吃的食物都是很不容易消化的；第二就是他們所吃的食物裡面太少主食，也就是說太少攝取糙米、小米、紅米、地瓜等五穀類的食物。

再回到剛剛的主題，吃素食、素菜的時候，爲什麼會消化地那麼快？其實這是因爲它們本身是容易消化的食物，就這麼簡單。所以如果你在吃下這些素菜之後，經過兩三個小時就通過胃，經過小腸。這表示你身體對這些食物的吸收、排泄、消化都非常地順暢，所以才會很快就有飽足感，不久以後很快又有飢餓感，也就是說你的身體器官不因攝入的食物而成爲負擔。可是我們有很多素食的朋友們，並沒有注意到這些問題。爲了要讓顧客不會那麼容易感到飢餓，便用了很多含油脂的食物，或用油熱炒，這些都是非常非常嚴重的錯誤。因爲當我們的素菜使用油脂來做料理時，高溫之下一樣會產生致癌物。所以才有學術機構的調查指出，吃素人口罹患心臟血管疾病一樣很多。爲什麼呢？其實這是因爲不管是植物油或動物油，它們都會導致人體內壞的膽固醇（LDL）增加，及體內消化系統的負擔，而且這時候你的血脂肪和膽固醇會增加，三酸甘油脂也會提高。所以說台灣素食第一個錯誤就是油太多，而且還經常使用油炒，這實在是大錯特錯。素菜應該要用水煮、清蒸、或是川燙、慢燉......，才能把食物的營養保存住；一旦使用高溫油炒之後，食物本身便會受到傷害，所吃下的營養也就不足了。

第二個台灣素食的錯誤是，蛋白質的攝取量太高。我們一直都認為要攝取多一點蛋白質，其實這是非常危險的。我們身體的指甲、頭髮、五臟六腑等各種器官的確都是需要靠蛋白質來修復。我們都知道，蛋白質的基本結構是胺基酸，而人體所需要的胺基酸有廿二種，其中有八種被稱為『必須胺基酸』是人體無法自行製造，必須靠攝取食物才能供給。所以如果蛋白質不足的時候，身體組織器官當然就沒有辦法修復。

可是各位知道嗎？一旦我們攝取的蛋白質超過身體所需的兩倍以上時，它不但不會對身體有幫助，反而會造成傷害，且很容易導致細胞的癌化。

譬如說我的體重是 60 公斤，那麼一天所需的蛋白質分量最多是乘以 0.6，也就是 36 公克就夠了，當然老人小孩及孕婦的需求量較高，可以乘上 0.9 左右。即使是素食者平常大量食用豆類製品時，所攝取的蛋白質已經偏高。而且我們又常常愛吃大量的豆類再製品，這是有欠妥當的，最好是黃豆、白扁豆、紅豆、綠豆、黑豆......都要食用，如此營養才會均衡。這裡所說的蛋白質攝取太多，其實也就是說我們平常黃豆吃太多。各位要非常小心，現在台灣的素食餐廳裡面，整個蛋白質的攝取就是太普遍、太多了。

那麼蛋白質在整個營養攝取中所占的比例應該要多少呢？大概是占 10％～15％左右。至於油脂應該保持在 10％，而且要盡可能從食物裡攝取，譬如像堅果類等就含有非常好、非常豐富的亞麻油酸等非飽和脂肪酸，它不但不會製造壞的膽固醇，還會降低體內壞膽固醇，提高好膽固醇的含量，對身體有很大的幫助。所以再提醒大家一次，蛋白質的攝取量千萬千萬要保持在 10％～15％之間。（癌症病人則須降到 8％）切記老祖宗所講的中庸之道，過猶不及都是不理想的。

第三個素食的錯誤在哪裡？在於素料吃太多。我們可以發現到，素食料理尤其是在素食餐廳裡面，都使用了大量的素料。各位想想看，這些素料要保存三個月、六個月，甚至一年的時間，如果沒有加入食物添加劑（不是食物本身的東西，如色素、安定劑等）的話，怎麼可能保存這麼久的時間，怎麼可以增加更多的口感。同時我也發現，很多素料基本上鈉的含量都相當高。各位一定要注意，鈉高鉀低的話，細胞就很容易癌化，而且代謝系統就會因此出問題，這是值得深思的地方。

我們看到台灣的素料與全世界其他地方比較起來，數量是無可比擬地多。這證明了許多吃素食的朋友實在是非常非常地用心，希望藉由素料的推廣來幫助一般人少吃肉類，眞的是用心良苦。可是我們也千萬千萬要記住愼選素料，不要讓吃下去的素料，因爲添加的人工甘味劑、防腐劑、膨鬆劑，反而造成我們身體的負擔。

第四個是調味料。我發現素食餐廳的口味還是太重，尤其是糖和鹽。多糖不只是影響身體代謝，增加胰臟的負擔。而且更重要的是，血中的膽固醇會增加，血濃度也會增加。這個糖是非常非常地可怕，所以有時候說它是人體殺手之一也不爲過。（前文已有詳述，請參閱）

那另外就是我發現，素菜的鹹味也太重，我們還是沒有注意到食物的原味。其實素食餐廳應該盡可能來推廣食物的原味，也就是在食物裡面不要額外加鹽，盡量做到少鹽。如果一定要加的話，也是少量就好。甚至湯裡面，我之前也提過，可以用昆布來熬湯。如果是非加重味道不可的話，以目前環境污染的嚴重，我個人比較建議使用竹鹽。但是一定要記住，加少量。能吃食物的原味是最理想，但實在是覺得淡然無味的話，在調整體質的過程中，我想可以使用少量的竹鹽，儘量少用其他調味料。因爲調味料用得越多，就越沒有機會去品嘗享受食物的原味。

第五個熟食太多。剛剛跟大家談過，構成蛋白質的原料是胺基酸，而人體所需要的有廿二種，其中八種必須胺基酸是人體無法自行製造，必須靠外在食物供給。可是各位知道嗎，這八種必須胺基酸當中，有兩種只要一遇到高熱，它馬上就會被破壞掉。所以我們吃了那麼多熟食，你認爲蛋白質會夠嗎？是！它的蛋白質很多，可是裡面的兩種必須胺基酸已經完全被破壞掉了。沒有了這兩種必須胺基酸，另外的六種也不能形成其它十四種胺基酸被身體所利用，所以我們吃下去的許多蛋白質，反而會形成一種負擔。因此建議大家無論如何要想盡辦法，盡可能把生食的比例提高到 50 %。我前面也提過，生食裡含有足夠的食物酵素，這些酵素可以幫助食物分解。這個部分呢，我想我們素食朋友應該要特別特別地注意，因爲有時候我們很容易妥協，認爲只要吃素就好，熟食也沒有關係，其實這是不正確的。

第六個錯誤就是葉菜類太多而根莖類太少。有兩個原因，建議大家在體質調整期盡可能減少葉菜類攝取，待體質健壯後，再吃也不遲。第一，一般來說葉菜類的農藥比根莖類多，較不利於病體的康復。第二，葉菜類較寒，有使病體更加虛弱之顧慮。可是一般的素食餐廳裡面，葉菜類所占比例多數是大過根莖花果類。特別是病人，葉菜類食物還是盡量先少吃，或是乾脆暫時別吃。或許很多朋友會說：「我都買有機的耶！」但是各位要記住，目前台灣有機食品的認證單位，多數只作重金屬方面化驗，還是不夠全面。因爲眞正最重要的有關農地輪耕，休耕要求，周邊環境控管、土壤品質……等等，目前在台的認證單位，恐怕無力涉及。值得注意的一點是，有些有機農場說是有機，其實在剛開始栽種的時候，還是會灑農藥，只有在最後即將採收之前，才不灑農藥罷了。當然，這個部分我想，只有靠大家自己特別注意了。

第七個芽菜太多。前面的章節曾提到在美國比較偏冷的地方或是中國大陸長江以北，以及台灣冬天的時候食用芽菜是很好。雖然在理論上對絕大多數的病人而言，芽菜類如苜宿芽和小麥草等是非常好的的食物。但是以我在臨床上的研究發現，芽菜類並不是適合每個人食用的。以北方的氣候和環境來說，食用芽菜是可以的。台灣地處亞熱帶氣候，其實多數人的體質是不適合吃苜蓿芽或小麥草汁的。

雖然，苜蓿芽可使體內壞的膽固醇（LDL）下降，但它含皀素，能溶解紅血球，也會妨礙人體利用維他命 E。此外苜蓿芽還含有一種名爲左旋大豆胺基酸（L-canavanine）的天然有毒成分，會增加自體免疫疾病的發炎反應，食用量愈大，免疫功能失調的現象越嚴重。它會使免疫系統誤將自己體內的細胞當成抗原，而生產抗體來破壞抗原。其實苜蓿芽早就被證實會誘發紅斑性狼瘡，或者使紅斑性狼瘡及其它自體免疫疾病惡化。而小麥草汁，則適合溫帶或寒帶的人飲用，熱帶與亞熱帶人較不適合。

其它像綠豆芽、黃豆芽、黑豆芽和紅豆芽，都是很好的食物，無須獨尊苜蓿芽或小麥草汁。我一直強調，食物本身並沒有罪、沒有問題，有問題的是吃它的人。所以如果目前我們的體質不適合吃，那麼就切記不要吃，等到身體好時再吃。

第八我發現有很多素食團體，都喝『純淨水』。我覺得這是很不可思議的事情。各位一定要記住，當我們喝的水是所謂的『純淨水』時，所喝進去的只有水，什麼都沒有了。在前面的篇章，我已詳實地談過純淨水，並不適合一般人飲用，有興趣請再翻回前面參考。

說實在的，吃飯、吃菜、睡覺.....等等生活習慣是很難改變的，可是我發現到喝水，它是最容易改的。因為人本來就要喝水，只要換個水喝罷了。所以我常常告訴身邊的朋友們，「你想要獲得健康嗎，如果你各種習慣都不容易馬上改變，那麼你至少要先從改變飲用水的習慣做起」。

首先，要喝正確的水；喝對的水比喝水還重要。其次就是每天要喝3000c.c.以上的水。只要抓住這兩個原則，而且特別注意，早上一起床的那杯1260c.c.好水，要在未洗臉、未漱口前，逐口緩慢喝下去。如此經過一段時間（約一周）之後，我敢保證，你不僅會身體健康，個性也會變得不緩不急，性情變得非常地溫和，不會急躁。而且會發現看人愈看愈順眼。為什麼呢？因為喝水是最容易改變的習慣，飲水習慣一改變，其它的習慣也就會慢慢跟著改變。所以，我常說「你什麼習慣都不能改變的時候，就先把喝水的習慣改過來吧！」

第九吃精緻白米白麵。這點錯誤最令我訝異，我曾經應邀到一些吃素的宗教團體演講，會後與他們一道用餐的時候，發現為什麼許多素食人士的的身體狀況都不是很好，原來這都是吃白米惹的禍。而他們都說白米比較好吃，我說：「天呀！為什麼吃素會整個都吃白米呢，真是不可思議的事情。」

我們一定要記住，吃飯要吃糙米。如果剛開始還吃不太習慣的話，請把糙米跟白米一半一半混合來吃。大家可以做個實驗，把白米的米粒跟糙米的米粒一起放到水裡，過沒有多久的時間，你將會發現白米臭掉了，而糙米發芽了。為什麼？因為糙米有生命，白米已經沒有生命。

最嚴重的問題是，白米它的保護層（外面的米糠以及裡面的胚芽）都被破壞掉了，所以它的營養素都會逐漸地被氧化。白米失去了保護層，就沒有屏障保護著它。各位可以想想看，我們吃下這樣的食物，對人體又會有什麼幫助呢？所以人家說吃飯會胖，這就是因爲我們吃的是白米的緣故。只有熱量，而沒有任何的營養。我盼望各位，今天就改過來，不要再吃純白米了。剛開始不習慣的話，我們可以白米一半，糙米一半，同時再加點紅豆、黃豆、枸杞，或是加點紅棗、蓮子、薏仁一起來煮的話，我相信你的家人也會特別喜歡吃，當然還可以加入備長炭一起烹煮（詳見《無毒一身輕》）。

關於白米，還有一個更嚴重的問題那就是，我們發現當它進入體內以後，會變成一個很大的負擔——熱量很高，但是卻沒有足夠的營養。因爲整個白米要消化的是，它的胚芽及外層米糠所含的一些營養素。但是當我們吃白米的時候，原本要消化的最重要富含營養素部分已經被處理掉了。換句話說，人們做了一件很滑稽的事情——把白米眞正要消化的地方，在我們吃到之前就已經把它除掉了。所以難怪我們現在會產生這麼多的病痛。（我要再次強調，素食是非常地好，可是萬一你吃錯素，那麼這個素食呢，反而會導致你速死，而且會滿身都是病。）

既然白米是這種情形，那麼爲什麼商人還要將糙米輾製成白米呢？很簡單，因爲白米比較好儲存，比較好運送，如此生意虧損的可能性就會降低，而且其儲存的時間也會變長，就是這麼地簡單。就好比爲什麼人們放著好端端的水果不吃，要吃罐頭；因爲罐頭儲存時間很長，新鮮水果儲存時間很短。至於爲什麼罐頭可以儲存那麼長的時間呢？這是因爲它已經沒有生命了。同樣地，純淨水也是，商人最喜歡賣純淨水。爲什麼？因爲連細菌都沒有辦法在純淨水裡面生存，所以拿它養花花死、養魚魚死；這樣人喝下去能不出問題嗎？這些大家都可以回去實驗看看。

同樣的情形，當我們在吃白米的時候，也要特別注意，我們等於吃下去的是對身體的傷害和負擔。提議大家剛開始換掉白米的時候可以少量少量，循序漸進。如果有可能的話，現在台灣的物產這麼豐富，市面上也很容易就可以買到糙米或五穀雜糧米來更換。不過這邊要特別提醒大家，如果消化系統比較差的人，可以先從糙米摻白米吃起。再慢慢地吃純糙米，最後才吃五穀雜糧米。因爲消化系統不好的人，如果一開始就吃五穀雜糧米，可能會適應不良、消化不良，這點要提醒你注意。

台灣素食的第十個普遍錯誤是什麼呢，就是沒有考慮到地域和季節的問題。因爲在我們這個環境裡面，我常說「一方水土，養一方人」。你在這個地方生存發展，那麼這個地方所生產出來的植物、生物，就是我們養生最好的食物。

所以在健康排毒餐裡面，我開給長江以北或是像在美國紐約、波士頓、芝加哥等較偏冷地方的菜單，跟在台灣或是長江以南、東南亞等地方的菜單，有一點點不同。最大的不同點在哪裡呢？就是蔬菜、水果、五穀雜糧……都必須要考慮到是不是當地當季的食物。

舉個例子來說明，在台灣，我發現絕大多數的北部人都不適合吃蓮霧，可是南部人就非常適合吃（當然有農藥的就不要吃）。另外像馬鈴薯，中部人就很適合吃，南北部的人便不適合吃；地瓜就適合每一個地區。譬如糙米，則是不管台灣南北部，甚至長江以南以北，或是美國不管東岸西岸、偏南偏北，都很適合吃。而燕麥、蕎麥往往就是比較冷的地方才適合吃；南方溫暖的地方就不適合。但是住在澳洲的人又適合吃，爲什麼呢？因爲他們當地也盛產這些食物。因爲當地有那些食物，他們就適合吃那些食物。可是我們發現很多人在吃素食的時候，並沒有注意到這個問題。所以他們就吃了很多冷凍食品（都是過季的東西）；

吃了很多進口的食品（非當地盛產的東西），還有更多加工食品。爲什麼有很多人吃素，身體卻愈吃愈差，這是一個很主要的原因。

借重科技，解決農藥問題

這邊我順帶一提，有很多朋友問到：「台灣的農藥問題這麼嚴重，如果照之前說的，要有 50 %的生食，那麼會不會因此吃下大量的農藥？」是的！有很大的可能性。我記得有一次到鄉下一個農村去參觀，看到一整片、好大的蔬菜園，當時我就忍不住想下去看看，想了解一下是誰能夠種植出這麼肥碩的菜園。這一大片菜園眞的是綠油油，好漂亮、好漂亮。獨獨在角落有一小塊菜園，長得很醜，而且長得不是很大。我便問了菜園主人：「這兩個有什麼不同？」他反問我從哪裡來，我答道從台北來。他就說：「喔～這樣子啊！我告訴你，這一片長得特別矮小、特別醜的菜園，通通都是我們自己要吃的蔬菜；因爲它們沒有放農藥，所以蟲都跟著搶食，以至於長得不太大。那麼你看到那片長得又高又大、綠油油的菜園，它們都是放了很多農藥，才會長得這麼漂亮。」我就問他：「這些漂亮的蔬菜要賣到哪去？」他說：「通通賣給你們這些台北人呀！」他還不忘消遣我一下：「你們台北人眞笨！專門挑那種又漂亮又好看的；其實若沒有灑農藥、沒有施大量的化肥，怎麼可能長得那麼漂亮。而且你看這些蔬菜農藥多到連蟲都不想吃了，你們台北人還搶著買來吃！」

所以各位千萬要記住，蔬果一定要經過審慎挑選。蔬果、雜糧一定要特別挑選那種沒有農藥、不用化肥耕種的，否則一定會影響效果。但是如果我們所購買的食物，沒有把握是不是未經農藥和化肥的傷害，那就一定要借助事後的處理，也就是運用臭氧機來替蔬果解毒。

臭氧機最早是由德國人所發明，他們發現臭氧除了可以提供大量的氧之外，它的殺菌力更高達 99.99%，處理農藥的能力也達到 95%以上，這眞是非常非常了不起的一項發明。但是大家一定要注意，臭氧機的臭氧產生量要達到 200mg/hr 才可以，而且最好能買到符合德國標準製造或者取得德國專利的臭氧機。因爲德國在臭氧機方面的標準可說是最高標準。所以不管買到的是哪一國產品，最好是獲得德國專利的，相信對大家是很有幫助的。（參考《無毒一身輕》附錄）

最後我們再來談談，爲什麼很多吃素的朋友，他們的身體還是很差呢？除了之前所提到蔬菜水果含有很多農藥之外，我還發現到許多人雖然吃素，但是他們的生活卻還是沒有規律，沒有照著上帝所創造的自然定律、宇宙法則來生活。

要順從自然法則

舉個例子來說明，我發現就有很多人晚睡，我常常提到只要我們願意照著自然法則來遵循，身體一定就會很好。而我發現整個自然法則中，這個時間法則和健康法則裡，有幾個部分一定要特別注意：

第一個就是排泄的定律，就是所有排泄的時間。每一天我們是靠大腸來排泄，中醫裡面有講到，大腸經的經絡是早上 5 點到 7 點運行。所以如果我們都很晚才睡覺，早上又睡到日上三竿。那很抱歉，晚睡晚起，你就沒辦法在七點起床，那麼我們的腸就沒有機會把毒素排出來，凡是沒有排出來的糞便停留在大腸腸壁裡面，腸壁就會透過門靜脈先把大腸裡糞便的養分吸收走，吸完養分換吸水分，連水分都吸光了，就開始吸收糞便裡的毒素。這個時候，如果糞便還沒有排出去，毒素就會藉由腸壁的吸收，透過門靜脈，再送回肝臟。哇！不得了！這時候的肝就受到很嚴重的傷害。所以如果我們早上沒有把糞便排掉，受到最大傷害的，不是便祕、不是大腸出問題、不是肛門的問題，而是我們的肝。所以我們國人的肝不好，跟晚睡有很大的關係。晚睡就會晚起，晚起就沒有辦法在早上 5 點到 7 點排泄，把那些毒素排泄掉，所以這時候身體的功能就一樣會慢慢地打折扣的。

第二個在我們身體最重要的時間是什麼呢？就是我們免疫系統的恢復時間。人體免疫系統每一天最主要的工作時間是什麼時候呢？晚上 9 點到 11 點。所以晚上 9 點到 11 點，不管我們受了什麼樣的傷害，心理的傷害或是身體的傷害，都要將它們放下。這段時間是我們人體三焦經的時間，三焦經是掌管免疫系統的，這個時候我們可以發現到，如果 9 點以後就呈休息狀態，11 點睡眠，身體就會健壯起來。因爲 11 點到 1 點是膽經，1 點到 3 點是肝經。跟我熟識的朋友都知道，「跟光常在一起開會呀，晚上 9 點以後他講話是不用腦筋的，11 點以後說話就完全不負責任，有言論免責權的。」爲什麼呢？因爲我 9 點就呈現休息狀態，11 點我就要睡覺了。

所以各位當你能夠力行這樣的時間法則時，你眞的就可以睡到自然醒。9 點呈休息狀態時，可以看看書，11 點就上床睡覺，隔天自然就能在 6 點起床，這七個小時的睡眠已經足夠。

從晚上 9 點到凌晨 3 點，這是我們整個身體修復的『黃金時期』。老人家也好，體質差的人也罷，只要力行這個法則，你將會發現身體進步復原得非常非常快。

在整個時間治療系統裡面，還有一個很關鍵性的時段，就是子時跟午時。子時是晚上 11 點到凌晨 1 點；午時就是中午 11 點到下午 1 點。因爲這兩個時段、四個小時是脾造血的時間。尤其是小孩子還在發育，一定要讓他睡點午覺，而且因爲其免疫系統還在成長完善之中，所以晚上九點也要讓他們去睡覺。

其實我們中午休息的目的，不是因爲累了才休息，因爲當我們感覺到累了才休息，已經來不及了。那麼中午的休息是爲了什麼呢？我們剛剛提到午時和子時這兩個時段是脾造血的時間，或者說骨髓在造血的時間，所以我們要呈現休息的狀態。像我在中午 12:30～13:00 之間，基本上什麼事情都不做，就只是閉目養神，全身放輕鬆，如果能躺著更好。若是在辦公室不方便躺著，也可以坐著。但是記住有一個關鍵，一定要讓眼睛不要接觸到光線。這是非常重要的觀念，爲什麼很多人整個身體的功能都沒有恢復？他們會說我睡了啊，我 9 點就睡或 11 點就睡，可是身體還是不好。爲什麼呢？這是因爲我們讓眼睛接觸到光線。如果眼睛接觸到光線，身體的修復功能就不好。因爲我們身體中主掌分泌褪黑激素的松果體要在眼睛沒有接觸到光線的時候，才會產生作用。

各位一定要記住，這三個時辰：一個是大腸經排泄的時間，一個是三焦經免疫修復的時間，還有一個晚上 11 到 3 點，是肝膽的時間，我發現到大部分的癌症病人肝都不好，爲什麼？因爲他們免疫系統已經受損了，所以如果我們肝還能保持在很好的狀態，那眞是要恭喜，我們的身體很自然就會非常快康復。

很多時候我有機會到一些特定的宗教團體演講，我發現他們的身體都不太好。爲什麼？像我的演講已經是充滿熱誠、嘻嘻哈哈，許多人聽完兩個小時都還嫌不夠。但是我就發現有很多修行人，很奇怪，往往聽到一半就睡著了。爲什麼？血糖太低的緣故。但是千萬不要想說吃糖，血糖就會高。那沒有用的，過半小時馬上又降低，而且會比之前更加嚴重。所以我們在攝取飲食的時候就要特別留意。

在這邊還要特別跟大家提醒一件事情，就是當我們食用排毒餐後的好轉反應很強時，譬如說吃了之後，臉上馬上就冒出痘子

（有可能，但是這比例不是很高），或是吃了之後，血壓會稍微高一點，這些都不必理會，過兩三天它自然就會降低了。

這是一個行之多年而且非常有效的方法，如果你很認眞努力地照排毒餐來吃，或者將素食的觀念一併帶進來，都是很好的。但是很不幸的是，我們有很多人還在猶豫、還在徬徨，我希望有機會可以再辦幾場面對面的演講，讓我能夠把這些美好的訊息、良好的觀念、具體可行的步驟和方向，跟大家分享，我相信各位在重建正確的生活與飲食習慣後，身體一定會愈來愈好，心靈也充滿祥悅之情。

最後呢，有很多朋友也提到，當我們在吃排毒餐的時候，是不是也可以吃一點點的肉，我曾經提過如果要吃肉類，那麼所有蔬菜水果的一餐攝取量，一定要大過肉類的七倍以上，而且要在最後才食用。也就是說，如果沒有這樣超過七倍以上，我們所吃進去的這些肉，反而會造成身體上的負擔。

倘若是吃素的朋友，我還會建議要多吃點根莖花果類，拜託拜託，不要再吃那麼多的素料。因爲我們身體所能負荷的量是很有限，我們應該盡量讓進入體內的食物愈簡單愈好。盼望各位朋友能藉由這篇文章，獲得一個健康的身體，也很高興能將這好的訊息與大家分享，願上帝賜福給你們，希望大家喜樂年年，身體健康，萬事如意。

蔡英惠長老　（21世紀健康人生分享會）

◎感謝、再感謝

看到現代人在忙碌的生活中，為了賺錢忘掉了自己的健康，甚至於失掉了生命。所以，我在禱告中，一直有一個感動，我們必須讓人們了解保健的重要，在我的親戚中，我也看到因為使用了林光

常先生的「健康排毒餐」後，癌症消失的見證。因此，我個人希望把這種保健法介紹到南加州給華人同胞，所以，才舉辦這次的「21世紀健康人生分享會」。

我的希望終在2003年9月8、9、10日三天成真，這次的分享會每天都有超過1,200以上的人數參加，尤其是最後一天，講員林光常先生在台上呼召，「有誰願意讓主耶穌基督成為個人一生的救主，請你們舉手，讓我為你禱告，讓你們得到靈裡的平安！」當我看到竟然有300多人自動舉著手，一直維持到禱告結束，令我感動得不禁掉下淚來，內心充滿感謝，不停的禱告「神啊！我的主！感謝您！在人所不能的事，在您什麼都能，一切都是您的恩賜與榮耀！願您眷顧在您跟前的所有弟兄姊妹們！願用您的平安保守他們！奉我主耶穌的聖名求，阿們！」

真的！我要感謝的事，實在是太多了！感謝這些日子以來與我一起禱告且不斷支持我的弟兄姊妹，感謝主辦這次活動的「基督教文化交流基金會」、《山行報》、「南加州華人防癌會」這三個團體，感謝陳逸豪牧師帶領《有情天音樂世界》，在三天中辛苦的主持與參與。感謝廣告商的支持，感謝那些在奉獻與禱告有份的弟兄姊妹，因為大家如此熱心犧牲的奉獻，才有這一次健康分享會。

最後，感謝我們的講員—林光常博士，不辭辛勞地從台灣趕來，與大家一齊分享他個人在身、心、靈方面的領受，使大家受益良多。我所盼望的是：願神眷顧保守每位同工的工作。阿們！

附錄五　忙碌現代人的健康排毒快餐

有許多朋友提到他們很想落實排毒餐，希望每一天都能夠有一個健康的生活模式，照著排毒餐來吃。可是，沒有辦法啊！每天工作已經夠忙了。早上起來，衝出去上班都已經來不及了……甚至連「蹲馬桶」的時間都不夠了，怎麼有辦法吃排毒餐？

那麼有沒有適合現代忙碌的人，能夠吃的排毒餐？我們姑且把它稱做「懶人」排毒餐吧！或是這樣講好了：怎樣能夠讓這一套很簡單的健康排毒餐方式，落實到每個人的生活裡面？也有許多朋友問過我：爲什麼要用「21 天」的「強力排毒」來改造體質？是不是我「一年到頭」只要吃「21 天」的排毒餐就夠了？好！就讓我們從兩個方面來看——

第一個就是：如果你已經是「生病的人」，也就是已經得到慢性病的人。譬如說糖尿病、高血壓、癌症、心臟病、過敏、氣喘、腎臟病、肝臟病、肺病……（好！不管啦！甚至包括 SARS！）所有已經得到這些疾病的朋友，你至少要用四個月的時間連續吃排毒餐，每一餐都吃排毒餐！四個月過後，如果身體情況已經越來越好轉，你最少也一定要「保持早餐吃排毒餐」。因爲你早餐吃排毒餐，午、晚餐吃「中毒餐」，至少還不會馬上再「生重病」。

另外一個就是說，你目前是……我不是說「健康」喔！我是說「還沒有生病的人」。其實現在「健康」的人很少，大部分是「還沒有生病的人」。你如果再不謹慎，過沒有多久，你就會向

「糖尿病、高血壓、心臟病……」這些疾病來「報到」！你如果是目前還沒有生病的人，那你還有「條件」。我會建議你：一年之中，至少有「21 天」三餐都連著吃排毒餐。「21 天」吃完以後，至少保持每天早上吃排毒餐。

那很多朋友就說啦：「像你那麼忙，你怎麼有辦法保持在『吃排毒餐』的狀態呢？」其實只是一個很簡單的方法，各位可以參考看看。像我自己的習慣是這樣：基本上，我早餐一定盡可能在家裡吃。而出門前，我午餐、晚餐要吃的蔬菜水果，我也一定會自己帶去。像我中午要吃的地瓜，我就把它帶出去；再去找一家有賣「五穀飯食」的餐廳，買它的五穀飯、再喝一碗熱湯、買幾樣熟的蔬菜；加上我自己的生菜、水果……這樣子，其實就是一個很好的「排毒餐」。除此以外，我上飛機前會準備好在飛機上要吃的東西。

在上飛機前，我經常會把我飛行這十幾個小時要吃的東西；蔬菜跟水果先準備好；記得不要帶太多！尤其是有很多國家是不准帶水果入境的！所以在下飛機之前，你要把所有該吃的這些東西，全部都吃完。不過你最好也不要吃太多，因爲吃太多的時候，反而導致你腸胃的不舒服而且會影響你在飛機上的休息，因此，坐飛機有時候反而是一個非常好的「禁食」（斷食）的機會。

聖經上有一個原則非常好，就是一個禮拜你可以禁食兩次。禁食的時候，你儘量禁「晚餐」，你不要去禁「早餐」。你當然不能說：「我每天都禁食一餐！」哪一餐？「早餐……」，那根本不是「禁食」！那是早餐來不及吃！急著出門上班，當然要「禁」食啊！還說什麼「禁食」？

你要「禁食」，一個禮拜給自己兩個晚上；如果你不能「全禁食」至少「半禁食」；也就是說：只吃「水果、蔬菜」，其它都不要吃！（或是喝一杯果菜汁，其實這樣就非常健康了！）這個就是幫你「調好」你身體一個最簡單的方法。可是，你或許有時候還會擔心！（如果照我這方式吃。）有人就會問說：「你都吃那些『健康食品』？我們每次看你吃飯的時候，吃飯前、吃飯後，都還有吃一些東西？這個是不是你的『祕密武器」？」

三種營養補助食品

其實，老實說，我不是很建議吃太多的健康食品。但是我會覺得你可以「考慮」，有三類的營養補助食品，是值得享用的。不過，千萬不可以「反客爲主」！最重要的還是：蔬菜、水果、五穀雜糧跟水。這四樣是重要的。可是呢，如果你沒有辦法「百分之百」照排毒餐吃；而且你必須要額外「補充」的時候，你就可以選擇補充這三樣東西。

第一個，就是我們講到「礦物質」的補充。因爲，現在土壤非常地貧瘠。你不管怎麼「種」，「種」出來的東西，礦物質都不足。礦物質的不足，幾乎是造成酸性體質的「酸化」以及各種「文明病發生」主要的一個原因！

所謂最好的礦物質補充；你可不要衝去藥房買一大堆鐵劑、鈣劑、鈣片回來。我不是講這些！你應該要從「完整的」、「食物的」健康食品去攝取。儘量多吃海帶、昆布這些東西；尤其是像昆布粉那種經過六千度的高溫去濃縮出來的健康食品；我就覺得非常好！因爲它小小一瓶，可以吃半年！又很便宜。像這種，我就會很建議你用；而且它不怕高溫，也不會被破壞。裡面的礦物質，有「鈣」、有「鉀」、有「鎂」、有「銅」、有「矽」……還有很多我們身體需要的一些礦物質。

尤其這些礦物質是「所有人」所需要的「幾十種」礦物質中，算是扮演「班長」的角色；等於是「帶動」了礦物質在我們身體裡面所起的作用。我所建議你的食用方法是，你可以在喝水、喝湯、煮飯、煮麵……的時候，把它放進去。

第二個就是：我建議你補充「纖維素」。爲什麼呢？因爲你如果午餐、晚餐，都沒有辦法完全照排毒餐來吃，那你吃下去很多「精緻加工」食物，多數沒有什麼纖維素，纖維素可以說是非常嚴重地不足。任何食物只要處於低纖維、零纖維的狀況下，都可能會引發你的膽固醇過高；在醫學上已經證實膽固醇過高跟纖維的攝取量有直接關連。纖維攝取「夠」，那麼你的膽固醇就不容易過高。此外，它還可以促進腸胃的蠕動，大幅地減少腸癌的發生。

可是，事實證明，愛吃「肉、蛋、奶」這些完全沒有纖維素食物的人，都非常容易得到腸胃，還有心臟血管方面的疾病，這都跟纖維素的不足有直接關係。所以你如果一定要「補充」，記得要去買「沒有加味」、「原味」的，而且最好是「種子」的纖維。因爲，種子纖維它本身的「吸附」力，是非常非常地高。我看過很多有關這方面的報導，各位有興趣可以看看，我在附錄三就附了臨床醫學上的報告。我覺得這是很有價值的，它是很好的東西，又不太貴。那麼到底一天需要攝取多少纖維素才夠呢？照目前的標準來講，最少要 30 至 35 公克之間才夠。其實，我們就算一天都吃「粗糧」，像糙米，它雖然比白米多 14 倍的纖維素；但吃下去之後，大概也只有吃到 15 至 20 公克。所以，若能再補充 10 到 15 公克，那是更理想，更可以幫助你的身體。

第三個如果你還是非「補充」不可，我會建議你補充植物綜合酵素。因爲你食物不管怎麼吃，蔬菜、水果「生」吃……你「米」可就一定要煮來吃！任何食物本身都有酵素，可是一旦經過烹煮；54°C的溫度一下去，就把酵素破壞掉！你可能不缺纖維，不缺礦物質，不缺維生素 C……你可能不缺任何一樣東西，可是，我想你一定缺酵素。這也是造成現代人免疫力普遍降低的因素；任何一種傳染病，像 SARS，一發生的時候，大家就嚇得要死！其實這是因爲你平常的飲食習慣，造成食物中最重要的一個元素——酵素缺乏的緣故。酵素不只是跟我們的食物分解、消化、吸收有關；它跟我們的「免疫系統運作」，也有最直接的關聯！所以，我也會把這個部分跟大家詳細地談一談；這樣應該就可以減少大家對這些事物的恐懼。

因此，如果你有這三樣東西可以幫忙的時候，記得三餐飯前先吃 5 公克的植物種子纖維。因爲它會膨脹 30 倍到 50 倍，你一吃下去，胃大概已經占去三分之一了，可以讓你增加飽足感；而且它還會吸油。你吃了什麼太油的東西，它都會幫你吸油。但你不要因爲我這樣講，就肆無忌憚地拿高油脂的食物吃，吃出病來，千萬不要怪我！你也不要以爲有吃排毒餐就「可以晚上中毒，早上排毒！」有任何問題，我可不負責。

接著，你吃完飯一定要記得吃植物綜合酵素。這樣可以幫助你吃下肚的這些食物消化吸收，可以順利地進行。然後當喝水、喝湯、煮飯、煮麵……任何有水的東西，你都可以加昆布粉進去。我再強調一次：如果你可以養成好的飲食習慣；所有的健康食品，應該只占 10 %的角色！90 %還是要靠你日用的飲食，而不是靠那些補助品。千萬不要反客爲主！補助品只是一個「過渡」。我剛剛講了……因爲你這個要額外多花錢嘛！何必呢？現在景氣又不好；就算你賺錢多，你可以捐給慈善機構或是捐給我都可以，我可以幫你轉給慈善機構，我不會留下來的。

在這種情形之下，你就可以盡可能地把你的食物做一個調配。其實我有時候，真的是忙到沒有時間的時候；我就是照這樣做。不過水果我一定吃！吃完水果之後（甚至我就用果汁泡種子纖維素，喝一杯下去。）再喝 300c.c.的水！喝完後，我都再吃一

點簡單的食物，最後吃一點植物綜合酵素；就是這樣子。如此一來，身體也可以保持在非常好的狀態。

因爲我經常要旅行，每一個禮拜要坐飛機，可是還可以保持很好的狀態。其實，還眞的是多虧了現代科技所生產「完整的」、還有高效能的營養輔助食品補充。我想各位可以做一個參考。盼望各位「懶人」，吃了排毒餐以後，可以越來越勤勞。那這個排毒餐就不會給你更懶惰的生活，反而可以幫你解「懶毒」；以後你就會越來越輕鬆、越來越活潑、越來越開朗！

「關心窮苦人的多麼有福啊！
在患難的時候，上主要看顧他們。
上主要保護，保全他們的生命，
使他們在這片土地上享福；
上主不撇棄他們，不讓他們落在仇敵手中。
他們患病的時候，上主要醫治他們；
上主要恢復他們的健康。」

（詩篇 41 篇 1-3 節）

附錄六　神奇的備長炭

台中市煤炭商業同業工會　常務理事何榮耀

拜日本人對備長炭的了解及珍惜使用，並且加以發揚流傳到台灣，以致讓許多人驚訝，這種烏漆嘛黑的東西，爲何會有讓人意想不到的神奇功能，並且打破中國人傳統思維——以爲木炭僅單單是用於生活煮食之燃料用途，有時因爲它黑，就避之唯恐不及，稍有不慎就會弄髒自己。

看官！您知道嗎，木炭其實不是髒而是黑，因爲所有植物經炭化之後一定是呈現黑色本體，相信很多老一輩的人都知道，木炭是種漢方，諸如應用於整腸、腹瀉、消炎等醫療之用，早期因醫學不發達，若是吃壞肚子，就是以木炭搗碎加水飲用，以達整腸之用，當今的胃藥還是以此爲藥引，但如今醫學發達，此種方式應用最多在畜牧業。再則，前人常以木炭（燃燒通紅）再置入些鹽及香菜沖開水喝，可治癒咽喉炎等不適，諸如種種都是木炭的特有功效，但現代許多人會感到不可思議。

備長炭的起源

備長炭的起源及應用在日本學者大槻彰的大力推廣闡述下，近來有越來越多人相信備長炭的好處，更廣泛應用在日常生活中，尤其根據科學證實木炭經由 700 度以上溫度炭化過程使具有遠紅外線功能，此功能便廣泛應用在堪輿學上，也就是氣能磁場的提升，當今許多名人或廟宇建築多懂得應用它來改善氣能的不足。而備長炭加溫到 1000 度以上，木材的纖維質會收縮，體積縮小，經高溫炭化後纖維質炭化成多孔性毛細孔，廣大的毛孔就是吸附性的起源。根據實驗報告備長炭 pH 值大約 8.5～9.5 之間，其密度為 2.0～2.07g/cc 之間，富含人體所需天然礦物質，如鈣、鎂、鉀、矽等等。因為多孔結構，所以將備長炭置入飲用水中，會產生許多小氣泡，這些氣泡內含大量帶負離子的氧氣，可溶解水分子及釋放礦物質，提高水的弱鹼性，對一般人的味覺來說，這種 pH 值最好喝，也最容易吸收。目前一般家庭多是裝置逆滲透水機，但大部份的逆滲透水都是弱酸，約為 pH6.5～6.8 之間，長期飲用會對人體造成不自覺的負擔，但加入備長炭之後，水質是 pH7.35～7.5 的弱鹼，還可以吸附水中氯。自來水雖富含許多礦物質達到 160～230 單位量，但大都是雜質，經逆滲透處理後的水，就僅含 6～10 單位量礦物質，對人體所需礦物質量太少，但加入備長炭，礦物質便會增加到 30～35 單位量。

先前提到備長炭加熱到 700 度以上，便會產生遠紅外線，再加熱到 1000 度以上，可使木炭纖維質緊密縮收，因此，毛細孔大量增加也就是比表面積增加，毛細孔量的多寡，直接影響吸附量的能力，因此並非以外表及大小決定好壞。此外，由於產地之不同，成品的備長炭也就會不一樣。不過由於當前備長炭造成風潮流行，因此，一些販賣商或進口商皆標榜日本進口，或書寫一些日本專有名詞，如姥芽堅、馬目堅、柞木等等，我想連他們自己都未曾見過或說出個明白。

其實近 10 年來，日本的備長炭進口率幾乎達到 99 %，本國生產僅占很少的產量，大部份僅作為博物館或展示推廣之用，備長炭產地最大的國度就是中國，目前最好樹種有二種，一是烏棡，其次是青棡，因為烏棡是一種密度很大樹種，但生長期長，樹的中段直徑若為 12～15 公分，其生長期大約 15～20 年，且又是群生植物，最近中國發生砍伐過度，水土保護嚴重破壞，遇大雨便造成土石流及水災，已開始全面禁伐，因此如今大都以青棡爲代替品，但是由於砍伐量太大，可預見的是將來該產品也會很快減少。

至於竹炭，其實很多研究報告都是抄襲備長炭，只是日本人基於前述的緣故，加上竹材的取得容易，近來也多加推廣。因爲竹子是需要疏伐的植物，成竹不採收，則新筍不長，新筍不長，則該株竹林必定老化，甚至枯死。不過以兩者相較，最大不同，其一、種類不同，其二、燒製方式及溫度不同。根據研究報告，竹炭炭化溫度超過 700 度以上會影響竹炭品質，尤其是礦物質的釋放，其次是竹炭的毛孔較粗大，所以短暫的吸附力較強，但遠紅外線及負離子，尤其是導電率平均值就無法與備長炭相比。

所以備長炭爲何會在日本人心中有如此大的定位，是一個值得探索的地方，因爲日本人深切了解不只是備長炭的好，就連普通黑炭也相當珍惜，各種炭有各種不同可利用之處，比如普通木炭不僅是熱源燒材之用，更廣泛用於土壤改良、利用其鹼性中和土壤的酸性，尤其炭的微小毛細孔更是細菌或害蟲的剋星，同時因富含鈣、鉀、鈉、鎂等等天然金屬礦物質也是植物非常需要的養份，更廣泛應用於污水處理，河川、水庫的水質優氧化處理，凡此種種多是我國主管單位須好好學習及研究方向。

近三十年來日本人對備長炭了解及研究，從熱源的需求，生活上的利用，再到工業產品的研發，一直是世界的先驅，單是日常生活產品就有許多變化，首先是飲用水、除臭、消磁，再到健康產品，一應俱全，備長炭的使用方法及好處，許多日文翻譯書籍已在台灣非常暢銷，也讓許多台灣人甚至全球華人側目。爲何主要生產國的中國人卻不懂得利用及珍惜，反需他人的教導，才知道它的確是大自然的瑰寶，健康的守護神，更是萬物的養生黑鑽呢！

由於備長炭對人體有特殊效果，便有業者研發寢具類產品，讓人體能更直接接觸備長炭，如枕頭、床墊、座墊等……產品，都是非常符合現代人的需求；因爲其恆溫、具遠紅外線及負離子，實驗證明人體接觸備長炭枕頭及睡墊不會產生不舒服的燥熱感覺，反倒很容易熟眠，而且因熟睡所以睡眠時間自然減少，也可以利用這些原理減少宿醉，達到提神之效。台灣目前還沒有專責單位研究備長炭產品的差異性，不過在此建議選購時，還是以有信用的品牌爲第一選擇，因爲許多商人只是現在流行什麼產品，就搭便車販賣，然而其專業知識卻非常欠缺與盲目，消費者就成了受害者，常常因使用方法不當，無法正確吸收備長炭所具有的神奇功能，這實在是消費者一大損失。

最後本人要提出感謝的話，今天備長炭在台灣能有如此接受度及普遍化，一則首要是日本學者大槻彰，不過因翻譯之故，內容有一些必須改善記述。另外一位便是知名學者林光常教授，依我所知，他在近十年來，不斷公開演講及著述，闡明備長炭對人類健康福祉有著相當的功效，以致一傳十、十傳百的速度在台灣、新加坡，甚至全球華人社會普遍獲得認知。所以本人企盼好的資源一定需好好珍惜使用；選擇產品，並不是注重外表、包裝，而是要認清它的實用性與功能性，因爲備長炭是天然的素材，而非機器製造，其外表、長短、粗細均因樹種、產地不同而有差異，但是其所具備的功能與能量是一樣的，消費者應用心了解其中之奧妙，而不至於花冤枉錢，希望大家都能眞正活用木炭，成爲生活中的必需品，帶給我們健康又有活力的人生。

附錄七　牛奶妙「用」12招

無論公開演說或私下接受傳媒專訪，製作電視或廣播節目，我曾多次提及，牛奶是小牛喝的，不是萬物之靈的人類適合喝的。但「天生我材必有用」，深信上帝所創造的每一樣事物，一定都有它的用處，箴言所說，「耶和華所造的，各適其所；就是惡人也為禍患的日子所造。」（第16章4節）只是若沒能用得恰到好處，甚或誤用，則不僅無益，甚至有害，牛奶就是一個極佳的例子。

牛奶雖不適合人類飲用，但其所含豐富維生素，礦物質和蛋白質、脂肪等物質，卻極適於人們外用，因其營養成分容易被我們的皮膚所吸收，能防止肌膚乾燥，甚至可修補皺紋，創造美白肌膚。此外，它還能除蒜臭、清油膩、清眼部浮腫等神效。總之，運用牛奶護膚，假以時日便可爲你創造「膚如凝脂」令人稱羡的美麗境界。

⑴牛奶洗手，護手又除油膩

賢慧的家庭主婦爲了一家人的健康，每天從設計菜單、買菜、洗菜、切菜、配菜到煮菜，無所不包，經常也累到吃不下。最累人的恐怕還是全家用完餐後，看到像剛經歷過戰亂的廚房，頭又昏了。好不容易，弄乾淨了廚房，自己的手卻變得油膩又粗糙（被化學清潔劑傷的）。這時記得，拿牛奶來洗手，不但可去除令人不適的油膩，還可使粗糙的手獲得良好的保養。

⑵牛奶除大蒜口臭，還您好口氣

大家都知道大蒜是藥用價值極高的食材，醫學上更有大蒜防癌的專題研究，坊間不只有人著書立蒜，更有頭腦動得快的商人，將大蒜製成無臭的膠囊保健品，以助人避開蒜臭味的附帶品，直取大蒜的保健功效。現在，只要有了牛奶，大可放心效果最佳的大蒜生食了。

方法很簡單，只要將牛奶含於口腔中片刻，然後再用冷水或溫水漱口，大蒜所造成的口臭味即可祛除。

⑶牛奶浴有效解決失眠問題

沒有失眠過的人，永遠無法理解一夜好眠是多麼幸福的事。其實，睡眠是人的基本需求，可是現代人啊！為何原是屬於本能的事，都愈來愈困難做得到呢？在前文「健康每日七件事」中已提及多種助眠方案，在此，再提一法請供參考。

將38°C至40°C左右的（溫水需是我講得沒有氯，沒有雜質、沒有重金屬等條件的好水），注入浴缸中，水位以不超過心臟為準，當然是以你的坐姿來看的。再倒入 3000c.c.的牛奶，均勻攪拌至半透明狀，入內浸泡 15 至 30 分鐘。

牛奶浴是麥可傑克遜的最愛，也是他保養肌膚的祕方，此法亦可使緊張的身心得以鬆弛，並有促進熟睡的功效。但要記得，入浴完畢應及時清理浴缸，免得留下並非人人喜歡的牛奶味！

⑷牛奶＋鹽＋好水，告別粗糙皮膚

如前所述，再將海鹽（或粗鹽）加在泡有牛奶的溫熱水中。記得，鹽與牛奶的比例是 1：4。此法最好每周一次，可有效地去除皮屑，恢復你光滑的肌膚。

⑸牛奶＋醋＋好水，可消眼部浮腫

牛奶具有緊膚功效，起床後如果發現眼皮有浮腫現象，可用適量牛奶，醋以及好水三者調勻。然後在眼皮上反覆輕按 3 至 5 分鐘，再用熱毛巾熱敷片刻，眼皮的浮腫很快就消退。

還有一種偷懶的方法，將兩片化妝棉浸在冰牛奶中，再敷在浮腫的眼皮上大約 10 分鐘，之後，用溫水洗淨亦有奇效。

⑹冰牛奶舒緩晒傷皮膚

牛奶除供給營養使肌膚光滑之外，還具有消炎、消腫以及緩和皮膚緊張的功效。因此，當游泳完或享受日光浴後，感覺臉部因日晒灼傷而出現紅腫現象時，可利用冰牛奶來保養。

方法很簡單，先用冰牛奶洗臉，洗後敷上浸過牛奶的面膜紙。如果晒傷的面積很大，或全身都感到疼痛，那就來個牛奶浴吧。如此一來，晒傷的皮膚能得到舒緩，痛楚也會減少，還能預防炎症的產生。

⑺牛奶作面膜，肌膚光滑溜

臉部清潔是一切臉部保養的基本，也是臉部最重要的工作，皮膚要進行深層的清潔工作，面膜是不錯的選擇，它還可促進臉部毛細乳的呼吸功能。

方法很簡單，只需使用純棉的薄毛巾，將之浸透在牛奶中，然後敷在臉上，等臉上的牛奶完全乾後，再以好水洗淨便可。

⑻牛奶、燕麥一塊煮，祛斑美白一條龍

黑斑、面疤和痤瘡（青春痘）是美麗皮膚的大敵。許多人因臉上的斑斑點點，而影響了自信和人際關係，甚至還有人爲此而自殺。其實只要情況不是太嚴重，現在你就可以試試看，來個燕麥面膜每天只需 10 分鐘，助你處理皮膚難題。

做法如後：將等量的燕麥與牛奶調和後置於小火上慢煮，待其溫熱之時，塗抹於臉上即可。等到乾透了再用溫水洗淨。

⑼酵母牛奶加蜂蜜，乾性皮膚好甜蜜

啤酒酵母含有豐富的身體所必需的胺基酸、維生素和礦物質，尤其是維生素B群之完整，少有其它天然食品能與之相比，內服外用都好得無比，它還可被稱爲新陳代謝的維生素和促進血液循環的動力火車。

製作方法如後：只需牛奶一杯，蜂蜜一匙，再加適量的酵母粉混合即成另一種美白面膜，還可保濕使皮膚不再乾燥。記得敷完面膜的臉乾透後要用溫水清洗。

⑽優酪乳配檸檬汁，維生素 E 加蜂蜜

化學合成的維生素E膠囊，用於外敷的功效，可能遠勝過內服。將一顆 400 國際單位（IU）的維生素E，加半湯匙的蜂蜜和檸檬汁，再加 2 湯匙優酪乳，均勻攪拌後，將其塗抹在臉上 15 分鐘後，用溫水洗淨就會有意想不到的效果！

⑾牛奶加麵粉，滋潤又防皺

將等量的牛奶與精緻的麵粉攪拌均勻，一直調到糊狀為止，再塗滿臉和脖子，面膜乾了，再以溫水洗淨。

但特別注意：此法一周最多 2 次，次數太多反而易傷肌膚。

⑿牛奶麵粉橄欖油，皮膚彈性皺紋少

想要減少皺紋，增加皮膚彈性嗎？試試底下這個方法。取 1 湯匙牛奶，加數滴橄欖油和少量麵粉，將三者均勻攪拌，再敷在臉上，乾後以溫水洗淨。

看完了以上牛奶外用益處，相信一定會理解為什麼近幾年來全球各地知名廠商運用牛奶所製成的洗髮精、潤絲精和沐浴精等清潔保養用品愈來愈多的原因了。找個放假日試試這些好方法，簡簡單單讓自己美麗一下。敬祝你愈來愈喜歡牛奶，外用而不是飲用它！

讀者　（澳洲）

◎華人之光

我是澳洲讀者，由於全家力行排毒餐獲益匪淺，特提筆向您致最大謝意。一年前我們全家力行一美國牧師所倡的「哈利路亞食療法」（內容與排毒餐相仿），不僅體重 下降且身體健康獲極大改善。當時，直覺上的第一個反應是：我怎麼如此無知，讓先生、孩子吃進那麼多毒素？繼而惋惜的是全部資料均為英文，很多人無法蒙福（很有衝動想翻譯），如今見到您的書不禁喝采，終於有一本具中國人本土色彩的健康飲食書籍了！況且我們全家是基督徒，以前總想：「雷久南博士若是基督徒該有多好？」現在，上帝終於動工，讓您能夠探索聖經中的飲食科學觀，這實在是祂奇妙恩典。

日前得知基督教圈出現對您極大的反對聲浪，我想從兩方面表達我對您的支持。第一、您所提的公衛資料、研究報告和我看見的英文第一手資料大致吻合，而您能將艱深的學術資料以淺顯、幽默的方式傳達給民眾，實是普羅大眾之福音。第二、我在靈裡可以感受到您對基督信仰的執著及強烈的使命感，這些都是很難造假的。

正確的知識是很重要的，因為無知常造成太大傷害。但有知識後，要有「節制」的行動，則需要不斷地提醒，以我們家為例，我們雖知生食、不吃肉的好處，但美食當前，卻常抵不住誘惑，告訴自已「偶爾一下又無妨」，在無數次的「偶爾一下」，又慢慢倒退到以前的飲食習慣。現在我買了您的每一卷錄音帶，不斷地聽，讓自已徹底洗腦，果然「洗腦」過後，對抵擋誘惑有莫大的功效。

神在每個時代總會適時使用一些人來傳揚祂的福音，我們最欣賞您將大量神的話語及見證放在演講中（大陸巧遇清潔工及其子與華航劫後餘生的見證）都相當激勵人，神的話語本身就有力量，我相信這也是神大大祝福您的原因之一。人在病痛中是最易接受福音的，試想若三人中有一人是癌症患者，而這些患者都能因您保健的訊息間接接觸福音，那是多令人振奮的傳福音效率，再加把勁吧！相信大家都會為您加油！倒不是把您當作偶像崇拜，而是真的看見您是有使命感的福音天使！

當然，揭發事實真相是需要勇氣的。我們常覺您的敢言陷您於重重危機之下，誠願更多人為您代禱，讓耶穌的寶血親自塗抹您，使您免於撒旦的攻擊！

最後，謹祝

永遠展翅上騰

附錄八　健康排毒真實見證

◎胎兒蛋白值從 21,000 回復正常

吳建興　68 歲（台灣）

我平常就喜歡吃肉類及甜食，且作息不定、晚睡晚起、脾氣又急躁，在民國 90 年 9 月間，某日跑步時我突然感到頭暈目眩、體力不支，且在右腹部觸摸到一腫塊，經住院半個月做一番檢查後，始知胎兒蛋白值高達 21,000，肝腫瘤 2 公分多，11 月 23 日便接受切除腫瘤及膽囊手術。手術後一個月指數降到 2,000 多，一時以為病況已好了，因此飲食並未改變。但好景不常，2 個月後胎兒蛋白指數又上升到 4,000，即使做了酒精栓塞也失敗，到 5 月底指數已竄升到 18,600。只得接受醫師建議轉診他院（萬芳醫院）並續做光子刀電療（36 次），其間指數曾降到 8,000，但很快又回到 18,300，此時電療主治醫師已束手無策，又將我轉回原醫院。主治醫師似乎對我病症已無法掌握，最後只有對我進行「實驗療法」，也就是服用抗癌藥劑了，當我服用 20 多天後，不僅副作用多，且幾乎已不成人形了，萬念俱灰之下，老天又讓我得到一線曙光。

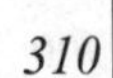

在 9 月初，接觸到林教授「健康排毒餐」理念後，想說用心吃 5 天試試看，之後再去診所驗血，結果胎兒蛋白降了 4,000 多，所以我就開始有信心地吃了 35 天。回去醫院檢驗得知指數居然輕鬆降到 7,900，實在令我欣喜若狂極了，簡直是不可思議，我似乎又活起來，恢復生機地信心十足，繼續吃「排毒餐」，其間常詳聽林教授的錄音帶，喝以琳元氣水、吃植物綜合酵素、運動，積極正面

思想……

總之，我徹底改變過去不當的習性，至今本人已吃「排毒餐」7個月，近日檢驗指數是1,620，不僅很穩定，而且精神十足，胃口奇佳，氣色紅潤，我想要恢復健康是指日可待，真要感恩林教授的指導。

◎跟大眾分享

郭文瑜　35歲（台灣）

兩年前在一次例行的健康檢查中意外地發現自己的乳房有水泡。這個警訊在自己心中所產生的焦慮、著急和徬徨……相信一般人不難體會。

所幸先生在耐心鼓勵和支持，開始接觸「長生學」讓自己先冷靜、安靜和放鬆。因緣際會，又接觸到「防癌長鍊」的整套課程，認識了梅襄陽醫師和簡光明大哥，從這裡出發我得到了啟發——開始反省我自己身、心、靈三個層面的問題。

接下來，在民雄的有機店裡遇到了林光常教授。一開始他教我如何吃排毒餐，落實對身體的排毒方法，進而用他最熱誠的心對我及我的全家，還有周遭的親朋好友提供了宗教靈性輔導的機會。我相信接觸過他的人，大家都有一致的同感就是只要有需要幫助的病人或家屬，他都一樣毫無保留地幫助受苦受難的人！在我的生命裡面，我感恩有他的幫助和鼓勵，使我以及我的全家還有周遭的親朋好友都獲得了不少幫助！

大家想知道我的排毒過程和成效嗎？在那排毒的一個月時間裡只要天氣稍微燥熱，我的背部經常就奇癢無比，會冒出痘痘和粉刺，尤其運動過後的流汗過程，更是令人難以忍受那種癢的感覺；

大約有一星期的時間，腳指頭會有像香港腳的情況；約有兩星期的時間會有口臭和便祕而且體溫偏高；情緒方面則常常會悶悶的……。但是，二個月後我從68公斤瘦到55公斤，身體瘦了下來越覺得輕安，情緒相對地也逐漸恢復平穩，凡事也都朝光明面思考！唯有朝光明面的思考，才能改變我們的觀念，才能影響我們的行動，才能改變現狀喔！

經過了一些時日，從乳暈處長了如青春痘大小的東西，排了一些污物後，經過一個星期就已經結痂恢復如初。

朋友！不管你（妳）或人是什麼病況，都請多給自己及家人一些機會，如同台大李豐醫師所言：生命的長短，我們沒辦法決定，但是，生活的品質，卻是可以改善的。如果你（妳）是基督徒，希望你（妳）透過禱告帶給你（妳）力量！如果你（妳）是佛教徒，希望你（妳）透過祈求帶給你（妳）力量！

在此，感謝林教授及民雄馬先生、馬太太和周遭親友的幫助！

◎與無常共處

郭媽媽　60歲（日本東京）

十幾年前事業正處於高峰期的我，因為腰痛至醫院檢查身體發現了大腸息肉；十幾年後則因為腹部有稍許疼痛至醫院檢查發現了大腸癌！在聞「癌」色變的今日，我中獎了！

很幸運的，從這裡開始，我在我的生命裡學習到了「中獎」的意義和使命！2002年我才在台灣遇到了梅襄陽醫師，瞭解了四低一高的飲食，開始從自己的身、心、靈三方面去尋找答案；很幸運地，我又遇到了熱心助人的林光常教授我如何吃排毒餐和植物綜合酵素。

因為外在食物中毒的關係，我被緊急地送往醫院檢查、治療和開刀。術後醫生認為我必須再做化療，在此，我必須說明的是，我真誠地感謝治療我的醫師群。但是，我自己做了一個不同的選擇——「不做化療」。在我60年的成長生命裡面，我感謝周遭所給我一點一滴！現在，我要用有限的生命去做無限我最想做的事，完成我的夢想！

我相信很多人都跟我一樣，從年輕便開始為三餐和事業拼命地在打拼，無非想讓家庭的經濟情況好轉，使下一代能夠有更好的經濟生活，使年邁的父母安享天年。但是，我們卻忽略了自己的身、心、靈和無處不在的變化無常裡！

雖然醫生們告訴我們如果不積極治療的話，可能來日不多！但是，我仍整理行囊買張機票回台灣看正在病重的兒子。我知道兒子的時候到了，我想幫助兒子說：如果照佛家的講法，因緣已盡，受苦的身體無法痊癒，我們就換一個身體再來好不好？媽媽會陪你念佛、在旁邊誦經給你聽，你不要害怕！因此，我有始有終地陪他走到最後！現在，我只要想到他，內心就充滿了一片祥和的喜悅之光，隨時隨地祝福著他！更祝福像我們一樣的家屬！

林教授是個有才華又樂於助人的年輕人！他的排毒方法讓我從當初的來日不多到現在體重回升、稀疏的頭髮變密、老人斑漸退、小腿的數十顆小脂肪瘤目前只剩兩個。有興趣的朋友大家可以試試看這個方法，達到預防勝於治療！

誠心的呼籲大家，目前的所謂文明時代，大家是否一起共同來為我們的心念及環境來做一個反思？如何與無常共處？想到林教授的表情，充滿了會心的一笑！~感謝他！

◎癌症成為我的祝福

黃瑛瑛傳道　（新加坡）

2002年9月23日晚上，我發現左乳頭壓下有血液滲出。24日做了掃描與照X光檢查，發現有15mm×23mm腫瘤。25日見乳癌專科醫生，數位醫生都認為是癌腫瘤，並訂於10月7日做癌腫瘤確定，接著做乳房及淋巴腺切除手術。

25日回家後我開始為手術禱告，強烈的不安感使我向上帝祈求兩件事：其一是讓我知道是否動手術；其二是為我預備一位基督徒醫生。27日有姐妹邀請我參加一個癌症講座，赴會後才知道講員林光常教授是一位基督徒醫生，並且非常奇怪他不贊成做切除手術。我過去雖然對西醫的頭痛醫頭，腳痛醫腳不以為然，但卻是頭一次聽到有腫瘤可以不切除而靠食物治療。會中我極為震撼地發現原來我對自己身體的照顧與醫治是極為無知的，也得到極大的激勵知道癌症並非絕症（這也是第一次聽到），並且得到兩樣重要的提醒：⑴死亡不是上帝的旨意；⑵健康是每個人的權利。會後，我向聚會的同工要求見林教授，她說我不可能見到他，因林教授這趟來沒有安排義診，而且第二天下午兩點再講一堂就飛美國去了。回家後，我向上帝禱告求祂讓我見林教授。第二天清晨，我做了同樣的禱告，心想他兩點鐘有講座，我要不要一點多便硬闖去。誰知中午約十二時，同工打電話來說林教授願意幫我諮詢。

10月1日我開始吃排毒餐。與此同時，我繼續禱告求問上帝讓我知道到底要不要動手術。排毒早餐在清晨六時半吃，我向來遲睡遲起（還自以為瀟灑）。於是，禱告時對上帝說，如果這排毒餐是你的預備，不如你早晨就叫醒我，所以，我故意不用鬧鐘。隔天我清晨五時起身，想起昨晚的禱告，會不會是巧合？我再對上帝說，明天你再叫我吧！第二天竟然也是準時五點起身（這顯然不是我的生理時鐘所為，後來也沒這麼準時）。起身後，我跪著低頭禱告問上帝到底要不要動手術？這時有介入的話語回應：「凡動刀的必死在刀下！」我嚇了一跳，抬起頭問上帝：「上帝是不是你在說話？」但我不相信地站起來走了，然後就把這事忘了。早餐後當我安靜下來，又問上帝：「不知要不要動手術？」同樣的話再次回答我：「凡動刀的必死在刀下！」我繼續尋求禱告一周後相信是上帝對我說話，於是取消了手術！手術取消後我承受了極大的壓力——周圍100％的醫生和90％以上的人開始替我擔心！

聖經說基督徒的身體是聖靈的殿，我求主赦免我將聖靈的殿——聖殿變成垃圾場，而從來不看重照顧自己的身體！接下來，我給廚房做了大掃除，我的生活也作了大調整：早睡早起，起床後運動，赤腳踏草地或石頭以排掉身上的正離子，每天按摩胸腺200下增強免疫能力，以更積極樂觀的態度來面對人生（雖然我認為我向來是積極樂觀的）。

吃了排毒餐之後，我的排毒現象是喉嚨痛、口痛、發燒、怕冷、情緒、虛弱感等。後來喉部另出現3個腫瘤，林教授替我檢查後說這不是癌症，這幾天真的就消失了。11月底，醫生說我的腫瘤縮小至8mm×12mm，林教授也說腫瘤已沒有癌化的跡象。

2003年2月（4個月後），我的乳頭不再出血，體重雖減輕6公斤，精神體力卻較病前更好，我甚至感到這是我平生身體狀況最好的時刻！

感謝上帝及時派祂的「天使」林教授來阻止我傷害自己的身體。我向來是聽話的病人，這次卻在這麼多人反對下不動手術，實在是上帝奇妙的引導。我知道上帝正透過祂所造的食物醫治我的身體，調整我的生活，並使我體會上帝出人意表地透過病痛苦難賜福我的美意。我願努力做身心靈的好管家，將更好的身體重新獻上為主所用，也更珍惜每一天，好叫我將來見祂的日子不會羞愧！

或許有人會對我說，你好可憐喔！這麼多東西不可以吃！但我說，我很同情你們還在吃垃圾食物，我不是不可以吃，我是可以不吃！感謝主，賜我自由與節制以選擇更美好的生活。

於此感謝林教授勞碌奔波，帶給許多人重要的提醒，成為我們生命的祝福，他對廣大群眾及病人的忍耐和愛心讓人非常感動；也感謝所有關心代禱的人。願創造宇宙及食物的天父和為我們降世受苦了解我們苦難的耶穌基督以及感動引導我們走向美好生活的聖靈繼續恩待大家，願您因為認識三位一體獨一真神——賜平安的上帝，在短暫而充滿苦難的人生可以享平安喜樂！

「誰曉得祢怒氣的權勢？
誰按著祢該受的敬畏曉得祢的忿怒呢？
求祢指教我們怎樣數算自己的日子，
好叫我們得著智慧的心」。

(詩篇 90 篇 11-12 節和合本)

健康排毒餐

<table>
<tr><th colspan="2">一、 排毒早餐：水果（1）＋蔬菜（2）＋地瓜＋米飯</th></tr>
<tr><td>1. 一種水果</td><td>選果原則：以當地、當季、盛產之水果為原則，凡是進口水果與非當季之冷藏品均不宜。
※慢性病患所食水果，需經專業人員一一檢視過。</td></tr>
<tr><td>2. 二種蔬菜</td><td>選菜原則：以根、莖、花、果四大類為主，凡是芽菜類與葉菜類暫時不宜但可改食綠豆芽、黃豆芽等豆芽。
舉例：
根－紅蘿蔔、白蘿蔔、山藥、牛蒡……等。
莖－西洋芹、明日葉……等。
花－花椰菜（綠）、包心菜……等。
果－小黃瓜、苦瓜、青椒、番茄……等。
※為安全與最佳效果考量，凡是慢性病患所食蔬菜，需經專業人員檢測過，方可食用。
※水果與蔬菜均需生食，完整地攝食（連皮吃）。</td></tr>
<tr><td>3. 地瓜（黃比紅適合）或稱番薯</td><td>慢性病患吃兩份，一般保健者吃一份，均要蒸後（冬天可用烤的）連皮食用。若居住地無生產地瓜，則以馬鈴薯代替，蒸後連皮食用。</td></tr>
<tr><td>4. 糙米一份</td><td>可在糙米中添加少量薏仁、紅豆、紅棗、蓮子、枸杞等未經精緻加工的五穀雜糧，若居住溫、寒帶，則可另加入大小燕、蕎麥在米中。
※ 蔬果雜糧均需選擇無農藥，不用化肥栽種的農作物，否則會影響效果。若對所購食物無把握，可事先以臭氧產生量每小時達 200mg 以上之蔬果解毒機處理，較為安全。</td></tr>
<tr><th colspan="2">二、午、晚餐的大原則</th></tr>
<tr><td>50%~60%</td><td>五穀雜糧</td></tr>
<tr><td>25%~30%</td><td>蔬菜類。
無論早、中、晚餐，所食蔬菜，盡可能保持至少 1/2 到 3/4 的生食，方能確保你有食入足夠的酵素，幫助食物的分解、消化和吸收，否則需在三餐飯前多補充植物綜合酵素，才有最佳效果。</td></tr>
<tr><td>10%~15%</td><td>豆類和海藻類（癌症患者或尿酸過高與腎臟病患，則儘量不吃豆類等蛋白質）。</td></tr>
</table>

5%~10%	湯（可用海帶、紫菜……等蔬菜），請多吃海帶或昆布，可有效消除身體所受輻射，並可保持血液最佳弱鹼性。但要注意海洋污染嚴重，已影響海帶、昆布品質，若無把握食物之安全性，可另購活性昆布粉使用。
水果在兩餐之間吃	
三、「排毒早餐」服用的最佳時間：	
慢性病患：	早上 06：30~07：00 之間。
一般保健：	早上 06：30~07：30 之間。
四、配合正確的睡眠時間，排毒餐效果更好。	
慢性病患：	晚上 9 時就寢。
一般保健：	晚上 11 時前就寢，9 時後儘量處於休息狀態。
五、調整體質時間，忌食物品如下：	
1. 魚（含海鮮） 2. 肉 3. 蛋（含蛋糕） 4. 奶（含所有乳製品，如優酪乳、奶油、牛奶） 5. 油 6. 鹽 7. 白砂糖（含一切有砂糖的製品，如巧克力、汽水等） 8. 味精 9. 醬油 10. 所有精緻與加工食品，如可樂、汽水、果汁、餅乾、罐頭、泡麵…… 11. 含咖啡因之食品（如咖啡） 12. 酒精類、冰品類 ※ 若病體已康復，則飲食調味可改為低油（冷壓之橄欖油）、低鹽（竹鹽）、低糖（蜂蜜等），當然最好是吃食物原味。	
六、若欲強化效果，則可同時進行【14 天強化排毒計劃】	
方法如下： 第一週：每一小時一匙（滿匙）植物綜合酵素，一天 16 匙（睡時不吃）。 第二週：每二小時一匙（滿匙）植物綜合酵素，一天 8 匙（睡時不吃）。 第三週以後，三餐飯後二匙（滿匙）植物綜合酵素。	
七、每天應生飲好水 3,000c.c.以上（這一點特別重要）。	

好水的條件：
a. pH 值為弱鹼性。
b. 保留原礦物質。
c. 乾淨無雜質（無氯、無重金屬）。
d. 符合生飲標準，不需煮沸，即可飲用。
e. 含氧量高。

八、特別注意

部分人服用「排毒早餐」後會有好轉反應，這是很好的現象，請繼續服用。
好轉反應現象列舉：

1. 頭痛、虛弱、感到不舒服、皮膚敏感、大便緩慢、拉肚子、多尿、疲倦、不想動、神經緊張、易怒、消極或憂鬱、發燒或其他類似感冒的症狀。
2. 有的宿疾，被藥物壓制未完全痊癒的，會發出來。如有高血壓者，血壓可能暫時更高；有糖尿病者，血糖可能更高（不用擔心，這是好現象）。

無論如何，大多數人會發覺這些反應是可以忍受的，而且你要很高興，因為對你特別有效。在好轉反應時，要多休息、多睡覺、多喝水或多吃植物綜合酵素，症狀就會減輕。

九、每天所攝取之食物纖維，至少應達 30~35g 以上，排毒效果才會明顯，所選食物之纖維素若不足，請另行增補植物種子纖維營養素。

十、就從今天開始，練習每一口食物咬三十下，保證你不會發胖，也不會得老人痴呆症，頭腦靈活、身手矯健。

HEALTHY DETOX DIET

I. Breakfast:One serving of fruit, two servings of vegetables, one serving of sweet potato, one serving of brown. rice Servings are proportional by weight.	
(1)Fruit -one kind	Selection principle: It is advised to select fruit that is in abundance, in season, and locally grown. Any fruit that is imported, or frozen out-of-season, should be strongly advised against. Anyone with chronic disorders should have fruit examined by medical professionals before intake.
(2)Vegetables - two kinds	Selection principle: Vegetables are selected from the four classified groups: 1) roots, 2) stalks, 3) flowers, 4) seeds. Examples of each groups are: 1) roots - carrots, turnips, burdocks, 2) stalks - celery, mizuna muster greens, 3) flowers - broccoli, Chinese cabbages, 4) seeds - picking cucumbers, bitter melons, bell peppers, tomatos, It is recommended to temporarily refrain from eating leafy vegetables or buds, but rather substitute with soybean sprouts, bean sprouts, or other types of sprouts. For patient with chronic disorders, in order to achieve best results and for the safety concern of the patient, it is needed to have the vegetables examined by medical professional before consuming. Fruits and vegetables must be consumed raw (including peels if possible).
(3) Sweet potato	yellow-fleshed types are more suitable than orange-

	fleshed varieties. Please note two servings for people with chronic disorders, one serving for general health purpose. Prepare by simmering (can be baked if in winter) and serve with peel. If sweet potato is not available in place of inhabitation, white potato can be used.
(4) Brown rice	Small amounts of unprocessed whole grains such as Chinese perl barley, red beans, dates, lotus seeds, medlars, can be added with brown rice to be cooked. If inhibiting in regions of mild or cold climate, additional oats or buckwheat can be included. Please note every item listed above must be harvested from organic practices free of chemical fertilizer, growth hormone, insecticide, or other additives in order to achieve the utmost result. If uncertain about the food you purchase, an ozonizer generating over 200 mg of ozone per hour could be utilized to make the food safer for consumption.
II. Principles of lunch and dinner preparation	
50% - 60%	Whole grains.
25% - 30%	Vegetables. Regardless of which meal, it is recommended to consume1/2 to 3/4 of the vegetables in raw to maintain sufficient intake of enzyme, in aiding the breaking down, digesting, and absorbing of food. Otherwise, before each meal,supplement with complex plant enzyme to achieve similar result.
10% - 15%	Beans and seaweeds (cancer patient, patient with high level of uric acid, or patient suffering from kid-

	ney disease, should refrain from eating beans or any other food high in protein).
5% - 10%	Soup (vegetable with kelp or seaweed). Eating plenty kelp or seaweed could effectively eliminate radiations absorbed by human body, and keep blood to be at optimum alkalinity. Due to pollution of marine life, state of kelp and seaweed may be degraded. Concerned about the safety of the food, activated kelp powders can be used instead.Fruits to be best taken in between of two meals.
III. Most ideal hour for "detox breakfast":	
Patient with chronic disorders	6: 00 am - 7:00 am
General health purpose	6:30 am - 7:30 am
IV. Detox diet is more effective with appropriate bedtime.	
Patient with chronic disorders	9:00 p.m.
General health purpose	11:00 p.m., in resting status after 9:00 p.m.
V. Foods to avoid while recovering from illness	
1. Fish (including all types of seafood) 2. Meat 3. Eggs (including egg-made cakes) 4. Milk (including all dairy products, such as yogurt, butter, and cow milk) 5. Oil	

6. Salt
7. Refined sugar (including all kinds of products made from refined sugar, such as chocolate, soda pop)
8. M.S.G.
9. Soy sauce
10. All types of processed foods, including soft drinks, juices, cookies, canned foods, instant noodles
11. Any food or drink contains caffeine, such as coffee
12. Alcoholic beverages or icy foods

※If the body has recovered from illness, food preparation and seasoning should be changed to using low calorie cooking oil (cold-pressed olive oil), with low sodium content salt (bamboo salt), and less sugar (use honey instead). It would be most beneficial to eat food in its most natural state without any added condiment.

VI. Simultaneously undergo "14-day intensified detox program" to strengthen the effect of detox diet

1. First 7-day: one spoonful of complex plant enzyme per hour, 16 spoonfuls per day, waking hours only.
2. Second 7-day: one spoonful of complex plant enzyme every two hour, 8 spoonfuls per day, waking hours only.

After 14 days, two spoonfuls of complex plant enzyme after each meal if needed.

VII. Drink 3,000 c.c. or more of high quality water daily (Highly important).

Conditions of high quality water:

a. pH value at mild alkali level
b. retains all original minerals
c. pure (contains no chlorine, nor any heavy metals)
d. drinkable without boiling
e. high oxygen content

VIII. Special notices

Some people after having "detox breakfast" may experience ameliorated reactions.

These reactions are positive in respect, which include:

1. headache, fatigue, lack of energy, bodily discomfort, rash, constipation, diarrhea, nervousness, temperament, depression, pessimism, fever, or flu-like symptoms.
2. Illness that are not cured but rather are controlled under medication, may experience relapse.

People with high blood pressure may see an temporal elevation of blood pressure.

Diabetics may see an increase in blood sugar.Please be rest assured these reactions are tokens of return to good health. In most cases, the discomforts are tolerable. People should be delighted in it as they are indicative of an effective diet.

When experiencing ameliorated reactions, remember to rest, sleep, drink plenty of water, or take complex plant enzyme to alleviate the symptoms.

IX. Daily intake of minimum of 30 - 35 g of plant fibers to achieve obvious detoxifying results. If the food are insufficient of plant fibers, please incorporate with plant seed fiber supplements in diet.

X. Starting today, practice every bite of food with 30 chews. This safeguards from obesity, Alzheimer's disease, and guarantees a life style of agility with alert mind.

作者簡介

祂從灰塵裡抬舉貧寒人，
從糞堆中推拔窮乏人。
使他們與王子同坐，
就是與本國的王子同坐。

（詩 113：7-8）

林光常教授，1963 年 1 月出生於台灣高雄的旗津小島，在那兒放眼望去是廣大無邊、海天一色的台灣海峽。海洋生活的童年孕育了他廣泛的興趣與遼闊的視野，再加上自幼受到宗教信仰的薰陶，使他深具悲天憫人的情懷與強烈的歷史使命感。所以，他總是根據社會的發展與人們的需要，欣然獻出赤子之心，而無怨無悔地付出。

當他發現愈來愈多的家庭被癌症所吞噬，愈來愈多的人陷入得癌的恐懼中，他就暗自做了一個決定：重返校園。在完成美國檀香山大學 MBA 學位多年後，利用在中國大陸擔任忙碌的企業與機構顧問的閒暇之餘。他得到一個好機會，研修了在中國享有盛名的遼寧中醫學院中醫課程，並在其附屬醫院實習，豐厚了他的醫學理論與實務經驗，尤其在癌症的防治上多有心得。更深刻地體會到老生常談的「防癌比治癌更重要」觀念。

林教授自幼熱心公益，及長更積極投入各種社團公益活動，多年來曾先後擔任中華民國潛能開發協會副會長，中華民國社會關愛協會會長，中華民國遠紅外線外科應用協會理事等。並義務性地爲《醫藥日報》撰寫了一整年的〈保健專欄〉，還在百忙中抽空提供他的專業在漢聲廣播電台主講「健康、成功與醫學」主題，爲期一年九個月。

爲了全面推廣「正確的飲食方式與健康的生活習慣」，期能減少因無知與疏忽而造成人生不可彌補之痛，林教授每年演講不下三百場次，披星戴月，不辭辛勞，足跡遍及海內外，就是希望人人無病無痛無掛慮，常樂長壽常富足。

後來，他爲了跨大步伐解開癌症密碼，向更多國際權威且專精的醫學專家學習，又進入美國環球大學（American Global University）東方醫學研究所博士班就讀，並獲得博士學位。在校期間，他專注於生命中自然康復力對癌症治療功效的探討，陸續獲致多項傑出研究與臨床成果，爲癌症病人帶來了莫大的康復盼望與生命的希望。

林教授尤其擅長將複雜的哲理簡單化，將艱深的醫理通俗化，在他精闢獨到、深入淺出、幽默風趣又鼓舞人心的演說中，許多人都重獲了生存的勇氣與生命的力量。尤其在新加坡新傳媒（Media Corp）電視台，由「金嘜獎」四冠王得主東方比利先生所主持的「新世紀互動」節目和 972 最愛頻道的「輕鬆防癌，積極抗癌」單元中，林教授對於癌症康復方面的闡述，他的熱忱、專業、誠摯與愛心都引起了廣大觀聽衆極大的迴響，造成了一陣陣的「林光常旋風」。

卸下中華文化學院三年（2000～2002）客座教授的教職後，林教授有更多的時間可以接觸病患，從事臨床研究。2002 年 9 月在接受《壹週刊》專訪時，曾建華主筆問道，近期有什麼大的工作計劃？林教授就說，最重要的是儘快成立一所集治療、研究與教學的癌症中心，將目前在全球數以萬計運用自然療法與聖經醫學治療了癌症的實例，彙整起來，更深入去剖析，找出更好的癌症治療與預防之道，方能徹底根除人們對癌症的恐懼，增進全體人類的健康。而這個心願正在一步步實現，林教授於 2003 年擔任台灣癌症基金會顧問，並兼任美國中華自然療法世界總會祕書長一職，將共創一所以病患爲出發點的新型態癌症醫療及研究中心，強調身心靈全人健康的旨趣。

國家圖書館出版品預行編目資料

無毒一身輕 2 ／ 林光常著.
-- 初版. -- 臺北縣新店市：世茂， 2004 [民 93]
冊； 公分. -- （生活健康系列：B262）

ISBN 957-776-581-5（平裝）

1. 自然療法 2. 健康法

418.94 91017290

本書之內容絕非是要取代合格醫師的診斷與治療，而書中所列諮詢電話或網站，僅提供如何正確吃排毒餐之諮詢，若您有任何身體上的不適，我們建議您先請教專業的醫療人員；生病看醫生，但健康靠自己。

無毒一身輕 2

一生病 34 因・健康 7 大法

作者／林光常
撰稿整理／林燕蘭
主編／羅煥耿
責任編輯／陳弘毅
編輯／李欣芳
美編／錢亞杰、鄧吟風
出版者／世茂出版有限公司
發行人／簡玉芬
地址／台北縣新店市民生路十九號五樓
電話／（〇二）二二一八三二七七
傳真／（〇二）二二一八三二三九（訂書專線）
（〇二）二二一八七五三九
劃撥／一九九一一八四一
單次郵購二〇〇元（含）以下，請加30元掛號費
登記證／登記局版臺省業字第五六四號
電腦排版／龍虎電腦排版公司
印刷／長紅印製企業有限公司
法律顧問／北辰著作權事務所
初版一刷／二〇〇四年二月
十八刷／二〇〇六年四月
定價／三〇〇元